El corazón de una CONDESA

ELIZABETH BOWMAN

El corazón de una
CONDESA

TITANIA
Argentina • Chile • Colombia • España
Estados Unidos • México • Perú • Uruguay • Venezuela

1.ª edición Febrero 2017

ISBN: 978-84-16327-25-6
E-ISBN: 978-84-16715-75-6
Depósito legal: B-7.008-2016

Fotocomposición: Ediciones Urano, S.A.U.

Impreso por Romanyà Valls, S.A. – Verdaguer, 1 – 08786 Capellades (Barcelona)

Impreso en España – *Printed in Spain*

A David Ainse, por devolverme esta historia de entre las sombras.
Y a Ana B., por inspirarme y ser ya por siempre
mi querida señorita de Covas.

«Permitidme que no admita impedimentos
ante el enlace de dos almas fieles,
¿no es amor un amor que cambia siempre por momentos
o que a distanciarse en la distancia tiende?
¡Oh no! Es el faro que imperturbable
contempla las tempestades y nunca se estremece...»

(Fragmento del soneto CXVI *de*
WILLIAM SHAKESPEARE)

Nota de la autora

Esta es una historia de ficción. Todos los personajes, nombres y situaciones han sido utilizados de manera ficticia por la autora.

San Julián y el Pazo de Rebolada sí son escenarios reales y han sido descritos intentando en todo momento permanecer fieles a su realidad, aunque ambos nombres han sido cambiados. Además, me he tomado la licencia de concederle un crucero de granito al atrio, un pozo cubierto y un estanque al jardín, (el Pazo original no dispone de tales ornamentos) y de imaginarme el interior, puesto que se trata de una propiedad privada no abierta al público.

La historia y vida de los moradores reales del Pazo nada tienen en común con la historia y vida de mi protagonista. Ni siquiera el título nobiliario.

Las normas que rigen la estricta educación de mi joven condesa están inspiradas en un sistema disciplinario real, que formó parte de la rígida educación de la joven reina Victoria de Inglaterra, conocido como el *sistema de Kensington,* y que algunas familias europeas de rancio abolengo adoptaron después para la educación de sus hijas. He querido que mi condesa fuera una de esas hijas, en parte debido a mi admiración por esta gran Reina.

Prólogo

Pazo de Rebolada, San Julián. Norte de Galicia, 1850.

Las campanas de la pequeña iglesia parroquial tocaron a difunto.

Casi en ese mismo instante, y como si se tratara de un inquietante signo premonitorio, un grupo de cuervos abandonó en desbandada la cumbrera del tejado, quebrando la solemnidad de la tarde con sus espeluznantes graznidos.

La señora del Pazo acababa de abandonar el mundo de los vivos tras una penosa y larga enfermedad, dejando a su niña, Ana, su única y muy querida hija, a cargo de un padre déspota y autoritario. Un hombre que lo único que veneraba más que la visión de su propia imagen reflejada en el espejo era el olor acre de los billetes que atesoraba en sus arcas. O, siendo más fieles a la realidad, en las arcas de su difunta esposa, pues todo allí: el Pazo, las propiedades, la fortuna, la respetabilidad en el pueblo e incluso el título nobiliario, pertenecían a la finada, siendo él tan solo el más indebido y afortunado consorte.

Doña Angustias, el ama de cría de la pequeña, se persignó y enjugó las lágrimas con un pañuelo que siempre guardaba discretamente en la bocamanga de su vestido.

Al menos la señora había encontrado al fin descanso, dejando sus penurias y calamidades de pobre niña rica para los que aún moraban entre los vivos. Como era el caso de su pequeña y desvalida infanta. ¡Cuánto le quedaba aún por padecer a aquella pobre criatura al lado de un padre incapaz de mostrar el menor afecto por ella! Aunque a nadie en la Casa Grande le extrañaba un desapego tan inhumano y antinatural. Hasta los animales sienten querencia por sus crías, pero el señor conde era de una pasta distinta, tenía un corazón de piedra dentro de un sayo enteco e insensible. Difícilmente podía sentir afecto por la niña cuando tampoco había sido capaz de mostrar ni una pizca de aprecio por la bondadosa y amable señora mientras esta aún vivía. Y ella sí que era de auténtica pasta de ángel.

Doña Angustias alzó la mirada con resignación hacia la empinada escalera donde, valiéndose de la evidente ventaja que otorga la juventud, la criatura en cuestión subía los peldaños de dos en dos.

—¡Ana, no corras, mujer! Que te vas a hacer daño... —La anciana ama comenzó a subir las escaleras trabajosamente, sujetándose las faldas con ambas manos mientras jadeaba y resoplaba como un viejo animal cansado—. ¡Diantre de criatura!

Al alcanzar por fin el rellano se detuvo un momento, liberó la gruesa tela del agarre y se llevó una mano al hígado, que en esos momentos la estaba matando, para permitirse tomar aire siquiera un segundo. En realidad, apenas un segundo, pues en el acto, meneando la cabeza con fastidio y resignación, se obligó a reanudar la persecución de aquella imparable criatura objeto de todos sus desvelos y cuidados.

—¡Ana, para de una vez! ¡Vas a caerte y a lastimarte de verdad...!

Pero la pequeña, convertida en esos momentos en un dinámico bulto negro plagado de volantes, lazos y tirabuzones, corría como una exhalación a buena distancia delante de su cuidadora, haciendo resonar sus pasitos por toda la galería, desde los lustrados suelos de madera hasta los inalcanzables rosetones del techo, dejando tras de sí un dulce aroma a agua de rosas y jazmín.

La anciana exhaló ruidosamente en plena carrera. En realidad, en esos momentos aquel angelito de cinco años le inspiraba tanta compasión que le resultaría imposible enfadarse con ella aunque le hiciera arrojar los hígados por la boca, como parecía muy probable que sucediera en cualquier instante.

En un momento dado, la pequeña paró en seco, se alzó de puntillas, clavó los deditos cortos y regordetes en el junquillo de la ventana y se encaramó al cristal, llenando de vaho la superficie delante de su nariz.

A lo lejos, el cortejo fúnebre, presidido por un majestuoso coche tirado por dos percherones adornados con crespones negros y seguido por un generoso séquito de almas enlutadas, descendía la ladera muy despacio en dirección al camposanto, que esperaba la llegada de la nueva moradora a poca distancia del mar.

—¿A dónde se la llevan? —La voz de la pequeña sonó tan lastimera que doña Angustias sintió cómo su corazón se desgarraba hasta partirse en dos.

Se detuvo a su espalda, resollando y sudando como un animal de tiro, y dudó un instante si acariciar o no aquella adornada cabecita; al final se decantó por dejar su mano suspendida en el aire unos segundos para luego ocultarla con rapidez entre los pliegues de su falda, cerrándola en impotente puño.

—Tu madre ya no sufre, cariño. —Y tuvo que silenciarse cuando percibió una lágrima descendiendo en soledad por los regordetes mofletes de la niña. Ni un gemido, ni un sollozo. Ana, aun siendo tan pequeña como era, poseía una dignidad encomiable y una fortaleza digna del más valeroso guerrero. O de una damita de su posición, tal y como le había sido inculcado.

«¡No se llora, no se gime, no se muestra debilidad! Todo el mundo a tu alrededor es un enemigo potencial. ¿Lo entiendes, niña boba?», sermoneaba de continuo su estricto padre en un tono digno de general de campaña. ¡Malditas fueran sus enseñanzas!

—Ya no podré hablar con ella... —No era una pregunta.

—Siempre que quieras, amor; cada vez que cierres los ojos y la busques en tu corazón, allí la encontrarás.

La niña apretó los párpados con fuerza para cerrar el paso a las lágrimas. Pero sus esfuerzos fueron en vano, no importaba la fuerza o la voluntad con que los apretara: las lágrimas empezaron a brotar en ese mismo instante para correr por su cara como si alguien hubiera abierto de golpe la presa que las contenía.

—Ya no va a cantarme nunca más por las noches, ni esperará al lado de mi cama hasta que me duerma...

Doña Angustias no pudo evitarlo. Se inclinó con ímpetu sobre ella, furiosa con la vida y con el destino, la cogió en brazos y la abrazó muy fuerte, tratando de consolarla, y a la vez de consolarse a sí misma. La niña rodeó su cuello en un abrazo desesperado y apoyó su carita sobre el hombro de la anciana. Una vez amparada en tan amoroso refugio, rompió a llorar en silencio, como hacía siempre, tragándose todo el dolor y el sufrimiento para sí misma. Sin pretender dar lástima, sin apenas hacerse oír, sin desear llamar la atención.

«¡Un noble del reino jamás muestra signos de debilidad delante de sus inferiores, niña! Nunca lo olvides si esperas hacerte respetar. ¡A nadie le interesa tu dolor, ni a ti debe interesarte el dolor de los demás! ¿Te ha quedado claro? ¡Son tales cualidades las que distinguen el grado de nobleza de cada quien!», solía amonestarla su padre, obligándola a silenciar su llanto cuando se lastimaba durante sus juegos; cuando, como cualquier otro niño, se raspaba las rodillas y las manos hasta hacerse sangre. En esos momentos, no había besitos en la herida ni mimos misericordes, tan solo un brusco empellón para obligarla a levantarse y una regañina por su torpeza. Quizás incluso, dependiendo del humor que gastara el progenitor, podría recibir una bofetada como castigo a tanta indeseable debilidad.

—Yo cuidaré de ti, mi pequeña, y estaré a tu lado cada día de mi vida hasta la hora en que me muera. —Las lágrimas descendieron también por las mejillas de la anciana mientras, a lo lejos, la comitiva fúnebre se perdía de vista tras las oscuras y rumorosas copas de los pinos que, en sintonía con el momento, deslizaban entre el follaje su lastimoso cántico para lanzarlo al infinito.

Muy poco tardaría la anciana en comprobar las escasas posibilidades que iba a tener de cumplir aquella promesa.

1

Villa y Corte de Madrid, trece años después.

Ana Emilia Victoria Federica de Altamira y Covas se sentó muy erguida en el asiento forrado en cuero negro del coche que su padre había enviado expresamente para buscarla y llevarla de vuelta a su Galicia natal.

Un ligero movimiento en el asiento de enfrente provocó que desviara la mirada del manchón grisáceo que conformaban las calles madrileñas, difuminándose ahora a cierta velocidad al otro lado de la ventanilla, para fijarla en el enorme bulto cubierto de gasas y organdí que constituía su acompañante.

Doña Angustias, su anciana ama de cría, había ido a buscarla a la capital a pesar del tremendo trasiego que un viaje de tantas horas suponía para una mujer de su edad y envergadura. A esas alturas, luchaba a brazo partido por encajar sus generosas carnes, y sus voluminosas capas de ropa, en el reducido habitáculo.

Ana ladeó el rostro para observarla con una ternura infinita, el único modo en el que se sentía capaz de mirar a aquella buena y amorosa mujer, y una sonrisa pletórica de afecto ensanchó ligeramente su semblante.

Aquella anciana de rostro colorado y regordete cuyas mejillas fláccidas se descolgaban a ambos lados de su cara como alforjas sobrecargadas había sido una segunda madre para ella aunque, debido a su edad, su rol se acercaba más al de una abuela afectuosa y protectora.

Una abuela a la que amaba por encima de todas las cosas y que, estaba segura, la amaba a ella del mismo modo. Su muy querida nana.

Era muy consciente de que la pobre ama había intentado con todas sus fuerzas suplir la vacante que su señora había dejado en el corazón de la niña trece años atrás, y lo había hecho tan bien que Ana apenas sufrió su ausencia más de lo justo y necesario. De hecho, estaba convencida de que hubiera disfrutado de una infancia y una primera juventud bastante felices si su padre no la hubiera arrancado de forma abrupta de su lado, como se arranca una mala hierba de un bello jardín o la costra de una herida, para desterrarla a un frío colegio de monjas en un lugar que, en su mente infantil, le pareció tan remoto como la luna.

Habían sido trece largos años lejos de casa, trece largos años encerrada en aquel estricto internado para señoritas a donde su padre le había faltado tiempo para enviarla, pocas semanas después de la muerte de su madre, y donde nunca se había molestado en acudir a visitarla. ¿Para qué, en realidad? ¿Para obsequiarla con alguna de esas miradas engreídas suyas capaces de helar la sangre en las venas al alma más intrépida? ¿Para observarla con estúpido rigor por encima de su artificioso bigote? ¿Para negarle a la cara un abrazo, una caricia o una simple palabra de aliento? ¿O tal vez para recordarle lo beneficioso de crecer sin cariño ni compasión, en un colegio donde el contacto más cercano y personal procedía de los reglazos que las monjas descargaban sobre sus dedos a la mínima falta?

De su padre, durante aquellos años, había conservado tan solo un pequeño y compacto atado de cartas breves e impersonales, atado que horas antes de abandonar el internado se encargó de incinerar en la chimenea del comedor comunal. El severo don Alejandro Covas no se había molestado en plasmar ni una mísera pulgada de afecto en ninguna de sus frases. Más parecía un esporádico intercambio logístico entre dos empresarios que trataran de cerrar un negocio que a ambos desagradara, que una comunicación cálida y afectuosa entre padre e hija.

Las comisuras de sus labios se elevaron en una sonrisa melancólica. ¿Por qué negarlo? Entre los dos jamás había existido una afectuosa relación padre e hija; a esas alturas era muy consciente de ello. Dolorosamente consciente de ello. Su padre, don Alejandro Covas, por alguna razón inexplicable, la repudiaba. Jamás había entendido el porqué. Tal vez por el simple e inevitable hecho de haber nacido.

En todo ese tiempo, además, el caballero tan solo le había permitido hacer cinco visitas fugaces al Pazo durante las vacaciones de Navidad y Pascua. Cinco visitas a casa en trece años.

Ana torció los labios en una mueca de disgusto que alcanzó también el verde manzana de su mirada. ¡Por supuesto, nada que pudiera comprometer su perfecta reputación de caballero distante y atildado, que no desea verse atrapado por innecesarios lazos afectivos o incómodos lastres a su espalda! Aunque ese lastre en cuestión fuese la joven condesa de Rebolada y apareciera perfectamente envuelto en lazos, muselinas, plumas y encajes. Aunque ese lastre fuera su propia hija.

Exhaló por la nariz conteniendo un jadeo. Por fortuna, doña Angustias jamás se olvidó de ella y no dejó de escribirle cada quince días enviándole todo su cariño garabateado en pliegues infinitos de papel, así como recuerdos furtivos de su San Julián natal en forma de diminutas espigas de lavanda o capullitos de rosa, que acababan por desecarse y alcanzar la eternidad entre las hojas de papel vitela. Una vez incluso tuvo el detalle de enviarle el nido abandonado de un carrizo, aquel pájaro diminuto de plumaje color castaño cuyo vuelo tanto le gustaba admirar de niña desde su ventana. Estaba segura de que, si hubiera podido y las severas monjas se lo hubieran permitido, la cariñosa mujer le habría enviado el propio pajarillo cantor para que la acompañara en sus horas más tristes.

Un intermitente zarandeo en el asiento de enfrente la apartó de golpe de sus amargos recuerdos, obligándola a centrar su atención en la anciana ama y, a consecuencia de ello, ocultar una sonrisa condescendiente bajo el tafilete de su mano enguantada. Doña Angustias había conseguido a duras penas acomodarse en su asiento, pero las amplias capas de enaguas, la estructura de la crinolina, el grueso tejido de la falda y su falta de estilo y coordinación habían propiciado que la tela se abombara alrededor provocando un efecto globo, por lo que la buena mujer permanecía ahora a medio sepultar bajo la profusión de organdí, bordados y encajes. El diminuto sombrero que coronaba su cabeza, ladeado y adornado con una pluma de faisán, suponía el colofón final para convertir aquella imagen en una pintoresca acuarela.

Sin poderlo evitar, de sus labios escapó una breve risita que trató de disimular replegándolos al interior de la boca. Siempre se había considerado una joven sensata y estaba segura de querer a su ama más que a nadie en el mundo, segura también de que nadie más bajo las estrellas se merecía más respeto y afecto que aquella buena mujer, por lo que en ese momento se sintió terriblemente culpable por haber convertido a la anciana, durante unos segundos, en el blanco perfecto para su hilaridad, actuando contra su habitual buen juicio y el profundo afecto que le profesaba. Se recriminó íntimamente su inmadura conducta, e hizo acto de contrición deslizando la mirada a través de la ventanilla para evitar caer de nuevo en la tentación.

—¿Contenta de volver a casa? —consiguió farfullar la mujer una vez se hubo arrellanado a conciencia y recuperado el aliento. Ana fijó sus enormes ojos verdes en ella y esbozó esta vez una amable sonrisa, gesto que consiguió embellecer aún más su hermoso rostro.

—Feliz de volver, y esta vez para quedarme —suspiró, y acomodó las manos sobre el regazo donde, adornadas con ricos guantes de tafilete, recordaban a dos palomas blancas dormidas sobre un océano lavanda, tal era en esa ocasión el color de su vestido.

—No sabes la alegría que siento al saber que regresas para permanecer entre nosotros, niña. No te imaginas lo que te he echado de menos todos estos años.

Ana percibió la presencia de lágrimas vidriando la mirada de su muy querida nana, así como un temblor delator agitando su labio inferior, por lo que se inclinó presurosa hacia adelante y atrapó una de aquellas manos regordetas entre las suyas. El ligero apretón en los dedos consiguió transmitirle a la anciana un atisbo de sosiego, y logró mudar su rostro, súbitamente contrito y presto al llanto, por uno ligeramente más relajado. Incluso se forzó a asomar una tímida sonrisa con tal de no turbar a su joven acompañante.

—Tu felicidad solo es comparable a la mía, mi querida nana. —Y esta vez fueron sus propias lágrimas las que temblaron en los arcos de ébano de sus pestañas. Pero no iba a permitirse llorar. No cuando se sentía tan inmensamente feliz por volver a casa al fin, después de toda una vida encerrada en el internado. Volvía al lado de aquella bondadosa mujer que la quería con toda el alma. Por eso parpadeó y sonrió para disimular su zozobra—. Me muero por estar de nuevo en nuestra querida tierra, por sentir el verde del paisaje acariciándome el alma... —Su expresión se tornó soñadora y su sonrisa más amplia, como la de un niño que describe la visión anhelada del paraíso de sus desvelos—. Por contemplar desde la galería ese mar que extiende su embravecido manto de olas gigantescas más allá de donde alcanza la vista, y ese ondulante océano verde que va desde el monte hasta la orilla de la playa...

Doña Angustias sonrió con condescendencia y no pudo retrasar por más tiempo la pregunta que llevaba acribillándole la cabeza, como cientos de agujas de calcetar clavándose en un ovillo de lana, desde que abandonara el Pazo un día antes.

—¿Te sientes preparada para enfrentarte a tu padre?

Ana la miró fijamente, abandonando el paraíso para volver a la realidad.

—Confiaba en que ningún enfrentamiento tuviera lugar.

La anciana chasqueó la lengua y se removió en su asiento. Tal y como estaba acomodada, con la estructura de la crinolina colocada de cualquier modo y la tela del vestido arrebujada alrededor, debía de encontrarse bastante incómoda y con la movilidad muy limitada.

—Quisiera poder asegurarte que no te verás en la necesidad de encararte con él. Pero conociéndole...

—Y conociendo mis circunstancias... —suspiró, y sus párpados descendieron en un melancólico mohín— y toda la frustración que mi sola presencia representa en su vida...

Doña Angustias casi gimió. Nada había más cierto que aquella lamentable afirmación.

—Niña, yo no me atrevería a poner la mano en el fuego por la paz entre vosotros...

Ana sonrió con indulgencia. A esas alturas ya se encontraba curada de espanto y mucho más que acostumbrada a los desaires de su estricto padre. Pero era natural que tal certeza entristeciera a su buena ama; a cualquiera con dos dedos de frente y un mínimo de corazón, en realidad.

—Haces bien, querida nana, porque te la quemarías. —Acto seguido inhaló por la nariz y una sonrisa radiante asomó de nuevo a sus labios. Una sonrisa capaz de levantar las brumas que empezaban a velar el carruaje—. No te preocupes por mí, sabes que no es la primera vez que me enfrento a él; estoy acostumbrada a lidiar en este tipo de contiendas. —Su voz se tornó más afectuosa si cabe, su cariño alcanzó por extensión aquella mano enlazada a la suya—. Pero no hablemos más de ello. No quiero angustiarme todo el viaje pensando en rostros severos y miradas ceñudas, ya habrá tiempo de vestir la coraza y batallar. Ahora solo deseo pensar en cosas verdaderamente agradables —sus pupilas acuosas reflejaban una gran ilusión—, porque me muero por veros a todos y daros un abrazo enorme. ¿Ha cambiado mucho el Pazo en mi ausencia?

La anciana cabeceó, luchando a brazo partido contra el ejército de lágrimas que amenazaba con pasar al ataque de un momento a otro.

—Lo encontrarás todo igual de bonito que la última vez. Y todos están deseando verte.

Tras un último y afectuoso apretón, Ana soltó la mano de doña Angustias para volver a enderezarse en su asiento con encomiable dignidad. Su semblante, a pesar de mostrar la hierática expresión de siempre, dejaba traslucir una dolorosa tristeza, patente a través de la inmovilidad de sus pupilas o del severo fruncimiento de sus labios. La sombra funesta volvía a acechar.

—Todos no, estoy segura de ello. —Y devolvió la mirada al paisaje que se desdibujaba en jirones grises y negros más allá de la ventanilla, dando a entender con su gesto que no deseaba conversar más acerca de ese tema.

De ese modo también se aseguraba de mantenerse a salvo de la mirada condescendiente de la anciana, y de preservar su propia intimidad si llegado el momento algunas certezas la llevaban a un llanto inevitable.

De refilón, pudo distinguir la presencia de uno de los varios jinetes embozados que cabalgaban a la par del carruaje, bajo la orden de escoltarlo y custodiarlo durante todo el trayecto hasta su llegada al Pazo. Suspiró con resignación. Toda su vida había tenido a alguien detrás, respirando sobre su nuca, pegado a su augusta sombra, demostrándole que jamás daría un paso sin ser vigilada. Que jamás podría ser libre. Y la presencia de aquellos embozados centinelas, cuidando que el pajarito de porcelana no sufriera ningún percance dentro de su jaula de oro, venía a demostrárselo una vez más.

Apretó los párpados tratando de aliviar el intenso picor que empezaba a fraguarse detrás de ellos. ¿Cuál era la razón de tanto celo? ¿Acaso a don Alejandro Covas le importaba lo más mínimo el miserable pajarito y su seguridad? Estaba completamente segura de que, si por él fuera, él mismo abriría la portezuela de la jaula para que el pajarito volara en aparente libertad, solo para regocijarse cuando el primer halcón de paso acabara por derribarlo en pleno vuelo.

Don Alejandro tamborileó con los dedos, intranquilo e impaciente, sobre la noble madera de su escritorio. El ceño fruncido, los labios firmemente apretados y la carne de las mejillas vibrante a causa de la cruel opresión que sufría la mandíbula evidenciaban su ofuscación. Su hija volvía a casa, y esta vez de forma definitiva. Esta vez para quedarse.

Por extraño que pareciera, la llegada de aquella criatura, la flamante y muy querida condesa de Rebolada y señorita de Covas, no le reportaba ni un atisbo de felicidad. Torció los labios en una sonrisa cáustica. ¡En realidad su llegada no le hacía sentir más que rabia, envidia y frustración!

Esa muchachita ridícula adornada de lazos, tules y encajes era para él la nube negra que se instala en el cielo para eclipsar el sol. Simple y llanamente.

—¡Condenada mocosa del demonio! —siseó—. ¿Es que jamás voy a poder librarme de ti?

Todo el mundo la adoraba, todo el mundo se deshacía en halagos hacia ella, todo el mundo elogiaba sus bondades y virtudes aun sin haberla tratado durante trece años. ¡Estúpidos aduladores! ¡Ineptos mequetrefes que no sabían más que babear tras un vestido de terciopelo o una caída de párpados ejecutada a tiempo!

Se llevó la mano a unos de los extremos puntiagudos de su bigote para acicalárselo con minuciosidad, moldeando la punta con severidad hacia arriba, gesto socorrido cuando se encontraba intranquilo o contrariado, y resopló con impaciencia.

Ana era un lastre en su vida. Siempre lo había sido, desde el mismo minuto de su nacimiento. Y por tanto, como todo lastre, estorbo o traba, sea cual fuere su naturaleza, le incomodaba tenerla cerca. Jamás le había gustado ni había sido capaz de soportar su cercanía, ni siquiera cuando no era más que una mocosa de medio metro plagada de bucles, lazos y volantes, que alzaba hacia él sus manos lechales para solicitarle con insistencia que la aupara.

Resopló torciendo la sonrisa, asqueado hasta la médula por aquellos lejanos recuerdos que todavía hoy le incomodaban. Ana Emilia Victoria Federica, Ana de Altamira... ¡tan ridícula como su madre e igual de melindrosa! ¡Tan inútil para la sociedad y para ostentar el título como ella! ¡Tan inoportuna para sus planes como lo había sido la condesa finada!

Volvió la cabeza muy despacio para fijar su mirada en el enorme óleo que presidía su despacho. La desaparecida condesa parecía observarlo con condescendencia bajo su enorme moño estilo *María Antonieta*, explotando al máximo esa mirada de cordero a medio degollar que usaba para derretir a todo el mundo. ¡Menos a él!

—Por si no me hubiera bastado contigo, ahora tengo que soportar también la presencia de tu estúpida hija...

Giró la cabeza en el acto, rechazando tanto la mirada de aquella dama como su presencia. Con la cara ligeramente empolvada con blanquete, los labios de un rojo carmesí y las mejillas encarnadas por el arrebol, su imagen se alejaba mucho del ideal de belleza del conde.

¡Aquella boba remilgada nunca había conseguido despertar en él otra emoción más allá de la repugnancia y la lástima! ¡Pobre niña rica! ¡Despreciable niña rica! Desde el mismo momento en el que fueron presentados, había detestado a aquella mujer enfermiza, pálida y ojerosa, que no hacía más que ahogar sus toses contra un pañuelo salpicado de sangre y que, cada vez que un nuevo estertor la acometía, se aferraba al brazo de quien cuadraba más cerca con la desesperación de un pajarillo moribundo. Había odiado, en silencio y hasta el delirio, a aquella ridícula damisela a la que le había soportado la dosis justa de mojigatería romántica con la esperanza de poder manipularla a su antojo una vez casados. Porque la cuestión era así de simple: se había acercado a ella con el único propósito de desposarla, y la había desposado tan solo con el objetivo de tener acceso a su fortuna.

¡La condesa de Rebolada! ¡La de regio blasón! ¡La de suntuosos carruajes, espléndidos vestidos y tintineantes arcas! ¡La noble más pudiente del norte de Galicia, con tierras en la provincia e incluso en el limítrofe Principado! ¿Quién, del uno al otro confín del reino, no habría oído hablar de la augusta joven rodeada de fastos y admiradores que besaban a su paso el suelo que ella pisaba?

Todo el mundo sabía que aquella boba padecía el mal de la tisis desde hacía un par de años y que no caminaría mucho tiempo entre los vivos, por lo que solo era cuestión de echarle arrojos y atreverse a cortejarla antes de que hiciera el tránsito.

Alejandro Covas no era tonto, albergaba sed de poder y grandes ambiciones en su corazón. Por eso y, desde el momento en que pudo permitirse coincidir con ella en sociedad, se dedicó a perseguirla de salón en salón con el empeño de un ave rapaz. Y con idéntica porfía que el ave rapaz, esperó el momento oportuno para cernirse sobre su presa y hacerla suya.

Su acecho pronto llegó a buen término, pues la condesa, que no era demasiado agraciada, ahuyentaba a todo posible pretendiente con su languidez, sus toses sanguinas, sus marcadas ojeras, su extrema delgadez y sus desvaríos románticos. La muy boba era una amante acérrima de los literatos ingleses y solía aburrir a los asistentes a las veladas en el Pazo recitando a Shakespeare o a Pope. ¿A quién diablos le importaban aquellos ridículos poetas extranjeros? Otras veces, ejercía de mecenas de literatos nacionales, invitándolos a sus veladas para ayudarles a entrar en sociedad; estas reuniones, donde se congregaban artistas de todo tipo, filósofos e intelectuales de todo el reino, hacían las delicias de la anfitriona, mientras que solo conseguían aburrir a gran parte de los asistentes con sus recitales de poesía o pequeñas representaciones teatrales. Ignorando tal vez que la mayoría de los moscones que la rodeaban solo estaban interesados en echarle el guante al relleno de sus arcas, y no en toda aquella parafernalia cultural.

Alejandro Covas, primogénito de un terrateniente venido a menos, sin títulos, nobleza ni propiedades, era un joven guapo y espigado, de elegante bigote y abundante cabellera peinada hacia atrás, perfectamente inamovible gracias al exagerado uso de afeites.

Su constancia, que llegaba hasta el punto de resultar cansino en ocasiones, su fingido interés, sus miradas arrobadas y sus sonrisas envolventes pronto dieron sus frutos, y la joven e impresionable condesa no tardó más de unas pocas semanas en reparar en la presencia del guapo caballero y caer rendida a sus pies. Todo en uno.

El cortejo fue absolutamente precipitado y la boda se organizó en un visto y no visto. Como justificación, el joven pretendiente alegó el precario estado de salud de la novia y su deseo de cubrirla de dicha durante los años que el Señor tuviera a bien concederles a ambos, y fue este un argumento que nadie pudo rebatir, máxime tratándose de una noble huérfana, mayor de edad y que no debía rendir cuentas ante ningún tutor legal.

Para el astuto caballero resultó imperativo tragarse los escrúpulos y ahogar las arcadas que la sensiblería de la dama y su cuerpo blanco y huesudo le provocaban, con la expectativa de que, con el paso del tiempo, y más pronto que tarde, la aristócrata fallecería y todo sería suyo. O al menos tal consigna era la que le mantenía firme en su empeño y le instaba a perseverar.

Pero sus ínfulas de poder se vieron seriamente arruinadas cuando, con el correr de los años, resultó que la dama no le hacía el santísimo favor de morirse, y que su papel en el Pazo se reducía al de un simple consorte. También se hizo evidente que los habitantes del condado jamás le mirarían con lealtad ni respeto. Durante todos aquellos años, solo había conseguido ser una sombra negra y silenciosa que lo único que puede hacer es reptar y tratar de sobresalir detrás de la persona que acapara injustamente toda la luz.

Después, con la llegada de aquella mocosa, tan pálida, delicada y parecida en todo a su ridícula madre, su rabia se incrementó al mismo tiempo que su categoría en aquel maldito condado decrecía. Y sus esperanzas de convertirse en único heredero, también. No había forma humana de destacar por encima de la pequeña, a la que todo el mundo veneraba como a una maldita reina.

Los aldeanos se quitaban el sombrero, saludaban y se inclinaban en reverencia cuando la familia atravesaba los campos en su carruaje de paseo y la madre mostraba orgullosa a su niña a través de los cristales. Sin embargo, cuando él recorría en solitario aquellos verdes pastos a lomos de su caballo, apenas se dignaban a interrumpir sus labores en el campo para ofrecerle una contrita reverencia o un saludo, que poco o nada tenían de cordial.

No pudo evitarlo y descargó el puño contra el tablero, provocando que el material de escribanía se tambaleara sobre la mesa.

—¡Maldita! —siseó con rabia. Y no fue posible saber si su desprecio se dirigía esta vez a la madre o a la hija. Seguramente a ambas.

Por fortuna, la condesa solo sobrevivió cinco años después de haber dado a luz. ¡Y valiente sacrificio había hecho, pues ni ebrio de brandy hubiera esperado que aquella criatura enfermiza soportara los trabajos del parto! La muy ridícula parecía aferrarse a la vida, ¡y a su fortuna!, con desesperación. ¡No se moría de ninguna de las maneras! Y eso que él se encargaba de abrir las ventanas de su alcoba cada atardecer con la excusa de ventilar la estancia, pero ni con esas la mujer era atacada por una pulmonía. Siempre acudía alguna estúpida doncella, horrorizada ante tanta aireación, para cerrar la ventana y arropar a la inválida, ahuecarle los cojines y proporcionarle un sorbito de bálsamo cordial. Y, por supuesto, para dirigirle a él una mirada condenatoria. ¡Al diablo con todos ellos!

La moribunda, cuya voz se iba afectando conforme pasaban los días hasta asemejarse al débil gorjeo de un pajarillo, rogaba a cada minuto por ver a la recién nacida: pedía que se la acercaran al rostro y le dejaran besarla, susurrarle al oído, cantarle o amamantarla. La estampa que formaban las dos ante sus ojos le provocaba náuseas y unas ganas horribles de arrancarlas del mundo, ¡a ambas!, él mismo con sus propias manos.

Por fortuna apareció por el Pazo una rolliza mujer del lugar, doña Angustias, para ocuparse de las labores de cría, y el conde agradeció que se llevara a la llorona al ala más distante de la casa. ¡Por apartarla de su vista hubiera permitido que se la llevara a las mismísimas Indias orientales! ¡Y a la madre también!

Pasaron los meses y, con los meses, los años, y la condesa fue apagándose como un pajarito. Él evitaba su compañía tanto como le era posible. No comían juntos, dormían en alcobas separadas y a menudo pasaban semanas enteras sin que se acercase a la de ella más que para comprobar si vivía o moría. A pesar de su evidente decadencia, la condesa se resistía a dejarse ir, hasta que, finalmente, y como debía ser, la de fúnebre crespón ganó la batalla.

Una vez muerta la diva, el camino empezó a despejarse para él. De pronto, y gracias a la juventud y consiguiente incapacidad de la pequeña, la sombra antaño insignificante y nunca tenida en cuenta pasó a convertirse en el único administrador de los bienes de Rebolada; todo fue a parar a sus manos, tal y como siempre había soñado.

Deshacerse de la niña resultó sumamente fácil. Solo había tenido que discurrir enviarla interna a un colegio de señoritas de la capital con la excusa de ofrecerle la mejor educación, digna de una dama de su categoría, y ya estuvo hecho.

Durante un tiempo todo salió a pedir de boca. Las visitas al Pazo se redujeron hasta el punto de extinguirse casi por completo, los años pasaron y la sociedad empezó a olvidarse de la niña al mismo tiempo que empezaba a prestar atención al conde viudo. Las invitaciones a tertulias, cenas de etiqueta, palcos en la ópera, estrenos de teatro y demás, empezaron a llegar al Pazo de Rebolada con bastante asiduidad, y solo un nombre figuraba en las tarjetas: «Don Alejandro Covas, conde viudo de Rebolada y señor de Covas».

Como siempre debiera haber sido.

Semejante libertad de pronto, semejante presencia en sociedad, tan elevadas relaciones con la flor y nata gallegas y el engrosamiento de una ya de por sí inflamada vanidad llevaron al conde al borde de un abismo al que él solito decidió asomarse: don Alejandro padecía un trastorno que le obligaba a jugar, con una urgencia psicológicamente incontrolable. Su afición al juego solo era equiparable a su incapacidad para salir airoso de cualquier partida, por más elemental que resultara el pasatiempo. Y la libre disposición de la fortuna de los Altamira no hizo más que empeorar dicho vicio.

Las deudas empezaron a crecer, al igual que los rumores acerca de lo fácil que resultaba arrebatarle al conde viudo las monedas de su saquete. Los mensajes de los acreedores, cada vez más amenazantes y menos permisivos, se acumulaban en la platea del vestíbulo; negras sombras emergían en los ángulos oscuros del bosque al paso del carruaje, estorbando a los caballos, para asomar el brillo funesto de un arma bajo el abrigo de una capa, y en más de una ocasión, a la salida de algún club, el caballero se había llevado un apuro por parte de algún enviado de casa solariega para apretar las tuercas al noble deudor.

Mientras todo esto sucedía, las arcas de los Altamira empezaron a mermar de forma preocupante. Sin embargo, muy pocos fueron conscientes del declive en el que empezaba a caer un linaje tan noble y arraigado a causa del despilfarro descontrolado del único administrador de los bienes. Tan solo los más allegados, aquellos que frecuentaban sus círculos o padecían las consecuencias de su irresponsabilidad, empezaron a percatarse de que la otrora cuantiosa fortuna de la casa Altamira tenía los días contados y permitiría al conde tan solo unos cuantos años más de pudiente desahogo si mantenía ese nivel de vida, y todo parecía indicar que así iba a ser.

Don Alejandro tuvo que desprenderse además de algunas tierras para conseguir salvar las facturas que no admitían mayor demora, a riesgo de acabar recibiendo cualquier noche un tiro entre pecho y espalda.

Conforme pasaron los años, la camisa empezó a no llegar al cuerpo al conde, por lo que resultó imperativo trazar un plan para calmar la ira de sus principales acreedores y salvar el pellejo. Era eso o arriesgarse a convertir muy pronto el viejo mausoleo de los Altamira en su residencia definitiva.

Su pérfida sesera no tardó mucho en encontrar una solución: Ana regresaba al Pazo para quedarse, una vez concluida su educación en la Villa y Corte. Él no tenía el menor interés en tolerar su presencia ni sus ñoñerías de niñita consentida. A esas alturas no quería ni verla, y mucho menos contemplar en el espejo de sus ojos el recuerdo de la difunta condesa.

Por lo tanto, la mejor solución era emplearla como moneda de cambio con el fin de persuadir a alguno de sus acreedores más insistentes. Una vez el pez más gordo del estanque mordiera el anzuelo encandilado por la presencia de la bella y joven condesa, lo demás vendría rodado. Si jugaba bien sus cartas, sobre todo la de aquella reina de corazones de expresión adusta y ojos verdes, no solo se quitaría de encima a ese incordio de hija, sino que sus deudas quedarían saldadas y la paz de espíritu regresaría a su persona.

—Eso es lo que se hará —murmuró esbozando una sonrisa pérfida—. Al fin y al cabo, después de dieciocho años, sí vas a servirme para algo, pequeña idiota.

Conforme se alejaban de la villa y corte de Madrid, el paisaje fue cambiando de forma paulatina.

El gris profundo que imperaba en los edificios y suelos adoquinados de la capital dio paso, poco a poco, a una sucesión de ocres, rojizos y marrones, anunciando la vasta llanura castellana, que en su dilatada amplitud parecía una colcha remendada con un sinfín de parches multicolores, todos dentro de la misma gama de tostados y bermellones. Cada atardecer, el sol se desangraba lentamente sobre el lejano horizonte, incrementando los pintorescos tonos fuego y oro de la meseta.

Ana contemplaba el paisaje a través de la ventanilla y doña Angustias se afanaba en limpiarse el sudor de rostro y escote con un pañuelo de mano, mientras bufaba y resoplaba como un lechón camino del matadero. Estaba colorada como una cereza y empapada como un pato zascandileando en su charco.

Ya no se escuchaba el repique de los cascos de los animales sobre los adoquines; ahora una densa nube de polvo ascendía en volandas del otro lado de la ventanilla. Y grandes bandadas de cuervos y grajos volaban sobre la línea del horizonte, acompañando a las viajeras en su camino mientras llenaban el aire con sus graznidos.

De vez en cuando se podían apreciar rebaños dispersos de gordas ovejas aquí y allá, moteando los pastos de un tono blanco sucio. También adornaba la senda la visión esporádica de pastores trashumantes, acompañados de perros de aguas enormes que imitaban la apariencia del lobo. Los hombres alargaban sus cuellos cual lagartijas y usaban su mano a modo de visera para observar con curiosidad el suntuoso carruaje con los blasones de la casa de Altamira pintados en cada portilla. Seguramente no se veían todos los días coches tan señoriales por aquellos lares.

Pararon en varias casas de posta de la ruta para que los caballos descansaran y las viajeras pudieran refrescarse y comer algo, siempre perfectamente escoltadas por su pequeño séquito de guardianes y sin detenerse demasiado tiempo. Dormían en el carruaje, mecidas por el agitado e incómodo vaivén del camino que, en la mayor parte de las ocasiones, acababa interrumpiendo su sueño con algún golpe inesperado en sus testas.

Al llegar a Ponferrada, la última posta, las damas se asearon y se cambiaron de ropa para aligerar el calor y el polvo del camino. Ana se atavió con un vestido elegante, si bien discreto, confeccionado en damasco rosa palo listado en marrón, mangas ceñidas hasta los pulsos y prominente falda. Su padre le había hecho confeccionar un generoso ajuar para iniciar su nueva vida en Galicia. Un detalle inesperado, por tan amable, teniendo en cuenta el alma negra de la que procedía. Aunque Ana estaba segura de que tanta generosidad obedecía a algún interés privado del conde, pues era un hombre que no acostumbraba a dar puntada sin hilo.

Mientras se recreaba en la imagen que le devolvía el minúsculo espejo de la fonda, una sonrisa nerviosa curvó sus labios y dos rosas encarnadas encendieron sus mejillas. Quería causar buena impresión entre su gente, quería demostrar que ya no era la niña tímida y apocada de antaño, sino una joven valiente y preparada para asimilar el rol que le correspondía. Sus labios susurraron la consigna que durante tantos días llevaba macerando en su cabeza, a modo de repetitivo mantra: «Seré una buena condesa, daré lo mejor de mí, haré que todos en el condado se sientan orgullosos de mí; incluso él... Sobre todo, él. Conseguiré que no encuentre nada reprochable en mí o en mi conducta para poder atacarme después con ello. Seré digna heredera de mi madre».

Picaron algo de jamón frío, huevos cocidos y pan de maíz que les sirvieron con toda la ceremonia que tan augusta invitada merecía, y después, ama y señorita, se recogieron con presteza al interior del carruaje. Pronto estarían en casa y disfrutarían por fin de la frescura y el salitre del mar besando sus rostros, así como del fuerte perfume de los frondosos pinares de San Julián, cargados de aroma y ululares.

Doña Angustias observó con infinita ternura a su niña Ana mientras ésta dormía. Resultaba incomprensible cómo aquel adorable angelito podía dormir con tal placidez a pesar del traqueteo del carruaje o del insistente golpeteo de su cabeza contra la ventanilla. Pese a todo, parecía profundamente dormida, a juzgar por lo apacible de su respiración y por la expresión relajada de su rostro. Mientras la miraba, no pudo evitar sentir una infinita compasión por ella. La misma compasión que sintió años atrás por su difunta madre, que a pesar de haber vivido rodeada de grandes fastos, nunca había podido ser feliz. Temía que aquella infelicidad fuera hereditaria. Suspiró. Ana era mucho más bonita, sin duda, de lo que lo había sido su madre. Y ella contaba además con la fortuna de gozar de buena salud. Con un poco de suerte, no acabaría uniendo su vida a la de un hombre interesado y ambicioso que solo buscara su propio crecimiento personal, como le había sucedido a la difunta condesa. Con un poco de suerte, ella gozaría de un destino floreciente.

Ana era un ángel. Bonita, blanca y pura como una azucena. De boquita diminuta como capullo de rosa, ojos verdes como el mar en un soleado día de verano, y cabello castaño oscuro, perfectamente acicalado en esa ocasión bajo un bonete de amplia visera de esparto, que realizaba la honorable función de resguardar aquel rostro níveo e incólume de las inapropiadas caricias del sol.

Discreta y reservada en sus emociones, prudente en sus palabras, de mirada directa y gesto insondable, con solo dieciocho años, Ana poseía un saber estar, una dignidad, una entereza y una compostura dignas de una persona de mucha más edad. Así era como la habían educado, tal consigna era la que se habían encargado de grabar a fuego en su cabeza.

«Debes aprender a ocultar al resto del mundo lo que bulle dentro de ti, esas inquietudes, ilusiones y esperanzas que dan alas a tu corazón y te mantienen con vida. No matarlas o ahogarlas, como otros te sugieren, sino dejarlas agazapadas en lo más profundo de tu alma hasta que llegue el momento oportuno de permitirles salir a la superficie; el momento en el que puedas disfrutar de ellas con absoluta libertad. Entre tanto, muestra un rostro valiente y una presencia de ánimo admirables. Solo así lograrás protegerte. Solo así lograrás que no te hagan daño. Y esta lección incluye, por supuesto y especialmente, a tu señor padre», le había aconsejado ella misma en tantas ocasiones desde que era niña.

Doña Angustias sabía que un sayo tan perfecto y templado, tan medido e impertérrito en apariencia, escondía en su interior un alma inquieta que abrazaba la sensibilidad de corazón, el aleteo incesante e imparable de una imaginación desbordada y un amor creciente por la naturaleza y las cosas sencillas. Sabía que era pura, dulce, buena, vehemente, entusiasta, idealista y romántica... aunque sabía también que jamás dejaría asomar tales emociones, salvo en presencia de alguien que gozara de su absoluta confianza e intimidad, por miedo a ser censurada o lastimada.

Ante el resto del mundo, su exterior reflejaría siempre la compostura y la dignidad propias de su condición.

Todavía mirándola, sonrió con ternura mientras la joven continuaba durmiendo de forma apacible. Inhaló profundamente, tratando de no despertarla.

Mucho había sufrido aquella pobre criatura, obligada a crecer completamente sola y sin el afecto de una verdadera familia. Doña Angustias meneó la cabeza mientras apretaba los dientes con gesto severo. Pero ahora sus tribulaciones habían terminado. Ahora volvía a casa y ella se encargaría de mimarla hasta el delirio, la malcriaría incluso, para resarcirse de todos aquellos años en los que las habían privado de afecto. A la niña. A ella. A las dos.

Se inclinó sobre la joven para colocar bajo sus brazos, perfectamente cruzados sobre el pecho, la manta de viaje que se le había resbalado hasta las rodillas. Después levantó un poco las capas de ropa que cubrían los pies de la joven para comprobar que su ladrillo seguía caliente bajo las botinas. Solo entonces, más tranquila y relajada en su labor de ángel custodio, se repantigó en su asiento, presta a llamar al sueño y no despertarse hasta llegar a Galicia.

—Ya no estás sola, mi niña —susurró para sí misma y para la durmiente—. Seguiré cuidando de ti hasta el día que me muera. Y esta vez no consentiré que te aparten de mi lado. Esta vez cumpliré mi promesa.

2

El Pazo de Rebolada se encontraba emplazado en un altozano, a doscientos metros sobre el nivel del mar, aprovechando la prominencia que confería el descenso natural de la ladera antes de morir en plena costa.

El dicho popular «casa grande, capilla, palomar y ciprés: pazo es», que definía a la perfección las viviendas de la nobleza gallega, cobraba forma especialmente en el Pazo de Rebolada.

Se trataba de una casa solariega rectangular, de dos plantas, situada de tal forma que recibía los agradables rayos del sol durante todo el día, lo cual era posible gracias a su situación privilegiada en la colina. Su fachada se vestía de cal, por lo que con el paso de los años había adquirido un tono grisáceo, triando a negruzco, que le confería cierta solemnidad y un indiscutible aire aristocrático rural, acentuado por el escudo familiar de la condesa, de vistoso timbre heráldico tallado en granito, que presidía la fachada principal, sobre la puerta de medio punto, a modo de gala y ornato. El cerramiento era de madera de color verde en forma de estrechas puertaventanas o pequeñas ventanas cuadradas, excepto en la fachada sur de la planta superior, donde adquiría la forma de una amplia y romántica galería orientada mirando al mar.

En una cabecera, se erguía la capilla adosada al Pazo. Sobria, distinguida, sencilla. Detrás de la vivienda, mirando al norte, a cierta distancia en el jardín, se podía encontrar un prominente palomar de diseño cuadrangular y, muy cerca, un característico hórreo de madera teñida de rojo, alzado sobre seis pilares de granito.

Escoltando la Casa Grande, cinco oscuros cipreses centenarios, símbolo de intemporalidad y distinción, permanecían enhiestos e imperturbables al paso del tiempo, como fieles y legendarios centinelas de aquel señorío.

A un costado de la plaza, justo al lado de la enorme y maciza portilla de entrada, se erguía la oscura casa de piedra de los sirvientes, en cuyo margen se emplazaban los establos, un viejo pozo cubierto y algunas dependencias más. En medio del atrio, un solemne crucero de granito.

Limitaba toda la finca un prominente muro de piedra de considerable altura que, con el paso del tiempo, se había ido vistiendo de hiedra y maleza.

La propiedad incluía también más de treinta hectáreas de jardín, campo agrícola y frondoso bosque. Y una generosa vacada que amansaba los campos de san Julián y contribuía a engrosar las rentas de la casa solariega.

Ana descendió del carruaje valiéndose de la ayuda de un sirviente. Una vez puesto el primer pie en el suelo, inhaló en profundidad y trató de obviar el agitado aleteo de su corazón.

Doce amplios escalones de piedra descendían ante ella y la separaban del atrio. Doce escalones entre su persona y aquel precioso Pazo que siempre había amado y que, en realidad, apenas había podido disfrutar en toda su infeliz existencia.

A ambos lados del pórtico distinguió dos largas hileras de sirvientes. A la izquierda, las doncellas, perfectamente ataviadas con sus rigurosos vestidos negros, en los que destacaba la manteleta blanca cruzada sobre el pecho, el delantal blanco del mismo largo y volumen que las faldas y la cofia blanca.

A pesar de la rigidez de su pose, pudo apreciar que muchas se sentían nerviosas por recibir, en algunos casos seguramente por vez primera, a la joven condesa. A la derecha, los lacayos, con sus negras e impolutas libreas, a juego con calzones por la rodilla y sus respectivas medias blancas, impecables y sin arrugas, camisa blanca y chaleco perfectamente abrochado y tirante, dirigiéndole furtivas miradas de soslayo mientras se esmeraban por permanecer en perfecta formación. Y en el centro, bajo el arco porticado, el implacable dirigente de aquella atribulada compañía. La silueta erguida, siniestra y temible del tirano: don Alejandro Covas.

Ana jadeó, sintiéndose repentinamente amedrentada, como cuando era niña y la silueta oscura de su padre se recortaba bajo el umbral, y sabía que acudía a regañarla o azotarla por un comportamiento indebido.

Alisó con la mano las arrugas inexistentes de la falda en un gesto sistemático, tratando de atemperar su ánimo. Lejos quedaba ahora aquella niña indefensa, por lo que no iba a consentir que la presencia de aquel hombre siguiera torturándola más allá de sus recuerdos. Ahora era una mujer. La condesa. El reinado de dolor del tirano había tocado a su fin. Y él tenía que aceptarlo.

Adelante Ana, estás en casa, en el hogar de tu madre, no permitas que él enturbie este momento también. Su potestad tiene que debilitarse de una vez por todas hasta desaparecer por completo. No puede dominarte, no puede dominarte... no se lo permitas.

Manteniendo la costumbre que conservaba de su tierna infancia, se detuvo al pie del primer escalón, alzó la mano derecha y la mantuvo suspendida en el aire hasta que doña Angustias la atrapó en la suya. El apretón de dedos de la anciana consiguió reportarle un ápice de aplomo.

—¿Preparada? —susurró el ama sin apenas mover los labios, con la mirada fija en el severo conde. Era más que evidente que aquella mujer la conocía mejor que cualquier otra persona en el mundo.

—Ante él, nunca. —Pero sus palabras no tomaron posesión de su rostro pues, en el acto, se obligó a esbozar una amplia sonrisa y a descender los escalones manteniendo la espalda erguida y la barbilla en alto, desafiante, dando a entender que la presencia de aquel tirano ya no le producía ningún miedo.

Los pasos de la señorita resonaron sobre la piedra de la escalera, tal era el silencio solemne que envolvía el momento.

Doña Angustias la observó de refilón, sintiéndose orgullosa de su niña. ¡Temple, sí señor, temple y compostura hasta la sepultura! Aunque por dentro estuviera muriéndose de miedo, aunque ella pudiera apreciar el temblor de su mano o la ligera vacilación en sus pasos, por fuera seguiría comportándose como una auténtica reina; su porte era tan digno y su belleza tan serena que conseguiría abrumarlos a todos. Incluso al villano. Estaba segura de ello.

Al llegar frente a su padre se detuvo, soltó la mano amiga, alzó la barbilla y su mirada recorrió en un solo movimiento el temido rostro. El gesto hirsuto del hombre, y aquel semblante apergaminado de bigote enorme, le provocaron un estremecimiento que la sacudió de arriba abajo. Efectivamente su expresión seguía siendo dura, pura piedra tallada en forma humana, pero el descubrimiento de varias arrugas alrededor de los ojos y en la frente le hicieron ver que también era mortal y vulnerable al paso del tiempo. No era ningún Dios intocable, como siempre se había empeñado en parecer.

Aferrándose a ese pensamiento, logró mantener la compostura y no ofrecer al tirano el menor síntoma de debilidad. Al fin y al cabo, ¿no era eso era lo que siempre había pretendido inculcarle? Frialdad y compostura. Le demostraría que había sido una alumna aplicada.

—Ana. —Don Alejandro inclinó la cabeza a modo de saludo.

—Padre. —Realizó una rápida flexión de rodillas, manteniendo el talle erguido y la mirada fija en él. Ni un beso, ni un abrazo, ni tampoco un frío besamanos. ¿Para qué? Entre los dos ya estaba todo dicho y no había necesidad de más.

—Bienvenida al Pazo.

¿Lo decía de corazón o sería una simple formalidad fruto de las circunstancias? Lo mismo daba; ella también sabía ser sarcástica.

—Gracias, padre. Me siento feliz de estar aquí. —Paseó la vista por los alrededores, inhaló el fresco aroma de la lavanda y los alhelíes del jardín y sonrió con suficiencia—. En el hogar de mi querida madre.

Don Alejandro acusó la pulla esbozando una sonrisa más falsa que un real de madera, se tragó la bilis que ya quemaba su garganta, y apretó los dientes hasta que las muelas amenazaron con astillarse. Ninguno de los dos supo qué más decir. Nunca habían encontrado temas de conversación con los que pasar un rato ameno, y era obvio que sus mutuas presencias les incomodaban por igual.

Con rapidez, inclinándose de nuevo en una forzada cortesía, el caballero se hizo a un lado para permitirle el paso, indicándole el camino a seguir con un movimiento de su brazo. Ella ni siquiera le miró, sintiéndose ligeramente incomodada con su fingida condescendencia.

—Con su permiso, padre.

Se limitó a traspasar el umbral aguantando la respiración, manteniendo la pose erguida y la dignidad incuestionable de la condesa de Rebolada; en definitiva, lo que todos esperaban de ella. Lo que él esperaba de ella.

—Es propio.

Rebasarlo supuso un gran alivio. Era agradable entrar en aquella casa y permitir que los recuerdos del pasado afloraran a su mente, sobre todo aquellos que incluían a su muy querida madre.

Dos magníficas alfombras vestían el suelo de gres y servían de apoyo a dos robustos sillones torneados estilo Fernando VII, que recibían cordialmente al visitante. Después de un breve recorrido visual, la mirada se volvía de forma inevitable hasta la gran escalera de madera que conducía a la planta superior, cuyos peldaños aparecían revestidos con una moqueta de lana en tonos burdeos. La barandilla del pasamanos, al igual que el pie de arranque y los balaustres que la acompañaban en el ascenso, era robusta y de laborioso labrado en madera de roble, y mostraba sin duda un porte señorial y majestuoso.

Sabiéndola a solas en el gran vestíbulo, y temiendo que se encontrara perdida, doña Angustias corrió a su lado para confortarla con su presencia. En el exterior, don Alejandro se dedicaba a dar órdenes al servicio.

—¿Qué tal la primera impresión, mi niña?

Ana no dejaba de deslizar la mirada por todas partes: desde los señoriales suelos de gres a las paredes forradas de papel pintado; de los muebles ornamentados y macizos, a la mesita velador de forja, y de ahí a los solemnes óleos de antiguos Altamira que llenaban el lugar con su sola presencia.

—Al menos sigo de una pieza —ironizó, conteniendo un suspiro—. Me ha recibido sin la armadura y sin la fusta, lo que es de agradecer.

Doña Angustias secundó su hilaridad con una sonrisa disimulada. Teniendo en cuenta el carácter del conde, encararse con él y seguir de una pieza no era poco.

—¿Todo sigue tal y como lo recordabas? —preguntó, viendo cómo la joven miraba a todas partes con evidente admiración.

—Ahora me parece más bonito aún —dijo, y dedicó una mirada amorosa a su ama— porque ahora estoy aquí para quedarme.

El ama sonrió y la sujetó con afecto por el codo, instándola a caminar.

—Vamos. Te acompañaré a tu habitación, te ayudaré a acomodarte y te subiré unos hojaldres con miel, de esos que tanto te gustan. ¿Hace?

Ana arqueó las cejas.

—¡Todavía te acuerdas...! —No era una pregunta.

—Sigo preparándolos todos los domingos después de misa, como antes. —Le guiñó un ojo con disimulo—. Estoy segura de que aún quedan en la cocina, si es que los mozos no han dado con ellos. Te los subiré enseguida.

Ana esbozó una sonrisa cómplice mientras paseaba la mirada por la iluminada estancia.

—Estoy feliz de estar de vuelta; por el Pazo... —la miró a ella, esbozando una sonrisa radiante— por ti y por tus hojaldres con miel.

Sujetándose las faldas, le ofreció de nuevo la mano para subir las escaleras en su compañía, con la elegancia y la distinción que la caracterizaban.

Le sorprendió que pocas horas después de su llegada, sin apenas darle tiempo más que a asearse, degustar unos ricos hojaldres en compañía de doña Angustias y cambiarse de vestido y peinado con ayuda de su nueva doncella personal, su padre solicitara audiencia con ella en su despacho.

No debería haber nada de raro en que un padre deseara pasar unos minutos a solas con su única hija tras un largo periodo separados. Deberían tener tanto que contarse, tantas preguntas que hacer y tanto tiempo que recuperar...

Ana puso los ojos en blanco y suspiró. Puede que algo así sucediera en una familia normal, cuya relación entre un padre y una hija normales conseguiría despertar en ella una envidia malsana. Pero no en el caso de don Alejandro Covas y Ana de Altamira; no en una relación tan fría, en constante tira y afloja.

Durante sus escasas visitas por vacaciones, los únicos momentos de reunión padre-hija procedían del tiempo que permanecían sentados a la mesa del comedor. Una mesa enorme, por cierto, que ejercía de perfecta barrera separadora entre ambas almas, pues cada uno solía ocupar su propia cabecera y ni siquiera levantaban la mirada de su servicio para fijarla en el otro. Bueno, siendo sinceros, Ana sí lo hacía. Solía dirigir furtivas miradas a su padre cuando este no se percataba, tratando de entender qué existía de diabólico en él, o de inaceptable en ella, para que jamás le hubiera dado la oportunidad de hacerse querer.

Después, durante la comida, el único sonido que llenaba el comedor procedía del choque ocasional de los cubiertos contra la vajilla, o de algún carraspeo casual.

Ana suspiró ante la negrura de sus recuerdos.

El hecho de que su padre deseara entrevistarse con ella en privado no podía más que extrañarle. Que solicitara dicha entrevista pocas horas después de su llegada, tampoco auguraba nada bueno.

Se miró en el espejo de cuerpo entero de su alcoba, muy erguida, analizando su aspecto. Un vestido en un suave tono blanquiazul, compuesto por un cuerpo de seda entallado con amplio escote en barco, mangas abullonadas a la altura del codo y voluminosa falda se reveló ante ella. El cabello, raya en medio, peinado en un rodete bajo adornado con horquillas de coloridos cristales, remataba el conjunto. Sí, sin duda estaba lo suficientemente aceptable para tan indigno interlocutor. Uno que, con seguridad, ni siquiera levantaría la vista durante toda la conversación para fijarla en alguien tan insignificante como ella.

Se calzó los escarpines de raso sostenidos con cintas, entrecruzando las lazadas alrededor del tobillo, y abandonó su cuarto con la sombra de la desconfianza empañando su mirada. No quería tener miedo, no podía permitirse mostrar debilidad ante su padre, pero no podía negar los nervios que sentía en el vientre.

Doña Angustias la aguardaba al pie del primer escalón, como siempre, esperándola para bajar las escaleras. Ana resopló hastiada, entregándole su mano. Aborrecía aquellas estúpidas reglas instauradas por su padre años atrás con el único objetivo de limitarla y volverla débil y dependiente. No de protegerla, como rezaba doña Angustias a modo de excusa, sino de controlarla. Estaba segura de ello.

Prohibido subir o bajar las escaleras sin la ayuda de un adulto, prohibido relacionarse con personas que su padre considerara inapropiadas —y que venían a ser todas aquellas a las que él no les concediera previamente su aprobación—, jamás hablar con personajes de condición inferior ni rebajarse a ser condescendiente con el servicio, prohibido leer novelas y mucho menos revistas para señoritas, prohibido escuchar a determinados compositores, prohibido pintar o tocar cualquier instrumento, por ser considerado por el señor conde un pasatiempo demasiado frívolo y poco funcional y, sobre todo, prohibido abandonar el Pazo sola.

—¿Sabes qué es lo que quiere, nana? —preguntó en el primer rellano, salvando con un saltito el último escalón, a modo de desafío a tanta absurda normativa. Doña Angustias no la miró, pero aceptó su rebeldía con una sonrisa cómplice.

—No tengo ni la menor idea, niña.

Ana resopló y continuó bajando las escaleras con paso resignado.

—¿Es que ni siquiera va a dejar que me instale en paz? Acabo de llegar de la Corte. —Puso los ojos en blanco—. Santo Dios, ¿qué es lo que quiere de mí? ¿Tanto le fastidia mi existencia que está dispuesto a estorbarla a cada instante?

—No pienses de ese modo, niña.

—No puedo pensar de otra forma, nana. —Segundo rellano y segundo saltito para salvar el escalón—. Estoy segura de que si le hubieran dado a elegir, hubiera preferido un perro en vez de una hija. Un podenco tal vez. —Torció los labios en una sonrisa irónica—. Al menos un perro le serviría para cazar.

—Eres la condesa, haz el favor de no compararte con un perro.

Ana se detuvo en mitad del escalón para mirarla con el ceño fruncido.

—Entonces, ¿qué es eso tan urgente que no puede esperar a que la condesa descanse tras un largo viaje?

—Tal vez desee saber cómo te encuentras...

La joven jadeó, escéptica.

—Muy ingenua demostrarías ser si así piensas, nana. A don Alejandro Covas solo le importan tres cosas.

El ama arqueó una ceja componiendo una expresión interrogante. Ana satisfizo su curiosidad en el acto, acompañando sus palabras de un prolongado suspiro:

—Él, él mismo y otra vez él.

Doña Angustias la acompañó en su suspiro y tiró de ella, que se dejó llevar con docilidad.

—Te espera una intensa vida social a partir de ahora y tu papel en ella es muy importante, querida, no lo olvides.

—No lo olvido —resopló—. Una vida social para la que llevo trece años preparándome.

Doña Angustias continuó sin mirarla, pero su semblante reflejaba ahora una gran compasión.

—Seguramente el conde querrá explicarte cómo están las cosas por aquí, lo que sería absolutamente normal. Tienes mucho sobre lo que ponerte al día, querida.

Ana alzó las cejas.

—Nada hay de normal en mi relación con el señor conde, y lo sabes.

La anciana ignoró el apunte.

—Hay mucho que hacer. Debes conocer a la perfección el funcionamiento del Pazo y de las restantes propiedades de tu madre para cuando llegue el momento de hacerte cargo de ellas. Es un asunto muy complicado y que exige una gran responsabilidad, debes ser consciente de ello.

En el aire flotó lánguido el eco de un suspiro, fruto del aburrimiento y la resignación.

—Tengo cinco años por delante hasta alcanzar la mayoría de edad y poder tomar posesión de todo esto; hasta entonces tengo tiempo de sobra para prepararme, no creo que corra tanta prisa. Además, sé muy bien cómo están las cosas por aquí, nana—replicó, nada más poner pie en el vestíbulo con un nuevo y desafiante saltito—: a merced de un dictador implacable al que nadie soporta.

—Puede que las cosas hayan cambiado. Debes tener fe...

—No lo creo. Mi formación académica ha concluido y las monjitas me mandan de vuelta. —Se humedeció los labios y miró al frente, dispuesta a encarar su destino—. Mi padre ha de estar furioso porque no le queda otro remedio que soportar mi presencia.

Doña Angustias la liberó de su agarre y la dejó ir, sin más palabras. No eran necesarias: la niña tenía razón en todo lo que había dicho.

Ana cruzó el vestíbulo con aplomo. Sus pasos ni siquiera se sentían sobre el sobrio gres del suelo. La vaporosa tela de su falda emitía un curioso *fru fru* al caminar, producto de la rigidez del tejido y de la ingente cantidad de tela empleada, a pesar de que esta no descendiera más allá de los tobillos. Su porte, pensaba doña Angustias al verla alejarse, era absolutamente el de una reina, o el de una estrella recién nacida refulgiendo por vez primera en su cielo, un cielo que le había sido arrebatado durante mucho tiempo. Pero no importaba; ya estaba allí, brillando en lo alto, pura, hermosa, resplandeciente, imitando en belleza a Selene, la diosa de rostro plateado que cada noche corona la bóveda celestial en su carro de nácar, derramando a su alrededor el mismo halo de señorío y donosura que la blanca deidad.

Un lacayo le abrió la puerta del despacho después de obsequiarla con la debida reverencia. Entró sin mayor ceremonia, enlazando las manos frente al talle para permanecer de pie en medio de la amplia sala.

En el aire flotaba la esencia amarga del tabaco y la madera seca, una atmósfera sobria y absolutamente varonil. Hacía años que no entraba allí, pero todo mostraba el mismo aspecto austero, oscuro y abrumador que recordaba de niña. Por entonces tenía totalmente prohibido entrar en aquella estancia, y jamás se sintió tentada a desobedecer: aquel lugar resultaba casi tan sombrío como el alma que solía ocuparlo.

La escasa iluminación natural procedía de dos únicas ventanas protegidas por espléndidas caídas adamascadas, habitualmente corridas, que sumían la estancia en un ambiente de contrastes, luces, sombras y rincones oscuros. Paneles de oscura madera noble forraban el suelo y las paredes, confiriéndole al despacho una gran distinción y también un aire sombrío e intimidatorio. Un inmenso tapiz vestía la pared lateral y representaba la feroz escena de decenas de perros atacando con saña a un corzo solitario.

Todos contra el más débil, el solitario e indefenso. ¡Qué tópico resulta!

Por fortuna, la visión en la pared principal de un enorme óleo en tonos pastel que representaba a su madre en pose sedente con fresca naturalidad, sonriéndole directamente con su cara de ángel y su porte de ninfa hecha de bruma, consiguió reportarle cierta calma. Algo muy de agradecer en una dependencia que conseguía ponerle los nervios de punta.

Un escritorio robusto presidía el centro de la estancia. Detrás de él la esperaba su padre, con las manos entrelazadas sobre el estómago, repantigado con displicencia en un butacón orejero de estilo afrancesado ricamente tallado y tapizado.

—Padre —saludó con sequedad, doblando la rodilla derecha mientras retrasaba el pie contrario—, ¿me ha mandado llamar?

Él cabeceó en señal de bienvenida y, por toda respuesta, hizo un gesto con la mano para instarla a tomar asiento. Tras un instante de vacilación, Ana optó por acomodar sus faldas, no en la silla vacante frente al escritorio, como era de esperar, sino en un butacón más retrasado, cercano a la puerta y, por lo tanto, lo más distante posible de su padre y propicio para una pronta retirada.

Don Alejandro aceptó el desafío torciendo los labios en una sonrisa cáustica. ¡Ya le daría él verdaderos motivos para rebelarse dentro de unos minutos! Si la muy boba consideraba que tenía alguna posibilidad de salir victoriosa de aquel despacho, se equivocaba con rotundidad.

—Así es, Ana. Te he mandado llamar.

—Pues aquí me tiene, a su merced —inclinó la cabeza en provocadora reverencia, mientras abría los extremos de la falda para insistir en su cortesía. Una forma sutil, como otra cualquiera, de desafiar su autoridad.

Don Alejandro exhaló por la nariz conteniendo un exabrupto y las ganas de abofetear a aquella melindrosa insurgente.

—Soy consciente de que acabas de llegar y de que seguramente te encuentres todavía cansada del viaje.

Al menos tiene la delicadeza de darse cuenta de ello, aunque no se moleste en respetarlo.

—No se preocupe, padre —dijo convencida de que, por supuesto, no lo hacía—; efectivamente, no es un trayecto que haya realizado más que cuatro o cinco veces durante toda mi vida —la puñalada fue efectiva, a juzgar por el fruncimiento de ceño del caballero—, pero soy una persona fuerte y estoy convencida de que, después de una noche de descanso, me sentiré recuperada por completo. Mi cama, la cama del Pazo, no puede compararse con el asiento del carruaje, o con la dura y estrecha cama del internado.

Ana casi podría jurar que los extremos del bigote temblaron debido a la tirantez que sufrieron los labios. Aquel hombre que se sentaba del otro lado del escritorio era su padre tan solo porque así lo rezaba un documento legal. Jamás había recibido de él más que desprecio o indiferencia.

—Me alegra que pienses así y que te presentes como una criatura fuerte y resistente, puesto que, como bien sabes, la vida de un noble no admite pausas innecesarias ni flaquezas. Hay asuntos que están por encima de nuestros propios intereses. Nos debemos al pueblo, a aquellos que dependen de nosotros, y tenemos la obligación de cumplir con nuestras responsabilidades. Espero que seas consciente de ello. —Ana le miró de soslayo. ¿Ahora pretendía hablarle de responsabilidades? ¿Él, que siempre había eludido las suyas como padre?

—Y cumpliré con las mías sin rechistar, como he hecho siempre. —Le dirigió una mirada retadora, cargada de intención—. Soy consciente de lo que represento y lo que se espera de mí. He venido para ser la condesa.

Don Alejandro esbozó una amplia sonrisa que elevó aún más los curvos extremos de su bigote. Su mirada rezumaba tanta maldad que ni la más radiante de las sonrisas sería capaz de disimularla. Tampoco tenía la menor intención de hacerlo.

—No esperaba menos de la *señorita condesa*, que tanto entusiasmo muestra por ejercer como tal —comentó con retintín—. Desde luego es un gran papel el tuyo, y debes de sentirte emocionada por representarlo. —La sonrisa falsa volvió a asomar—. Espero que ese grado de compromiso se extienda no solo a tus funciones de aristócrata, sino también a las de hija.

Ella arqueó una ceja. ¿A dónde pretendía llegar? No pudo evitar que su tono rezumara un cierto reproche cuando se expresó a continuación.

—Creo que siempre he sido una hija leal y obediente. No ha de tener queja de mí. ¿O sí? ¿Le han dicho algo las monjitas?

Don Alejandro la miró sin dejar de sonreír. Sin duda había recibido una buena educación: su temple y su flema resultaban admirables. Si estaba asustada, no lo parecía. Si se sentía intimidada, nada en su expresión lo daba a entender. ¡Brillante!

—Nada me han dicho las monjas. Hasta el día de hoy has sido una buena hija —concedió.

Desde luego, no se quejará de que le haya dado mucho que hacer durante estos años.

—Y espero que lo sigas siendo.

—Jamás he cuestionado sus decisiones —musitó—, si a eso se refiere.

Y eso que había motivos suficientes para cuestionar cómo un padre puede prescindir de su única hija durante trece años tras la muerte de su esposa.

El caballero se tomó un minuto para inhalar una bocanada de aire y sondear la expresión de su hija. Lacónica, sobria, digna, elegante... ¿A quién pretendía engañar? Seguramente en el fondo fuera una boba soñadora como su madre, solo que ésta, muy al contrario que su progenitora, parecía esconder sus flaquezas tras una máscara de orgullo y altivez. De nuevo, se quitó mentalmente el sombrero ante ella. Parecía una adversaria digna, pero él no se dejaría amilanar jamás por una mujer, y mucho menos por una que le recordara sus limitaciones.

—Supongo que estarás al tanto de que no posees la mayoría de edad necesaria para administrar tus bienes. —Ana se humedeció los labios. ¡Así que la había mandado llamar para hablar de dinero! Ahogó un jadeo. ¡Por supuesto! ¿Qué otra cosa podría importarle más a su viejo y astuto padre? Sabía que era inútil tratar de mantener cualquier suerte de conversación elevada con él.

—Estoy al tanto. —Una sola de sus cejas se elevó, concediéndole a su rostro una expresión de suspicacia—. Es decir, no entiendo mucho de leyes, pero recuerdo que una vez el abogado de la familia habló de ello durante una de mis visitas al Pazo.

—Tampoco puedes firmar contratos o manejar propiedades. —Conforme hablaba, la sonrisa del conde se ensanchaba con maldad, como el truhan que maquina algo y se regocija ante la perspectiva de llevarlo a cabo—. Ni siquiera puedes hacerte cargo de la herencia de tu madre. No sin la presencia de tu tutor legal, en este caso, yo. Solo eres condesa de palabra.

Ana se mordió el interior de las mejillas hasta que el sabor de la sangre se hizo evidente.

—Soy consciente —declaró con sequedad—. Todavía me faltan cinco años; cinco años en los que seguiré estando bajo su tutoría y sus designios, padre. —Inhaló por la nariz hasta que el aire le quemó el interior del tabique nasal, e hizo ademán de levantarse, dispuesta a poner fin a aquella ofensiva charla—. Me doy por informada. ¿Se le ofrece algo más?

Él la fulminó con la mirada, obligándola, sin palabras, a detenerse.

—No te he dado permiso para abandonar el despacho, Ana, vuelve a sentarte.

Al mismo tiempo que Ana abandonaba su plan de escape, el caballero se levantó de su asiento y empezó a pasearse con arrogancia por la estancia, con las manos en puños a su espalda, ocultas bajo los faldares de la chaqueta, y la barbilla erguida. Ana rehusó acompañar sus pasos con la mirada más tiempo del estrictamente necesario, lo que venía a reducirse a unos pocos segundos. No sentía el menor deseo de admirar la figura de aquel hombre.

—Cinco años es mucho tiempo para que una mente influenciable y frágil se mantenga ociosa. Ana Emilia Victoria Federica, Ana de Altamira y Covas... acabas de salir de un internado que ha actuado sobre tu alma a modo de burbuja protectora y, por tanto, tu personalidad es débil y maleable. Y ya sabes lo que opino acerca de la debilidad de carácter.

Ana se mordió el labio inferior. Durante trece años había tenido tiempo de fortalecer su carácter. Y, sin duda, lo había hecho. Se encontraba en un punto en el que no se consideraba a sí misma ni débil ni maleable. Puede que fuese ingenua e inocente, dulce y candorosa en su naturaleza, pero no tonta ni fácil de persuadir.

—Le aseguro, señor...

Pero él la interrumpió.

—No tienes entereza, experiencia ni talante. —Sus ojos se achicaron con maldad—. Y tampoco potestad para tomar decisiones importantes, así que yo las tomaré por ti.

Ana se envaró. No le agradaba el cariz que estaba tomando la conversación.

—¿Qué pretende decirme, padre? ¿Decisiones? No entiendo de qué me está hablando.

—Tu condición y tu patrimonio te convierten en apetecible carnaza para los cazafortunas que pululan de salón en salón, en busca de una incauta que les arregle la vida. Y la casa Altamira no ha nacido para arreglarle la vida a cualquier sacacuartos, lo entiendes, ¿verdad?

Ana frunció el ceño, cada vez más confusa.

—No, no lo entiendo. No sé lo que pretende decirme, y disculpe mi torpeza, señor.

El caballero detuvo en seco su paseo. Resopló, hastiado en verdad de la simpleza de su hija, para dirigirse a ella con voz firme.

—Debes casarte.

Así, sin paños calientes. A sangre fría y sin escrúpulos.

Sin poder contenerse, Ana se levantó de su asiento con tal ímpetu que arrastró la butaca sin ningún tipo de ceremonia hasta que acabó impactando contra la pared, lo que provocó que su padre se envarara y la mirara con el ceño severamente fruncido. Casi en el acto se arrepintió de dejar a la vista sus emociones ante un enemigo tan despiadado; pero, a pesar de ello, no se volvió a sentar. Se limitó a quedarse de pie mientras observaba a su padre con una rabia insondable borboteando en su interior.

—¿Debo casarme? —replicó sofocada—. ¿Para decirme eso ha organizado esta entrevista?

—Es un punto muy importante a tener en cuenta. Un punto que debemos arreglar cuanto antes. En este mismo instante, a ser posible.

Ella jadeó y deslizó la mirada por todas partes sin ser capaz de fijarla en ningún punto concreto.

—Es mi deseo que contraigas matrimonio, Ana —insistió su padre—. Es mejor prevenir que lamentar, mejor buscar un candidato apropiado antes de arriesgarnos a que te desposes con un derrochador que nos hunda en la miseria. Debemos asegurarnos de mantener a salvo el patrimonio familiar, de que la fortuna de la casa Altamira no caiga en malas manos.

Ana se ruborizó hasta el nacimiento de sus cabellos.

—¿Y por qué debo casarme? ¿No puedo permanecer soltera? De ese modo la fortuna que tanto teme perder quedará en manos de la familia —rebatió, sintiendo una oleada de calor e indignación subiendo por su cuello. Seguramente había alzado la voz más de lo esperado en un carácter apacible como el suyo, pero no lo podía ni quería evitar. En esos momentos, ardía en rebeldía.

—¿Soltera? ¡No seas ridícula! —El conde había alcanzado un cierto grado de coloración en el rostro, prueba inequívoca del ardor con el que se expresaba y de lo poco dispuesto que se encontraba a admitir una negativa—. El matrimonio es un negocio. Y los negocios fortifican los blasones familiares. ¿Eres consciente de la vergüenza que supondría para esta noble casa si comprometieras el título y la grandeza de tu apellido por culpa de un comportamiento desacertado?

Ana apretó los dientes hasta que sintió un profundo dolor en las sienes.

—¿Y por qué habría de comportarme con desacierto? ¿Acaso me considera tan imprudente? —Sus manos se cerraron en puños a ambos lados de su cuerpo. Sus uñas se clavaron en las palmas—. ¡Soy una mujer inteligente, sé cuidarme sola, padre! —rugió entre dientes, arrastrando las palabras—. ¡Llevo trece años haciéndolo!

Don Alejandro exhaló profundamente por la nariz. Ana no podía saberlo, pero empezaba a perder la paciencia. ¿Desde cuándo aquella mocosa se atrevía a rebatir sus deseos?

—No se trata de eso. Empiezo a ser consciente de lo inteligente que eres. —La fulminó con la mirada—. Y la inteligencia en una mujer resulta absolutamente indeseable.

Ana no pudo evitar dar un respingo. Aquellas palabras habían sonado demasiado crueles, incluso para un alma cruel por naturaleza.

—Soy joven para casarme, no puede pensar siquiera en obligarme a ello... —Ana parpadeó, expresándose apenas en un susurro. No sabía cómo rebatir y defenderse ante un enemigo tan bien preparado. Y estaba claro que el conde tampoco esperaba que la joven tuviese algo que decir al respecto.

—¡Soy tu padre, y es mi última palabra! —exclamó, dedo acusador en alto—. ¡No te queda otra opción que obedecer... u obedecer!

Ella tragó saliva y fue consciente de la terrible picazón que empezaba a fraguarse detrás de sus párpados y de lo que sucedería si no era capaz de controlarla.

—¡Demonios, no eres una mujer libre, nunca lo has sido y nunca lo serás! Como te dije, no tienes potestad para negarte a mis designios. ¡Y no me desafíes o lo lamentarás! —Su voz descendió una octava para adoptar un registro bajo y sombrío—. No te imaginas cuánto.

Aquella amenaza sonó en su cabeza como la más amarga de las sentencias. Sintió que las rodillas le fallaban, que a su alrededor la habitación al completo, con sus fastuosos candelabros, sus tapices y sus jarrones orientales, se iba a pique con ella dentro. Un sudor frío se instaló sobre su nuca y en su frente. Se apoyó sin disimulo en el brazo del butacón en el que minutos antes se había sentado, para no desplomarse.

—¡Y ahora vete a descansar! Serás informada de todo en su justo momento. ¡Retírate!

Pero Ana no se movió del sitio. Alzó la mirada de forma sistemática y la visión del enorme retrato de su madre consiguió insuflarle arrojos. No podía dejarse vencer, no por él.

—Será todo un detalle por su parte mantenerme informada... de la resolución de mi vida. —Las palabras salieron solas de sus labios, escoltadas por las lágrimas que ya se agolpaban en sus ojos a la espera del pistoletazo de salida.

Se llevó una mano a la helada frente y trató de serenarse, pero las lágrimas empujaban tan fuerte que a duras penas podía contenerlas.

—¿Y si me niego? ¡Soy la condesa! ¿Y si me niego? —protestó entre sollozos.

—¡Con mayor razón, *señorita condesa*! —replicó burlón—. Es tu obligación dar ejemplo. ¡Debes casarte y obedecer a tu padre! —insistió con rotundidad.

Ella alzó la barbilla, desafiante.

—No voy a casarme, padre. Tendrá que obligarme.

El caballero se llevó dos dedos al puente de la nariz y apretó fuerte mientras cerraba los ojos, aparentemente agotado.

—No me has entendido, Ana. No te estoy ofreciendo una posibilidad a considerar. —La miró achicando los ojos y sonriendo ante su inminente victoria—. Te lo estoy ordenando. —Estrelló el puño contra la mesa, consiguiendo que su hija diera un respingo—. ¡Y obedecerás! ¡Por mi vida que obedecerás! ¡Aunque sea lo último que hagas! ¡Si es necesario, te llevaré a rastras al altar, no te quepa la menor duda!

Ana apretó los labios e inhaló por la nariz. Una lágrima, una sola en realidad, abandonó su refugio para descender con rapidez por la mejilla.

—Me obliga a abandonar una prisión para encerrarme en otra.

Don Alejandro sonrió con amplitud.

—Es el precio a pagar por ser mujer.

—¡Es el precio a pagar por ser su hija! —estalló. Su vano intento por contener el llanto provocó que la barbilla y el labio inferior le temblaran—. Me pregunto qué es lo que gana usted obligándome a casarme. ¿Qué es lo que quiere? ¿El Pazo? ¿El dinero de los Altamira?

Él sesgó su sonrisa.

—Todo eso ya lo tengo.

—¡Pues quédese con todo! —exclamó, completamente ciega a causa de la cortina de lágrimas que velaba sus ojos—. ¡Yo no lo quiero! ¡No necesito nada! —Una chispa de intuición cruzó por su mente. Quizás una salida, después de todo—. ¡Me meteré en un convento! ¡No le estorbaré! ¡Me meteré en un convento! Pero se lo ruego, padre, no me obligue a casarme en contra de mi voluntad.

Don Alejandro mantuvo su característica sonrisa sesgada que le otorgaba un temible halo de malignidad.

—¡No seas hipócrita! ¿Desde cuándo sientes vocación por la vida religiosa? Te casarás: es mi voluntad —levantó el dedo acusador hacia ella— y tú estás obligada a cumplirla, te guste o no. Tu título no es una simple alhaja para lucir en las reuniones sociales, tu título implica responsabilidades. Una de ellas es casarte y aceptar con resignación tu destino.

—Ni siquiera he sido presentada en sociedad... —farfulló, esgrimiendo una última y pobre excusa.

El conde ahogó una risotada.

—¿Quieres un baile de presentación? ¡Lo tendrás! ¡Y después te casarás!

Ana exhaló largamente. Tenía que salir de allí antes de que las lágrimas surcaran su rostro en desbandada o de que sus rodillas cedieran de forma definitiva sometiéndola a una humillación mayor. No quería llorar ni mostrarse débil delante de él, o su triunfo sería aún mayor.

Sin mediar palabra, se dio la vuelta dispuesta a abandonar la estancia. Con mente fría, contó los pasos que la separaban de la puerta; nunca una distancia tan corta le había parecido tan insalvable. Cuando por fin su mano acarició el pomo, su padre soltó el as que guardaba en la manga.

—Mañana, durante la cena, te presentaré a tu prometido.

La mirada que ella le dedicó hubiera sido capaz de traspasarlo si él siquiera la hubiera tenido en cuenta.

—Lo tenía todo preparado ¿verdad? —siseó, entrecerrando los ojos para mostrarle su indignación.

La sonrisa del caballero resultaba tan insultante como fuera de lugar.

—No te preocupes, he elegido lo mejor para ti. Espero que no seas tan necia como para osar siquiera ponerlo en duda.

Ana no pudo contestar; se limitó a fulminarlo con la mirada, deseosa de que él captara todo el odio que se reflejaba en sus pupilas.

—Ni se te ocurra pensar que tu llegada al Pazo va a alterar de algún modo la rutina de este lugar o la mía propia. Sigo siendo el que maneja las riendas de todo esto y de ti misma, no lo olvides —la denigró él—. ¡Retírate! —A continuación inclinó la cabeza para devolver la mirada a los papeles que cubrían su escritorio, dando a entender que la conversación había terminado. Dando a entender que aquel muro resultaría infranqueable.

Y realmente no había mucho más que decir.

3

Ana se refugió en la intimidad de su habitación cerrando tras de sí con un sonoro portazo. Era la única forma, quizás, en la que le estaba permitido descargar su frustración. ¡Maldita fuera su condición! ¡En esos momentos hubiera deseado ser una pobre campesina para poder desfogarse, gritar, patalear y sacudir el universo entero con su rabia! ¡Desearía...! ¡Santo Dios, por su vida que no existía en el mundo persona capaz de hacerle perder el control salvo él!

Se dejó caer boca abajo sobre la impresionante cama de roble tallado de la que sobresalía un elegante dosel. Su cuerpo rebotó contra la superficie mullida de la colcha y quedó sepultado por el océano de cojines que la engalanaban. Y allí, ocultando el rostro entre los almohadones, lloró a placer, ahogando su llanto y sus gritos de impotencia contra la tela. Pataleó en los laterales de la cama y descargó sus puños contra el enorme lecho, que soportaba sus golpes sin inmutarse. Al principio trató de contener las lágrimas, los jadeos y los sollozos descontrolados, pero pronto dejó de intentarlo. Santo Dios, siempre había intuido que aquel hombre era malvado y frío como un témpano de hielo, que en su alma no existía una fibra sensible capaz de responder al amor o a la bondad. Ahora, conforme lo veía actuar, conforme lo veía avanzar serpenteante como una víbora, era cada vez más consciente de que sus suposiciones habían sido del todo acertadas. Aquel hombre era el mismísimo demonio y, si se había ensañado con ella desde el mismo momento de su nacimiento, ¿por qué no iba a querer perpetuar su reinado de dolor? ¿Por qué iba a desistir de continuar arruinándole la vida a su desdichada hija?

Un ligero toque en la puerta la obligó a silenciarse y contener la respiración, asomando muy despacio el rostro entre el revoltijo de cojines que la rodeaba. No respondió, pero la puerta se abrió igualmente, con suma lentitud, dejando que una cabeza regordeta y colorada, adornada con un moño bajo de cabello grisáceo, asomara por la rendija.

Ana suspiró en medio del llanto. Aquella buena mujer poseía un desarrollado y maravilloso don para hacerse sentir en los momentos oportunos, aquellos en los que más la necesitaba.

Doña Angustias se acercó al lecho, silenciosa como un ratoncito, y se sentó en el borde. El grueso colchón apenas se hundió bajo su considerable peso. Reposó una mano sobre la cabeza de Ana, desplazando los dedos adelante y atrás entre el cabello en una caricia tranquilizadora.

—¿Cómo has subido las escaleras?

Ana bufó. No estaba enfadada con ella, pero en esos momentos la anciana corría el riesgo de convertirse en la diana perfecta contra la que descargar su rabia.

—¡Corriendo! —gritó, desafiante—. ¡Sola!

Un suspiro de resignación llenó el ambiente.

—Sabes que no deberías subir las escaleras tú sola...

Ana jadeó, ahogando una risotada y, con un único y brusco movimiento de las manos que le arrastró la piel hasta deformar las mejillas y los ojos, se limpió el rostro, completamente desbordado por el llanto.

—¿Por qué? ¡Es ridículo! ¡Ya no soy una niña! —se rebeló, apartando la cabeza de las dulces caricias del ama, rechazando todo contacto físico—. ¿No os dais cuenta? ¡Tengo dieciocho años! —Y a continuación, en un registro bajo y sombrío, añadió—: Dieciocho malditos años...

—Ana, por Dios... —riñó el ama dulcemente.

¿Qué te ha dicho ese viejo monstruo para que estés con el ánimo tan aguijoneado?

—¿O acaso creéis que a las demás señoritas del internado les daban la mano cada vez que subían o bajaban las escaleras? ¡Tanto celo es ridículo!

Doña Angustias suspiró.

—Ellas no eran la ilustrísima condesa de Rebolada y señorita de Covas, cariño.

Ana agarró el cojín que tenía más a mano, uno que mostraba un laborioso bordado del blasón familiar, y lo arrojó fuera del lecho. Hacerlo, le arrancó un gruñido de esfuerzo desde lo más profundo de sus entrañas.

—¡Y ojalá yo no lo fuera tampoco! —chilló.

Ladeó la cabeza sobre la cama, apoyando encima de la colcha de raso un rostro completamente sonrojado, hinchado e insondable. Había dejado de llorar, pero el aire ausente y el dolor que transmitían su expresión infundían respeto.

—No se puede cambiar el destino, pequeña. —La voz del ama resultaba arrulladora de tan calmosa—. Todos tenemos nuestro camino trazado en las estrellas. Sin duda el tuyo es más brillante y complicado que el del resto de los mortales, pero ello no implica que no puedas disfrutarlo con sabiduría.

Ana hipó. ¿Cómo iba a disfrutar de su jaula de oro? ¿Cómo, si la visión del campo abierto y prohibido que se extendía ante sus ojos no hacía más que torturarla? ¿Cómo, si su padre parecía dispuesto a recordarle a cada instante sus limitaciones?

—¿Brillante? —Sollozó sin variar su expresión—. ¿Dices que mi destino es brillante? —Ahora jadeó con escepticismo—. ¡Por Dios que no estamos hablando de la misma persona ni del mismo destino, querida nana! ¡El único brillo en mi horizonte es el de las frívolas alhajas de la familia!

Doña Angustias inclinó la mirada y apretó los labios. Era cierto. Al igual que sucediera con la antigua patrona, la joven condesa de Rebolada lo poseía todo para ser feliz, y sin embargo, la felicidad para ella parecía lejana, inalcanzable.

—¡Soy sumamente desdichada! ¡Toda mi vida lo he sido, me temo! Creí que en el internado estaba atrapada, como el pajarillo que malvive con las alas atadas. Creí que, al llegar aquí, a casa, respiraría libertad. Pero solo ha cambiado el carcelero. Ahora comprendo que mi padre jamás me permitirá ser libre... ni feliz —se lamentó, vencida por la desolación—. Al igual que sucedió con mi pobre madre, ¿no es cierto? ¡Ella también fue esclava de su condición y sus circunstancias!

Levantó la mirada hacia el ama intentando encontrar en su rostro la confirmación a sus palabras, pero doña Angustias, prudente, permaneció impasible.

—¡Yo no elegí nacer con este linaje! —continuó en un gemido—. Créeme que me cambiaría por cualquier otra persona del mundo si pudiera. Quisiera salir de mí, abandonar mi cuerpo y mi vida y ser libre, distinta.

—Mi dulce niña, son muchas las que te envidian y desearían estar en tu lugar...

Ana gimoteó, meneando la cabeza.

—Es cierto, casi todas las niñas sueñan desde la cuna con todo esto, nana: con vivir en mansiones lujosas, pasearse en maravillosos carruajes y lucir vestidos de ensueño, como princesas de cuento. —Su voz había descendido hasta alcanzar un tono bajo y melancólico, casi un sollozo—. Pero no saben que toda esta fastuosidad esconde detrás la soledad más absoluta, y que hay mansiones que no son más que cárceles para quienes viven en ellas y vestidos que actúan a modo de mortaja. Esta vida de lujo y esplendor encierra un cúmulo de frivolidad, hipocresía y... soledad.

Doña Angustias apretó los párpados tratando de contener sus propias lágrimas.

—¡Obligaciones, obligaciones, obligaciones! —continuó Ana en su desespero—. ¿Y dónde queda mi opinión, dónde mis sentimientos? ¿Es que a nadie le importan?

No le faltaba razón. Su difunta madre había sufrido en sus propias carnes las penalidades de ser una niña rica obligada a vivir sola y alejada del mundo, un mundo que solo había podido disfrutar a través de las puertaventanas del Pazo o de los ahumados cristales de su carruaje de paseo. Ni siquiera la llegada de lo que ella consideró su gran amor la había salvado, sino que la condenó a hundirse más en el negro abismo que la acosaba.

—¡No necesito estos vestidos, ni adornos, ni reverencias a cada paso! —Inspiró profundamente por la nariz—. Solo sueño con el día en el que me dejen despegar las alas y volar... y ser feliz —susurró, obligándose a ahogar una violenta acometida de sollozos contra los almohadones. La anciana devolvió su mano a la convulsa cabeza de la joven y esta vez la niña no rehusó el contacto. Doña Angustias elevó la mirada al crucifijo de madera y bronce que pendía majestuoso de la pared del cabecero, y suspiró.

—¿Qué ha pasado? —preguntó apenas en un susurro—. ¡Santo Dios! ¿Qué te ha dicho tu padre para que te pongas así?

Durante un rato no hubo respuesta. Ana continuó llorando y gimiendo en voz baja, ocultando su sufrimiento al mundo en general y a su nana en particular. La anciana no insistió. Permitió que la niña se desahogara con total libertad y se mantuvo paciente a su lado, a la espera del momento que ella considerara oportuno compartir su tragedia personal. Estaba segura de que el conde había sido el causante de todo aquel sufrimiento, de algún modo u otro. Parecía que fuera lo único que se le daba bien: hacer sufrir a las almas que le rodeaban.

—¡Quiere casarme, nana! —La voz llegó amortiguada por la tela de los cojines.

Doña Angustias se sobresaltó. Aquello era algo totalmente nuevo.

—¿Casarte? —No lo entendía. Nunca se había hablado del tema en la Casa Grande. En fin, no era que don Alejandro compartiera con el servicio sus perversas maquinaciones, pero en ese caso, los rumores de un desposorio deberían haber pululado por la casa, del mismo modo que se decía por el condado que el señor era aficionado al juego y a la botella. Siempre había alguien que oía cotilleos en el pueblo o que lo veía en presencia de algún caballero digno de sospecha. Y sin embargo... nada se sabía de un casamiento.

Debía de tratarse de una ocurrencia repentina del señor. O acaso se había vuelto loco de remate, lo que sería bueno para justificar tanta maldad concentrada en un espíritu tan pequeño.

—¡Lo tenía todo organizado! —gimió Ana—. ¡Una vez más, soy un simple títere a su merced! ¡Y con qué destreza maneja los hilos! ¡Soy su hija, soy de su propiedad, y puede hacer conmigo y con mi vida lo que le plazca!

Doña Angustias frunció el ceño y pensó deprisa. Una repentina chispa de intuición cruzó por su mente, y entonces todas las piezas empezaron a cuadrar, todo cobró sentido. Al viejo conde le comían las deudas, los acreedores salían al paso del carruaje al doblar cualquier callejuela, los cañones de las pistolas salían a relucir cada vez con mayor frecuencia en las partidas de cartas...

Todo el condado era consciente de ello, para vergüenza de los trabajadores de la casa, y ahora ella misma se estaba dando cuenta de lo que don Alejandro tenía en mente para tratar de enmendar tal situación. Iba a venderla. ¡A su propia hija! A intercambiarla por cualquiera de sus deudas de juego. ¡Ruin villano del demonio!

—No tiene por qué ser tan malo, niña.

Ana alzó la cabeza para mirar a su ama con gesto escéptico y ojos llorosos. Doña Angustias se obligó a tragar saliva; ni siquiera ella podía creer en sus palabras, pero debía encontrar una forma de paliar el disgusto de su niña, resultaba imperativo amortiguar su dolor.

—Cariño, eres una jovencita preciosa, preciosa de verdad. —Y en su tono existía un afán de convicción extraordinario—. Posees un corazón noble y el alma más dulce y hermosa que he visto jamás. Cualquiera puede percibirlo. Sea como fuere, en la calle o en las veladas del Pazo, en alguna tertulia a la que serás convidada, en un palco de teatro o en un baile vecinal, un día conocerás a un caballero del que estoy segura que te enamorarás perdidamente. —Conforme el ama hablaba, Ana fruncía el ceño y asomaba a su rostro una mueca escéptica y dolorida—. Y cuando ese momento llegue, te lo prometo, serás completamente feliz.

—Feliz... —lloriqueó, paladeando la palabra.

—Y verás que no existe nada más hermoso que unir tu corazón al del hombre que ames y admires a partes iguales.

—Casarme por amor... —replicó, componiendo un mohín burlón—. No creo que algo así le esté permitido a la *señorita condesa*. El matrimonio es un negocio, y los negocios fortifican los blasones familiares —expuso con retintín, repitiendo las palabras del conde.

—No es tal como dices, Ana. La gente se casa por amor cada día. Cierto que no es lo más común en las altas esferas, pero tampoco resulta una utopía.

Estoy segura de que sí, nana. Lo habrás visto mil veces entre los lugareños. La gente humilde puede permitírselo: amarse aunque luego se mueran de hambre y solo tengan una cebolla para repartir, pensó la joven. *Yo no. A mí jamás me estaría permitido semejante despilfarro emocional.*

—Sería tu oportunidad de romper los lazos que te unen a tu padre y formar tu propia familia. Y ser feliz de verdad. —Esta vez el ama trató de sonar más práctica que idealista.

La joven esbozó una sonrisa dolorida.

—Romper lazos con un hombre malvado para atarme a otro, quizás más malvado aún. ¿Es que acaso mi sino es andar dando tumbos por la vida, zarandeada como un pelele, sin ser dueña de mi propio destino?

—Estoy hablándote de amor, no de ataduras ni zarandeos. ¡Olvida lo que te ha dicho tu padre hoy! Cuando conozcas el verdadero amor, comprenderás que no hay nada más hermoso que compartir tu vida con esa persona. Una persona que no querrá vivir la vida por ti, sino contigo. Una persona que tú y tu corazón elegiréis. Cuando aparezca ante ti, lo sabrás, y entenderás todo esto que hoy te digo.

Ana estalló en un sollozo inesperado, meneando la cabeza y ahogando un cúmulo de jadeos y gemidos que la sorprendieron de pronto.

—¡No lo entiendes, nana! —exclamó en un tono lastimero y sombrío—. ¡Tampoco tendré la oportunidad de elegir! ¡Ni de enamorarme, ni de soñar con esa vida hermosa de la que hablas! ¡Yo no soy como las demás muchachas! —Doña Angustias arqueó las cejas—. ¡Mi padre ya ha elegido por mí! Me obliga a casarme con alguien que ni siquiera conozco, alguien que él mismo se ha tomado la *molestia* de escoger.

—No lo entiendo —farfulló. Y realmente no entendía. ¿Ya estaba todo concertado?—. ¿Qué te ha dicho el señor conde?

—¡Todo y nada! Dice que mañana, durante la cena, me presentará a mi prometido, sea quien sea el *afortunado* —gimió, llenando el aire de aspavientos—. ¿No te das cuenta? ¡Lo tenía todo planeado! ¡A saber cuánto tiempo lleva rumiando su plan! ¡Por eso me ha enviado a buscar con tanta urgencia! ¡Por eso ordenó que se me custodiara con tanto celo! Soy su mercancía más preciada en este instante. —Y acto seguido enterró la cabeza en el océano de almohadones para continuar desgranando su alma en un llanto incesante—. ¡Ojalá no hubiera un mañana! ¡Ojalá no amaneciera para mí! ¡Ojalá esta maldita mercancía se estropeara para siempre! ¿Acaso no podría morirme esta misma noche? ¡Si así fuera, sería completamente feliz!

Doña Angustias se envaró. Aquello no tenía pies ni cabeza, y resultaba tan precipitado como pérfido y falto de lógica. Sin duda, era una idea digna de don Alejandro Covas. El ruin buitre acechante, siempre asomado a su tétrico torreón, maquinando la forma más eficaz de arruinar la vida a todas las almas nobles de su entorno.

—¡No es de su incumbencia! —bramó don Alejandro, descargando su puño sobre la mesa.

Doña Angustias dio un respingo, pero se obligó a mantener la compostura y la dignidad delante de aquel déspota. Sabía que, efectivamente, no se trataba, ni por asomo, de algo de su incumbencia, pero ¡por el amor de Dios!, se trataba de *su* niña Ana, y por lo tanto, aquel asunto le afectaba directamente a ella también. No podía verla sufrir. La quería demasiado como para observar sus padecimientos desde las trincheras sin intervenir, aunque en realidad poco podía hacer frente a los arbitrios de aquel estirado caballerete salvo protestar y mostrarle su descontento, como hacía ahora.

Había presenciado cómo la chiquilla se había saltado la cena alegando una terrible jaqueca y cómo su ausencia esa noche en la mesa le había importado bien poco a su padre, que igualmente había dado buena cuenta de su pierna de cerdo con jovial apetito y gesto de despreocupación. Después, cuando pegó la oreja a la puerta de su habitación para saber si se encontraba mejor, había escuchado con nitidez sus gemidos y su llanto entrecortado, y no se había atrevido a llamar. Simplemente se le había encogido el alma y había procurado respetar su dolor. ¡Por su vida que aquella criatura no merecía sufrir más!

Por eso no había dudado un solo segundo en acercarse al despacho del señor, como el estúpido cordero que camina por propia voluntad hacia el degolladero, con la ingrata tarea de solicitar unos minutos de audiencia y tratar de indagar qué había de cierto en las palabras que la niña había compartido con ella apenas unas horas antes. ¿De veras iba a casarla? ¿Con quién? ¿Y con cuánta inmediatez? ¿Acaso era la única solución para salvarse de la ruina? ¿Hasta ese punto había llegado su desatino?

—¡Y tampoco veo por qué debería darle mayor explicación a una simple sirvienta! —continuó. La vena de su sien empezó a latir de forma perceptible. Quizás en cualquier momento fuera posible incluso que se le saltara un ojo, a juzgar por lo alejados que parecían de sus órbitas en ese instante.

—¿Quizás porque llevo dieciocho años al servicio de esta casa? —La anciana separó los labios, habitualmente sellados, para expresarse, algo con lo que el señor no contaba. Su audacia provocó que enarcara una ceja y centrara su atención en ella por primera vez—. ¿O tal vez por todas las cosas que en estos años he presenciado y me he callado?

Don Alejandro se revolvió en su asiento, como si de repente hubieran aparecido un millón de pulgas sobre el tapizado y se atrevieran a morder su fausto trasero.

—¿Me está amenazando? —resopló con incredulidad, traspasándola por completo con el frío acerado de su mirada—. ¿Usted, miserable mujer, osa amenazar a su patrón?

La anciana fue consciente entonces de que acababa de rebasar la fina línea que separa la prudencia de la insensatez, por lo que trató de enmendarse expresándose con sumisión, inclinando la cabeza y la mirada mientras enlazaba las manos trémulas frente al talle y rezaba por obtener el perdón de alguien incapaz de mostrar ni un atisbo de misericordia hacia sus semejantes.

—Jamás osaría hacer algo así, señor. Siempre he sido leal a la familia.

El caballero, todavía mostrando una cierta desconfianza en su mirada, pareció aceptar el gesto de sumisión del ama; al fin y al cabo, las vidas de todos aquellos miserables que infestaban el Pazo estaban en sus manos, y era consciente de ello. Todos lo eran. Rumió algo por lo bajo, una maldición, una queja o a saber qué oscura letanía, y a continuación se dirigió a ella en un tono ligeramente más calmado, aunque sin ser capaz de mirarla a los ojos, tal era el desdén que borboteaba en su fuero interno. ¡Por el amor de Dios, no debería perder ni un segundo de su valioso tiempo atendiendo los desvaríos de aquella caduca matrona!

—Agradezca seguir entre nosotros, porque podría echarla en este mismo instante y nadie me culparía por ello. ¡Mírese, por el amor de Dios! —Arrugó la nariz en un gesto de desprecio mientras la señalaba con la palma extendida—. Es usted demasiado vieja, y su pupila demasiado mayor como para necesitar realmente de sus servicios, así que procure no incordiar demasiado o de lo contrario la pondré de patitas en la calle. —Ahora sí alzó la mirada para clavar en ella unos ojos preñados de perfidia y supremacía—. ¿Y a donde iría después de haber rebasado los sesenta, pobre desgraciada?

Se congratuló ante la ausencia de respuesta. Aquello ya estaba mejor: sumisión y obediencia absolutas, ese era el único comportamiento que toleraba bajo su techo. ¡Y pobre del que osara levantar la mirada del suelo, porque se la haría inclinar de inmediato con un buen pescozón!

—Cuando la señorita fue enviada al internado, continuó usted sirviendo en el Pazo como ama de llaves; creo que no me he portado tan mal después de todo. Otro patrón la hubiera enviado por donde ha venido, una vez sus servicios dejaran de ser necesarios.

Agitó la mano en el aire con displicencia, desviando la mirada al papeleo que cubría su mesa.

—Retírese, haga el favor, no puedo perder más el tiempo; soy un hombre muy ocupado.

Pero doña Angustias no se movió del sitio, lo que provocó que el caballero alzara la vista de las cuartillas para mirarla con incredulidad y el ceño profundamente fruncido.

—¿Tan poca valía posee para usted la chiquilla?

Don Alejandro apretó los dientes tan fuerte que durante un segundo temió que se le saltara un empaste. No estaba seguro de si había oído bien, si su imaginación le jugaba malas pasadas o si aquella vieja era una completa imbécil. Muy probablemente las tres cosas a la vez.

—¿Cómo dice? —jadeó, ahogando una risotada incrédula.

—Para querer casarla de forma tan precipitada. ¿Tan poco significa Ana para usted?

Chasqueó la lengua. La absurda sirvienta insistía, por algún motivo incomprensible; estaba claro que aquella estúpida quería dormir fuera de los muros de Rebolada esa noche.

—¿O acaso es que no encontró mejor canje tras los muros del Pazo? ¿Ha agotado ya todas sus opciones y ahora tiene que recurrir a tal bajeza?

Quiso hablar, o más bien soltar un poderoso rugido capaz de hacer tambalear a aquella vieja deslenguada que se atrevía a desafiarlo, pero cuando despegó los labios para soltar su bramido de rey de la manada, la anciana, que acababa de tomar impulso, dejó escapar todo lo que pensaba, obligándolo a escuchar y a quedarse absolutamente pasmado ante su descaro. Tan solo pudo liberar su indignación clavando los dedos con firmeza en el borde de la mesa, con tal nervio que pareciera que la madera se fuera a fundir de un momento a otro como mantequilla bajo su presión.

—He visto cómo arruinó la vida a la difunta señora, cómo hacía oídos sordos a sus súplicas de afecto, cómo la hundía, cada día un poco más, en el pozo sin fondo de su indiferencia. —El caballero abrió y cerró la boca, pero no dijo nada pues ella no se lo permitió, aún no. Sabía que estaba llevando su indignación demasiado lejos, pero a esas alturas ya no podía parar—. No voy a consentir que haga lo mismo con Ana. Ella... —gimió— ella es una buena muchacha, una niña buena y noble. No la corrompa.

El caballero debía de pensar que, permaneciendo sentado, se encontraba en una posición menos ventajosa para él, por lo que se irguió muy despacio, dispuesto a no dejarse avasallar por una simple y decrépita sirvienta. La lentitud conferida a sus movimientos, propia del felino que tantea a su presa segundos antes de atacar, era un signo premonitorio de la fatalidad que se avecinaba y que la anciana percibió en el acto.

Doña Angustias se vio obligada a retroceder un paso ante la imponente imagen del señor que, pese a ser ya un hombre mayor, delgado y no especialmente atlético, era al menos dos cabezas más alto que ella. Su rictus furibundo, sus ojos achicados hasta quedar reducidos a dos finas ranuras transversales y su bigote engolado, con las puntas vueltas hacia arriba, le proporcionaban un aspecto tan temible como despiadado. Si el demonio tuviera rostro humano, sería ese.

—Y usted es una vieja estúpida que no hace más que meterse donde no la llaman, ¿verdad? No se contenta con que le dé asilo en esta magna casa en lugar de echarla de aquí a patadas, tal y como me gustaría hacer y como debiera haber hecho hace tiempo, ¿verdad? —siseó entre dientes—. ¡Dígame una sola razón para no echarla del Pazo esta misma noche, maldita alcahueta del demonio!

Doña Angustias tragó saliva. De nuevo, tanto su imprudencia como su amor desmedido por la chiquilla la habían perdido. Otra vez se daba cuenta de ello y otra vez se lamentaba por haberse dejado llevar. ¿Cómo podía haber sido tan idiota? Era consciente de que, si el señor la echaba, y tenía toda la potestad para hacerlo, la niña se quedaría completamente sola en aquella ratonera a merced del gato sediento de sangre. ¡Malditas fueran su imprudencia y su insensatez!

—Le ruego me disculpe, señor. Esta cabeza vieja a veces chochea y hace que la lengua hable más de lo debido, sin hacer caso a la sesera. —Procuró conferir a sus palabras un tono lo suficientemente humilde. En realidad, en ese instante sentía tantas ganas de llorar que de buena gana se hubiera lanzado a sus pies para cubrir de besos los lustrados botines del villano. ¡Cualquier cosa con tal de evitar su salida inminente del Pazo y el consiguiente abandono de la chiquilla!

—Precisamente por ese solo motivo debiera prescindir de usted: una cabeza que chochea y una lengua rota no pueden resultarme útiles de ningún modo. —Deslizó un dedo sobre el tablero de la mesa, rodeándola y situándose al lado de la anciana. Desde su posición pudo percibir que el ama temblaba como una vara verde, arrebujada sobre sí misma, cargando los hombros hacia delante e inclinando la cabeza. Una sonrisa triunfal asomó a sus labios; sabía cuál era el talón de Aquiles de la vieja, y disfrutaba lastimándoselo, haciéndole sangre. Por supuesto, no tenía pensado echarla. Aquella vieja estúpida era la única persona en quien la muchacha confiaba, así que le vendría muy bien para conseguir llevar a cabo sus planes. Ningún becerro asustado es capaz de conducirse solo hasta el matadero sin un ronzal apropiado.

—¡Le ruego, señor, que no me eche del Pazo! —A esas alturas sollozaba como una niña, lo que a él le provocó una gran satisfacción, pero aún quería ver cómo se humillaba un poco más. Todo sería poco para enmendar su osadía.

—¿Por qué debería escucharla? ¿Por qué debería perder mi tiempo con usted?

La anciana alzó hacia él unos ojos llorosos de pobre perro apaleado pidiendo clemencia, o acaso un último golpe certero que acabara con sus miserias.

—¡Porque no tengo a donde ir! —estalló en un sollozo, cediendo a la desbandada de lágrimas que descendieron en tropel por sus flácidas mejillas—. ¡Y porque quiero a Ana con toda mi alma!

El caballero hizo un mohín, asqueado ante tanta indeseable sensibilidad. La mujer se llevó las manos a la boca tratando de ahogar los sollozos que brotaban de su garganta. Convulsionaba e hipaba a partes iguales. Y él cada vez se sentía más al borde de la náusea. Odiaba ese tipo de escenas, le provocaban urticaria y unas tremendas ganas de deshacerse a patadas de la causante de tanta sensiblería. Nunca había soportado las demostraciones gratuitas de debilidad. Por ello levantó la mano y la sacudió en el aire, como quien pretende apartar de sí un animalillo que no hiciera más que estorbar.

—¡Apártese de mi vista antes de que me arrepienta de dejarla quedarse aquí, vieja del demonio!

Doña Angustias no esperó a que se lo repitiera. Todavía aovillada sobre sí misma, retrocedió hasta la puerta, sin ofrecer la espalda al enemigo, para hacer girar el pomo con mano trémula. Las lágrimas descendían de forma atropellada por su rostro.

Ni siquiera dirigió una mirada al interior de la estancia mientras cerraba tras de sí procurando hacer el mínimo ruido.

4

El cielo lucía pesado y plomizo, como si de un momento a otro fuera a deshacerse sobre el mundo en un millón de gotas de lluvia.

Ana cerró los ojos, alzó la barbilla, inclinó la cabeza hacia atrás y se dejó embriagar por las sensaciones que invadían su alma en aquel instante.

El aroma a salitre, a algas pudriéndose sobre la arena en plena bajamar, llegó en volandas hasta ella desde la playa, que extendía su manto de arena y roca a lo largo de kilómetros y kilómetros de litoral y que divisaba perfectamente gracias a la privilegiada ubicación del Pazo.

A su espalda, el arpado rumor de las altas copas de los pinos, que parecían querer arrullarla meciéndose en cadencioso baile, llegaba desde el bosque que circundaba la finca y formaba parte del condado. Sin duda, aquel era un lugar pacífico, inalterable al paso del tiempo, y delicioso. Un auténtico remanso donde abandonar el cuerpo y dejar volar el alma.

Abrió los ojos muy despacio para continuar su paseo por los hermosos jardines del Pazo. Deslizó los dedos en sutil caricia sobre la superficie conforme de boj y las erguidas espigas de lavanda, intentando que la belleza del lugar aflojara el nudo que oprimía su alma. Nudo que su padre se había encargado de crear y apretar después con saña, como quien ciñe los lazos de un corsé en un cuerpo demasiado flácido.

Meneó la cabeza tratando de apartar de su mente la sombra funesta de su progenitor. No quería darle cabida, sino dedicarse a contemplar fascinada los dos enormes naranjos que se alzaban ante ella, cuyas ramas más altas sobresalían con orgullo y altivez por encima del tejado de la casa solariega. También reparó en el oscuro pino canadiense que llevaba siglos soportando la agreste brisa del mar en aquella parte del jardín, con sus ramas extendidas hacia el paisaje, como si pretendiera abarcarlo todo bajo su sombra.

Amaba aquel lugar. El Pazo era el legado de su madre; en él habían vivido antiguas generaciones de Altamira, dando la espalda al bosque y mirando al mar desde el mismo lugar privilegiado donde ahora se situaba ella, disponiendo para su disfrute personal de la maravillosa e infinita panorámica de la costa y de los océanos de ondulante hierba que extendían sobre el pueblo de San Julián un verde manto de esperanza.

Quizás sus ancestros también habían experimentado esa misma imponente sensación de dominio... y de soledad. La misma que ahora sentía ella, parapetada en su poderosa atalaya. Con el mundo en sus manos, pero a la vez, infinitamente lejos del mundo.

Tomó aire por la nariz, sintiendo despertar los sentidos gracias a la fresca brisa marina que se deslizaba con descaro desde la playa. Los desgarrados graznidos de las gaviotas sobrevolando en círculos la bóveda celestial, llamaron su atención y consiguieron aflojar sus labios en una sonrisa plácida.

Y continuó paseando, acariciando con sus finos dedos de nieve aquella barriguda formación de boj dispuesta en perfecta hilera, como un ejército vegetal presto a la batalla.

En un acto reflejo, alzó la mirada y volvió la cabeza hacia la casa. El corazón dio un vuelco en su pecho. El aliento quedó suspendido entre sus labios.

Desde la ventana de su despacho, el implacable cancerbero la observaba, amparado por la privacidad que le concedía mirar al exterior a través de los cristales de una habitación en penumbra.

Pero ella sabía que estaba ahí. Sentía su negra presencia acechándola, como un cuervo funesto, siempre apostado en su torreón, esperando el momento oportuno, aquel de mayor flaqueza, para dejar caer su pesado y destructivo mazo sobre la víctima elegida. Y regocijarse después con su victoria.

Cuadró los hombros y sintió que su momentáneo estado de felicidad desaparecía por completo, del mismo modo que se desvanece un puñado de agua en la cuenca de la mano.

Apretó los dientes y, sosteniéndole la mirada, contó los segundos: uno, dos, tres... antes de llevarse la mano al bonete para ajustárselo a la cabeza y darse media vuelta, reduciéndole a aquella sombra acechante el campo de visión. No iba a permitir que la mirara a la cara, no iba a permitir que pudiera apreciar su dolor.

Y que Dios la perdonara, porque seguramente dar cabida en su interior a sentimientos de esa naturaleza hacia alguien de su propia sangre era pecado, pero, a esas alturas, estaba totalmente convencida de odiar a su malvado padre. Con toda la fuerza de su corazón.

A don Jenaro Monterrey le chocó bastante la repentina e inesperada invitación a cenar por parte del conde viudo de Rebolada.

De todos era sabido que aquel hombre de aspecto almidonado, bigote quijotesco e insoportable petulancia arrastraba abundantes deudas de juego, consecuencia de un vicio que le corroía el alma desde dentro, como una enfermedad imparable que fuera a terminar por consumirlo. Y el conde, en apariencia ya a medio consumir, cargaba dichos débitos como el apocado reo que arrastra sus cadenas por la vida, sin ser capaz de librarse de ellas. Muy al contrario: a cada paso, el pobre infeliz añadía un nuevo eslabón a su grillete, y lejos de tratar de enmendarse, tozudo como el asno, todavía volvía a por más con insistencia, perfectamente escoltado por la hembra de cuello largo de cristal por la que se hacía acompañar en sus noches mundanas.

Alejandro Covas, un don nadie que se creía tanto y que en realidad no era más que un esclavo de sus vicios, un prepotente vanidoso y un alma mezquina, se apuntaba a cualquier timba de la que tuviera conocimiento. Y lo mismo daba tresillo, revesino o mus, pues sea como fuere, de todos los juegos acababa saliendo indignamente desplumado aquel gallo presuntuoso. Y, al igual que un pavo por navidad, con el buche perfectamente atemperado de alcohol. Cosa mala, por cierto, en un sayo descarnado que apenas toleraba el licor y que sumía a su propietario, de continuo, en los estados más vergonzosos, absurdos e intratables que nadie pudiera desear.

Algunos, compadecidos ante la decadencia del infeliz, viendo cómo él mismo se humillaba a cada paso y, sobre todo, por respeto a la noble casa a la que representaba, se retiraban a tiempo con tal de no dejar al pobre caballero en calzones, lo que, teniendo en cuenta lo poco afable que resultaba y lo elevado de su arrogancia, no le estaría mal empleado después de todo.

El propio don Jenaro se había dado cuenta de lo deshonroso de la situación, quizás demasiado tarde, puesto que el noble ya había acumulado una cuantiosa suma en contra de las arcas de Monterrey. ¿Cuánto le debía ya? No podía calcularlo, pero seguramente más de lo que cualquier infeliz arrendatario soñara con acumular durante toda su vida. Lo suficiente, a buen seguro, para dejar al noble en calzones y ligueros.

Ya le había advertido en varias ocasiones, e incluso le había enviado al Pazo al abogado de la familia Monterrey en pos de reclamar la deuda, pero el insensato conde no se daba por avisado y seguía con su vida decadente como si nada. Sumando deudas por todas partes.

Don Jenaro no era un prohombre, no poseía títulos ni blasones con los que adornar su fachada, pero sin duda, contaba con generosas arcas, engrosadas gracias a la beneficiosa aportación de una fructífera industria de salazones y conservas de la que él mismo era gerente y propietario, ubicada en la zona portuaria de San Julián.

Don Jenaro tenía su residencia habitual en la ciudad de Orense, villa del interior, pero disponía de una cómoda casita de dos plantas al lado de la fábrica, donde pernoctaba cada vez que acudía a supervisar la producción, asunto que acontecía varias veces al mes.

Viudo, con setenta achacosos años a su espalda, aficionado a la buena vida, esclavo de los pecados capitales, especialmente sometido a los de la gula y la lujuria, y afecto al juego, aunque con templanza, el empresario no era precisamente un santo devoto ni un ejemplo de moralidad. Ciertamente era conocido allá donde pisara por sus aires libertinos y su apego indiscutible a los vicios de la carne. Y su carne, en verdad, poseía dimensiones suficientes para albergar todos los vicios de la humanidad.

Por eso le desazonaba un poco que aquel zorro liante le invitara ahora a cenar. ¡Precisamente a él, uno de sus principales acreedores! No tenía mucho sentido, salvo que se tratara de un ardid del conde para hacerse perdonar la deuda o concederse un poco más de tiempo, lo que no sería de extrañar en una alimaña maquinadora como él. Por lo tanto, resultaba imperativo mostrarse cauteloso en su presencia y no descuidar las defensas en ningún momento.

El conde le recibió en su elegante despacho, claro ejemplo de la grandeza de la Casa de Altamira. Don Jenaro le vio levantarse con displicencia y abandonar su fortín tras el escritorio para acercarse a él y tenderle la mano.

Aceptó el saludo con reticencias. Cada vez estaba más convencido de que debería haber rechazado la invitación pues, procediendo de aquel individuo mezquino, era probable incluso que las viandas que sirvieran en su plato estuvieran emponzoñadas. ¿Qué mejor forma de deshacerse de un acreedor? ¿Y aquella mano tendida afablemente hacia él? ¿Y aquella sonrisa de rata asomando bajo el bigote?

Nada tenía sentido, y a cada segundo se daba cuenta de que nunca debería haber acudido al Pazo. No sin un abogado y en presencia de las autoridades pertinentes, la única forma en la que cualquier hombre en su sano juicio debería acercarse a la madriguera de aquel viejo zorro. O si no, en compañía de un padrino competente, para poder cruzarle la cara de un guantazo a aquel cretino y exigirle la consabida satisfacción.

—¡Señor Monterrey! —saludó el conde como si tal cosa, estrechándole la mano con vigor a su pasmado convidado. Percatándose de la expresión confusa del hombre, se apresuró a añadir—. Supongo que le habrá sorprendido mi invitación.

Acto seguido alargó un brazo para ofrecerle asiento en el elegante butacón orejero emplazado frente a la mesa.

Don Jenaro accedió a sentarse un poco a regañadientes, pues no quería sentirse en desventaja ante el conde, ni acomodarse demasiado en sus dominios. Sería como si el incauto ratón fuera tan estúpido de despreocuparse en presencia de la cobra. Solo cuando observó que el noble hacía otro tanto del otro lado del escritorio, se permitió relajarse un poco.

No pudo cruzar las piernas a la altura de las rodillas a causa de la prominencia de sus muslos, así que se limitó a cruzarlas a la altura de los gruesos tobillos para permitirse observar al conde con desconfianza.

—Tengo que admitir que así es. Acababa de llegar a la fábrica cuando me comunicaron su deseo de contar con mi presencia en —deslizó la vista por la estancia, abrumado ante la riqueza y elegancia de la decoración— su augusto Pazo.

Todas estas piezas de arte, mobiliario y tapices, podrían servir para saldar la deuda. ¿Qué hacemos hablando? ¡Al tajo de una buena vez!

El otro sonrió con suficiencia.

—Me advirtieron que nos visitaría usted durante esta quincena para pasar unos días en la costa, por lo que decidí que no podía dejar pasar tan propicia ocasión.

Don Jenaro enarcó una ceja, acusando su desconfianza.

—¿Propicia para quién?

—¡No se muestre usted reticente, caballero, pues mi invitación es del todo cordial! —exclamó alegre el conde—. Y le aseguro que saldrá usted de aquí de lo más satisfecho.

Jenaro Monterrey estiró los labios en una sonrisa escéptica.

—¡No me diga que al fin está dispuesto a saldar sus deudas! ¿Será este el tan glorioso día? Porque, de ser así, me cuidaré de señalarlo en el almanaque.

Don Alejandro estiró los labios en una sonrisa absolutamente hipócrita. Se revolvió un poco en su asiento y decidió ignorar la puñalada. Sin duda guardaba en la manga un bocado más apetitoso para el rollizo pachón.

—Creo que puedo ofrecerle algo mejor. —Y su gesto, su sonrisa y su mirada se volvieron por momentos más ladinos—. O, al menos, algo que le resultará más tentador que el peso de unas miserables monedas en su bolsa.

Don Jenaro plegó los labios.

¿Miserables monedas? ¿Cómo puede expresarse con semejante ligereza cuando por mucho menos podría ir a la cárcel o verse envuelto en un duelo?

—No lo crea, siento un gran aprecio por el contenido de mi bolsa. Sobre todo, por las monedas ausentes.

El conde se humedeció los labios. El viejo era duro de roer, pero eso no le preocupaba. Como sucede con todos los peces gordos, estúpidos y babosos, solo era cuestión de mostrar el cebo adecuado para conseguir que picara de lleno. Y sin duda, su cebo resultaría muy apetecible a aquel lameruzo.

—Según tengo entendido, es usted viudo desde hace muchos años. —Don Alejandro paladeó las palabras, como la cobra que saborea con regustillo su propio veneno antes de ensañarse con su próxima víctima—. Voy a proponerle un trato, señor Monterrey. Uno que no podrá rechazar.

En el mismo instante en el que hizo su entrada al comedor esa noche, Ana no pudo evitar quedarse clavada al suelo bajo el umbral, como si un funesto espectro hubiera chocado de lleno con ella, obligándola a permanecer inmóvil, con el aliento en suspenso entre los labios, la mirada petrificada y el corazón martilleando con fuerza en el pecho.

Doña Angustias no le había advertido de la presencia de un invitado para la cena, seguramente porque ni siquiera la buena mujer habría sido informada de semejante circunstancia. El conde solía ser muy reservado con sus ideas, sobre todo cuando éstas ocultaban una doble intención y quería ejecutarlas sin que nadie le estorbara. ¡Maldito fuera una vez más!

Por un momento, mientras trataba de acompasar la respiración y de serenarse para que el corazón no se saliera de su frágil carcasa, consideró seriamente la posibilidad de dar media vuelta y refugiarse en su habitación, aprovechando que doña Angustias permanecía todavía al pie de la escalera. Podía hacerse. No tenía por qué estar allí, ni siquiera tenía hambre y no le apetecía en absoluto malgastar ni un minuto de su tiempo en compañía de su padre. Después de su último encuentro, estar en la misma habitación que él era lo que menos ansiaba.

Ahogando un jadeo, que *sotto voce* derivó en gemido, se dio cuenta de que ya era demasiado tarde para iniciar cualquier plan de escape: los dos ocupantes del comedor acababan de percatarse de su presencia.

En ese momento, si hubiera dado media vuelta para evitar la velada, barbilla en alto y arrojos en alza, su comportamiento habría supuesto un desacato absoluto a las buenas formas. Y aunque las formas y la etiqueta eran lo que menos le preocupaba en esos momentos, sobre todo teniendo en cuenta la persona falta de ella contra la que atentaría, las represalias por parte del conde serían de órdago. Estaba segura de que el señor de Covas se levantaría de su asiento y la obligaría a regresar de inmediato, aunque tuviera que tirar de ella. Y no dudaba que tiraría de ella, aún en presencia de invitados, sin el menor escrúpulo, así tuviera que agarrarla del moño o apresarla por el vestido.

Sus ojos pasearon con nerviosismo de la silueta de su padre, sentado en la cabeza de mesa, a la de aquel anciano situado a su diestra que la miraba como un pasmarote, boca abierta y labios descolgados. ¡Qué visión tan repulsiva ofrecía aquel desconocido!

Un escalofrío la sacudió de arriba abajo, fruto de la chispa de comprensión que iluminó su mente. No podía tratarse de lo que ella suponía, ¡con grandísimo horror, cielo santo bendito!, pues en ese caso su padre demostraría haber perdido todo su buen juicio por completo. Aunque, a decir verdad, dudaba que alguna vez lo hubiera tenido.

«Mañana, durante la cena, te presentaré a tu prometido», había dicho. Y aquel era el único hombre ajeno a la casa presente durante la cena.

No podía ser cierto... ¡Si era un anciano, por el amor de Dios! ¡Un anciano que, a pesar de las elegantes ropas con las que se ataviaba, no podía dejar de aparecer repulsivo y decrépito a sus ojos!

No había más que fijarse en la flacidez de sus carnes, que con cada movimiento bailaban como un pudin de gelatina, en el color encarnado de su rostro, seguramente a causa de la anticipación que le provocaba la perspectiva de una suculenta cena —¡o peor aún, la visión de la recién llegada!— o en la fina capa de sudor que perlaba toda su piel.

¡Cielo Santo, a esas alturas el pobre hombre goteaba como una vela encendida! ¿Acaso nadie iba a tener compasión de su pobre alma y arrojarle por encima un cubo de agua fría?

Se fijó también en sus cabellos blancos, tan grasos y esperpénticamente largos como escasos, peinados sin disimulo hacia el lado derecho de la cabeza para retejar una calvicie más que inminente. El rostro era alargado de forma exagerada y formaba un único conjunto con el cuello. De hecho, toda la prominente papada descansaba sobre la base de los hombros en una cascada de pliegues de carne que el lazo del *cravat* apenas podía abrazar.

Replegó los labios al interior de la boca y trató de no llorar, a pesar de que la anticipación ante lo que estaba por venir la empujaba precisamente a ello. Concentrada en semejante propósito, apretó los puños y se encaminó hacia la mesa. Un conde malvado sin escrúpulos y un anciano gelatinoso a punto de licuarse la esperaban.

Ave Caesar, morituri te salutant; el pensamiento surgió solo dentro de su cabeza. Y ciertamente se sentía como esos pobres cristianos que eran arrojados al anfiteatro ante la mirada golosa y salvaje de los leones. En este caso, de un león salvaje y de un jabalí goloso.

Desde el preciso momento en que la condesa apareció bajo el umbral, don Jenaro ya no fue capaz de apartar su mirada de ella ni de cerrar la boca. Había oído rumores acerca de que la hija de la difunta Altamira y del ludópata arrogante era una auténtica perita en dulce, pero jamás habría dado crédito si no lo hubiera comprobado por sí mismo.

La señorita lucía un vestido de raso brillante en un tono verde botella, a juego con sus hermosos ojos. De escote discreto, ribeteado en delicada puntilla blanca, solo dejaba a la vista la parte alta de los hombros, las finas clavículas y una brevísima parcela de busto. Y no hacía falta nada más. La blanquísima piel destacaba gracias a la vistosa tonalidad del vestido, y ni siquiera la elegante gargantilla de oro que adornaba el cuello de cisne podría llamar más la atención que la dulce y serena belleza de la niña. Un discreto recogido, raya en medio y sin tirabuzones festoneando, remataba tan sencillo como precioso conjunto.

La vio acercarse tambaleante y un extraño regocijo se apoderó de su alma. Era obvio que la chiquilla estaba nerviosa y que se había quedado blanca como la tiza nada más verlo sentado a la mesa. Quizás, al fin y al cabo, su padre llevara razón.

—Ella se encuentra muy ilusionada con la perspectiva de una boda —le había asegurado, aun cuando él tenía sus reticencias al respecto. Demasiado joven, según decían, demasiado bonita...

—¿Está seguro de ello, señor Covas?

—¡Le aseguro que es su deseo casarse, Monterrey! —insistió el conde, tal vez con demasiada porfía—. Ya sabe usted que todas las niñas son educadas para eso, máxime las pertenecientes a tan alto linaje. Son conscientes de que deben casarse y realizar un buen matrimonio para perpetuar la estirpe. Y esta en concreto obedecerá a su padre, se lo garantizo. Es su cometido en este mundo, al fin y al cabo.

—Sí, pero... ¿casarse con alguien que podría ser su abuelo? Incluso mi único hijo es mayor que la condesa.

Don Alejandro había torcido el gesto, tal vez porque ignoraba que el empresario tuviera un hijo o que este fuera mayor que la propia Ana. Pero... ¿a esas alturas, escrúpulos? ¡Jamás los había tenido! Y mucho menos cuando su propia integridad física y su bienestar social estaban en juego. Era Ana o él, y Ana le importaba un bledo.

—¡Desea casarse! ¡Y desea obedecer a su padre! Me he permitido hablarle de usted —el conde sabía sacar partido de los halagos, estaba claro, y Monterrey se dejó camelar con gusto—, y no ha dudado en consentir.

Paladeó tales palabras con emoción. Había dudado, y mucho, de que el trato propuesto por el astuto conde le beneficiase. Le había visto venir: estaba claro que el escogerle precisamente a él para desposar a su hija obedecía al único propósito de resolver la deuda contraída. Sí, era obvio, y él no era un bobo.

Pero después de ver en persona a la condesita, no le cabía la menor duda de que podría aceptar el trato sin reparos. La deuda del conde a cambio de aquella muchacha de piel lechosa, hechizantes ojos verdes, pálida sien, rostro sereno y figura delicada. Casi se le hizo agua la boca. Sin duda salía ganando con el cambio. Sin duda bebería hasta saciarse de aquellos pechos que se intuían lechosos y blandos bajo las capas de raso y encaje. Sin duda aquella criatura valía el triple que todas las monedas del adeudo.

—¿Y qué saca usted a cambio, señor conde? —le había preguntado en su despacho.

—Obviamente saldar mi deuda... y que usted me ayude a liquidar las restantes. —Monterrey sesgó la sonrisa. Aquella era la verdadera cara del zorro: la de alguien que no da puntada sin hilo y solo piensa en sí mismo—. Y, por supuesto, continuar viviendo en el Pazo. No quiero abandonar Rebolada ni prescindir de los beneficios de la casa de Altamira. Quiero gozar de todos los privilegios que conlleva el título de conde viudo, a pesar de que los bienes de Ana serán propiedad de usted tras el matrimonio.

—Un extraño acuerdo, sin duda —opinó el empresario—. Parémonos a pensar: olvido la cuantiosa suma que me debe, saldo las que usted mantiene con otros... ummm, ¿realmente me beneficia en algo este trato, caballero?

El conde le miró de forma aviesa.

—¿Le desagrada la oferta? ¿Acaso mi hija no resulta lo bastante deseable para usted?

Monterrey sonrió con retranca. Si la joven condesa no fuera suficiente reclamo, ¿qué más estaría dispuesto a ofrecer el viejo zorro? Pero para fortuna del conde, lo era. Tan deseable como la ambrosía para un sediento mortal.

—Me permito recordarle que se trata de una joven recién desperezada al mundo y a la vida. Pura, casta y sumisa. Además de bonita, como usted podrá comprobar. Sin duda su valor es mucho mayor que el de una saca de monedas.

—Puede que resulte un buen trueque, no digo que no, aunque solo me permitiré juzgarlo cuando vea a la señorita —razonó, consiguiendo sacar los colores al noble—. De todas formas, no puede ser una candidata tan apetecible cuando su propio padre la desmerece convirtiéndola en moneda de cambio.

Miró a la joven, que se disponía a ocupar la silla enfrentada a la suya, y tanto la lividez de su rostro como esa mirada inclinada que no osaba levantarse por nada le dieron a entender que se sentía cálidamente azorada ante su presencia. Se congratuló de tal modo que hinchó el pecho cual palomo. Estaba equivocado: era una candidata más que apetecible. Tanto que se moría por abalanzarse sobre ella en aquel mismo instante, cabalgando incluso por encima de la mesa, para levantarle las faldas, bajarle el escote y saborearla *ipso facto*. En lugar de eso se limitó a recorrerla de arriba abajo con mirada de lobo veterano, despojándola de las capas de ropa con la lujuria innegable que destilaban sus pupilas.

¡Jenaro Monterrey prometido! ¡Quién se lo iba a decir cuando puso los pies en esa casa! De hecho, hasta hacía escasas horas no había considerado siquiera semejante posibilidad. Llevaba muchos años viudo; cuando había sentido la llamada de la carne y había precisado desfogarse, había recurrido a la compañía siempre sumisa y complaciente de mujeres de vida disoluta. Ahora, viendo ante sí a aquella jovencita tímida y temblorosa, nada podría reportarle mayor satisfacción que la idea de desposarla y hacerla suya. Una perita en dulce que nadie había catado con anterioridad y que su propio padre le ofrecía en bandeja de plata. ¡Y todo a cambio de una deuda de juego! ¡Bendito mus y bendito tresillo! Por su vida que iba a salir ganando con el cambio. Y disfrutaría mucho de él. Ni cien mil rameras valían lo que aquella virgen.

Tuvo que hacer acopio de toda su contención para no llenarse la pechera de babas ante los pensamientos libidinosos que danzaban por su mente y que tenían a aquella joven como protagonista, ataviada esta vez con ropajes mucho más livianos y accesibles que aquel elegante vestido de raso verde.

5

—No creo que conozcas a nuestro invitado —comentó don Alejandro, haciéndose ligeramente a un lado para que una doncella empezara a servirle su consomé de almejas.

Ana alzó la mirada de su servicio para clavarla en su padre, cuyo gesto de suprema satisfacción le producía un fatal desasosiego. La mirada de ella, por el contrario, no podría resultar más cortante ni aun habiéndoselo propuesto. Aquello era una emboscada en toda regla... ¡y qué diestro era el conde en estrategia militar!

—Permítame recordarle que no ha tenido usted la deferencia de presentármelo, padre. —A sus labios asomó una sonrisa falsamente sumisa.

Don Alejandro la fulminó con la mirada. Si se hubieran encontrado a solas, muy probablemente le hubiera soltado un sopapo. Por fortuna, don Jenaro no parecía ofendido; al contrario, el pachón se mostraba tan obnubilado con la joven que, aunque se abriera la tierra bajo sus pies o el cielo se desplomara sobre sus cabezas, continuaría con la mirada cosida a la figura de la dama. No le habría sorprendido si hubiera empezado a babear. ¡Ridículos vejestorios! ¡Pero cuán beneficioso resultaba aquel en concreto para su ardid!

—El señor Monterrey es un empresario muy reconocido en toda la provincia —continuó el conde, dispuesto a no dejar que aquella boba estorbara sus propósitos—, su empresa es una de las más prósperas del litoral. Quizás hayas oído hablar de las salazones y conservas Monterrey.

Ana torció el gesto. ¡Jamás había oído tal nombre, ni tenía el menor interés en conocer a aquel personaje! Bueno no sería si se codeaba con el villano de su padre.

—Nos congratulamos de exportar más allá de las fronteras del reino —añadió el hombre, pagado de sí mismo—. El pescado de nuestro mar es el oro azul de la familia Monterrey.

Ana elevó las cejas hasta que rozaron el nacimiento del cabello. ¡No hacía falta que lo jurara! No había más que permanecer en un corto perímetro para percibir el tufillo a pescado que emanaba aquel individuo. Otra *excelente* cualidad que añadir a aquel dechado de virtudes.

—Una familia muy próspera de la que esperamos formar parte —dijo el conde, intercambiando una mirada cargada de intención con su invitado.

—El placer, por supuesto, sería todo mío de formar parte de la suya. —Y tras estas palabras, obsequió a la condesa con una mirada salaz y una sonrisa que pretendía ser seductora, pero que solo llegó a esperpéntica.

Ana se sintió horrorizada. Estaba claro que su padre pretendía halagar al anciano pestilente y rodearlo de fingidas adulaciones, a falta de blasones y virtudes. Y no sería un mal intento si la joven pudiera obviar la repulsión que aquel hombre le producía.

Su nariz, tan excesivamente chata que las fosas nasales parecían haber sido horadadas directamente sobre el rostro, contaba con la visita constante de un dedo que exploraba con insistencia en sus profundidades, como si buscara oro o alguna suerte de piedra preciosa. Un vicio nauseabundo que su propietario no podía evitar y que trataba de disimular, una vez que era sorprendido durante la exploración, toqueteándose la nariz como si pretendiera aliviar algún molesto picor. Un par de veces le había visto además llevarse el dedo a los labios, teniendo entonces que obligarse a sí misma a desviar la mirada y tragar saliva para no arrojar la bilis allí mismo.

Además, se limpiaba los dientes con la lengua entre plato y plato, produciendo un sonido molesto y poco decoroso, mezclado con muecas estrafalarias procedentes de su inadecuado gesto.

¿Y sus dientes? ¡Por el amor de Dios! Los incisivos superiores sobresalían en una boca que, a causa de ellos, era incapaz de cerrarse. Aquellas paletas enormes color crema conferían a su propietario la apariencia de un conejo horrible y rechoncho, calvo, colorado y sudoroso. ¡Y hambriento de carne! ¡De *su* carne!

¡Y además de todo eso, que no era poco, era un anciano! ¡Un anciano mucho mayor que su propio padre e incluso que doña Angustias! ¡Tenía más años que los caminos o que el hábito de andar a pie! Sería un milagro que pudiera controlar los esfínteres.

Frunció el ceño. Seguramente su boca se torció también en una mueca de desagrado. Su padre debía de haber perdido la cabeza si creía que ella se iba a cruzar de brazos mientras se producía aquella injusta transacción. Puede que no lograra evitarlo, que las circunstancias y su minoría de edad la obligaran finalmente a claudicar, pero no iba a ponérselo fácil. No iba a rendirse sin presentar batalla. No iba a colgarse del cuello, a modo de indeseable alhaja, un cartelito que rezara: «Propiedad de...».

¡Y mucho menos del viejo conejo con sobrecrecimiento dental que atufaba a pescado!

Ana era incapaz de levantar la mirada de su plato y, especialmente, de probar bocado, por más apetecible que fuera la comida. Y, sin duda, era obvio que la cocinera se había esmerado esa noche para agasajar al *augusto* invitado. Torció el gesto de nuevo en una expresión de desagrado, de desánimo tal vez. Sentía el estómago cerrado y los nervios campando a sus anchas en su interior. Estaba convencida de que, si ingería cualquier líquido o sólido, su cuerpo lo arrojaría al exterior sin el menor preámbulo.

Se sentía tan impotente, furiosa e indignada que le daba la sensación de que la sangre hervía en su interior. Ardía en sus venas como auténtico fuego líquido, llevándola toda ella a arder bajo el mismo fuego.

En todo momento, era consciente de la mirada del anciano sobre ella. El hombre, tocándose la barbilla mientras asentía a las palabras de su anfitrión, parecía evaluarla y considerar lo que podría o no podría hacer con ella, como si de una mercancía se tratara. A juzgar por las sonrisitas salaces que asomaban a sus labios cada vez que la repasaba con la mirada, estaba segura de no querer conocer la naturaleza de sus pensamientos.

¡Qué hombre más asqueroso! ¡Ojalá se mordiera la lengua o se le cayeran sobre el mantel esos ojos tan cargados de lujuria, maldito cochino!

Además, y esto último era algo que le molestaba hasta el delirio, tenía que escuchar el inadmisible descaro con el que aquellos dos hombres se referían a su persona, a su vida y a su porvenir, obviando que ella se encontraba presente. La mentaban una y otra vez, la miraban con insolencia y cabeceaban en su dirección mientras trataban de organizarle la vida, sin pedir en ningún momento su opinión ni permitirle participar en la conversación. ¿Acaso en verdad no iba a tener voz ni voto en aquel tema? ¡Por el amor de Dios, se trataba de su vida!

No puedo soportarlo más. No voy a permitir que me traten como mercancía.

No lo dudó ni un instante. No quería seguir formando parte de aquella pantomima ni un minuto más o, de lo contrario, acabaría por volverse loca o desmayarse allí mismo. Sujetó su copa por el fino tallo haciendo amago de llevársela a los labios, pero antes de que alcanzara su destino, giró la muñeca derramando todo el vino de naranja sobre el escote. La brillante tela de raso se tiñó de oscuro en el acto.

—¡Oh, qué fatal descuido! —exclamó, toqueteándose el vestido con fingido disgusto. Para secundar la actuación, sus mejillas se tiñeron de escarlata. No era una buena actriz y tampoco estaba acostumbrada a ese tipo de pantomimas, pero sin duda, situaciones desesperadas requieren medidas desesperadas—. ¡Cielos, qué torpeza tan grande!

Una doncella se inclinó sobre ella de inmediato, dispuesta a auxiliar a la afligida señorita, pero ella la frenó con una mirada. Se incorporó de su asiento, dándose aire con una mano para secundar su sofoco y su aflicción. Los hombres, como era obligado, la imitaron al instante.

—Creo que voy a tener que retirarme antes de que la mancha se seque. —A pesar de la aparente firmeza de su tono, sus rodillas temblaban cuando ejecutó la debida reverencia, tratando de no enseñar demasiado escote a aquel cretino baboso—. Con su permiso, caballeros.

Su padre parecía querer fulminarla con la mirada mientras el señor Monterrey continuaba enfrascado en la dificultosa tarea de masticación, consecuencia fatal de esos dientes suyos tan...

Parpadeó para apartar aquella visión repulsiva mientras rodeaba la silla y se disponía a separarse de la mesa.

—¿Pero nos deja usted ya, señorita Altamira? —habló el anciano, cuando por fin pudo tragar bocado—. ¿Nos va a privar tan pronto del placer de su compañía?

—Nuestro invitado lleva razón, Ana, deberías quedarte por deferencia a su persona —siseó su padre, arrastrando las palabras entre los dientes y achicando los ojos en claro ademán amenazante. En ese instante parecía un lobo embozado que, una vez libre del bozal, estaría encantado de abalanzarse sobre su víctima para arrancarle el alma a dentelladas.

—Y es por deferencia a él que me retiro —se obligó a decir con fingida zalamería, aderezando sus palabras con una sonrisa forzada—. No quiero que el caballero se lleve una impresión errónea de mi persona al recordarme con un vestido echado a perder. ¡Qué poco digno resultaría en una dama semejante abandono! —E inclinándose nuevamente en reverencia, añadió—: Con su permiso, caballeros.

—Es propio, señorita —consiguió farfullar el anciano, tras engullir casi de una pieza el último trozo de lacón que daba vueltas en el interior de su boca—. Y no se disguste tanto por un simple vestido, no le hace falta para ensalzar su belleza. —Su sonrisa se tornó tan insoportablemente almibarada que Ana tuvo que esforzarse para contener las arcadas—. Yo mismo encargaré dos docenas para usted a la capital, de raso, seda o muselina, si eso la hace feliz.

No se imagina usted lo que verdaderamente me haría feliz, señor Monterrey.

Una oleada de calor, consecuencia de tanta indignación reprimida, ascendió por su escote, haciéndola sudar bajo las capas de ropa. Sin embargo, se esforzó por dedicarle una sonrisa amable, que él respondió con la más lasciva de las suyas. Definitivamente, aquel hombre era asqueroso.

Tragándose la repulsión, se dispuso a abandonar la estancia. No quiso mirar a su padre, pues supuso que la expresión de este debía de ser tan feroz que conseguiría amedrentarla, e incluso impedirle abandonar el comedor. Justo antes de atravesar el umbral, la voz del empresario la obligó a detenerse.

—¿Me permitirá visitarla mañana?

Lágrimas de impotencia acudieron a empañar sus ojos, pero ella se cuidó mucho de guardarlas a buen recaudo.

—Creo que lo más oportuno es que tal asunto lo decida mi padre —murmuró con marcado sarcasmo sin mirar a ninguno de los caballeros, mucho menos al aludido—. Al fin y al cabo, él es el único director de este teatrillo. Se le da bastante bien disponer de la vida de su hija. Buenas noches, caballeros.

Y se retiró. Don Alejandro observó su erguida espalda desaparecer tras la puerta mientras sentía la lava de un volcán a punto de erupcionar borboteando en su interior. Con gusto la agarraría del moño y arrastraría su ilustre figura por los elegantes suelos de madera y mármol hasta que suplicara una clemencia que él le negaría.

Puede que aquella insensata hubiera ganado ese primer asalto pero, por su vida, que jamás ganaría la guerra.

Ana permanecía con la mirada perdida en el infinito, fascinada seguramente con algún invisible átomo flotante que solo ella parecía capaz de apreciar. Su semblante reflejaba la misma expresión insondable que acostumbraba a mostrar cuando ninguna emoción la dominaba. Aunque en esos momentos la dominaran un millón de emociones diferentes.

Suspiró, tratando de liberarse de la tensión sufrida hacía escasos minutos.

Se hallaba sumergida de cuerpo entero en la elegante bañera lacada de cerámica, sujetándose con las manos a los bordes lobulados; tan solo los hombros y las redondeadas rodillas asomaban en aquella agua coronada de espuma y fragancias.

A su lado, acuclillada en el suelo, una joven doncella se esmeraba en asear a su señorita con una esponja marina, deslizando su mano con suma delicadeza por aquella piel de porcelana.

Sentada en un cómodo butacón, doña Angustias contemplaba la escena a poca distancia, sin dar crédito aún a todo lo que su querida niña le había referido. Aquel hombre estaba loco de remate, y ahora más que nunca se hacía evidente. ¿Desposarla con Jenaro Monterrey? ¡Cielo Santo, ni siquiera ella consideraría a aquel hombre como posible candidato para sí misma!

Viejo, decrépito, gordo y repulsivo, aquel tipo resultaba asqueroso y sorprendentemente impúdico a pesar de su avanzada edad. Su reputación le precedía. Era el peor candidato que un padre podría considerar para una hija.

—¡Es un anciano, nana! —había dicho Ana horrorizada y llena de espanto cuando llegó momentos antes a la alcoba—. Un anciano horroroso que no dejaba de mirarme como si quisiera devorarme. ¡Tendrías que haberlo visto, es un auténtico esperpento!

—Hombres maduros se casan con jovencitas de dieciocho años todos los días, Ana —le dijo sin ningún convencimiento, con el único afán de intentar consolarla. Y al instante se silenció, puesto que Monterrey no era maduro: era un anciano, y de los más réprobos y maliciosos que una pudiera imaginar.

—¡Pero no con ancianos achacosos que no dejan de hurgarse la nariz y sudar como cerdos! —se quejó—. Estoy segura de que incluso se pedorreará en público, entre otros motivos porque sus esfínteres ya no deben ni de obedecerle.

—¡Ana! —regañó el ama, pero al instante se llevó la mano a los labios para contener una sonrisa. De hecho, la doncella tenía también serios problemas para mantenerse seria.

—¡Pero es cierto, nana! Ese hombre debería limitarse a sentarse frente a un fuego con una manta sobre las rodillas y una tisana en el regazo, y entretenerse jugando con la ceniza. ¡Y padre desea que me case con él! ¿Por qué? ¿Para qué?

—No lo sé —admitió el ama.

—¿Es una especie de penitencia? ¡Estoy segura de que tiene que tratarse de eso! Pero ¿por qué? ¿Qué he hecho para merecer tal castigo?

—No lo sé. —Y un suspiro resignado e impotente secundó las palabras del ama.

—¡No es noble, no es joven, ni siquiera es agradable! ¿Qué sentido tiene algo así?

De improviso, y sin que nadie allí esperara tan funesta intromisión, la puerta de la alcoba se abrió con un movimiento enérgico que provocó que la manilla impactara con violencia contra la pared.

La silueta de don Alejandro, cruzando la estancia apenas en dos zancadas como la negra sombra que era, obligó a la doncella a retroceder en el acto y pegarse a la pared.

Ana dio un respingo y, sujetándose con mayor empeño a los bordes de la bañera, se agachó en el agua, tratando de ocultarse de la vista de aquel demente. Doña Angustias, por su parte, no tuvo tiempo ni de reaccionar, por lo que permaneció sentada en su butaca, con la boca y los ojos abiertos de par en par.

—¡No vuelvas a dejarme en ridículo! —rugió, enarbolando contra la joven su dedo acusador—. ¿Me has oído? ¡Puede que seas la condesa, pero yo soy tu padre!

Ana le sostuvo la mirada. A pesar de lo asustada que se sentía tras tan brusca e improcedente interrupción, no quería mostrar signos de debilidad ante él. Quería dejarle claro que no iba a dejarse vencer y que estaba dispuesta a hacerle frente. Aunque saliera escaldada de la confrontación.

Su rostro se tensó, su pulso se aceleró y su corazón bombeó con furia, pero procuró que su expresión no reflejara nada de todo ello.

—No debería estar usted aquí, señor... —amonestó doña Angustias, sin levantar demasiado la voz, puesto que conservaba todavía en el alma las cicatrices de su reciente desencuentro con el conde.

—¡Usted cállese, vieja alcahueta! —bramó el caballero, sin desviar los ojos de la mirada verde y dura de la condesa. Doña Angustias dio un brinco en su asiento, apretándose contra el respaldo.

—¡No le consiento que hable así al ama, padre! —La voz de Ana sonó firme e incontestable, pero, a pesar de ello, el conde sonrió burlonamente.

—¿Y quién me lo va a impedir? —siseó—. ¿Ella, una vieja decrépita que no hace otra cosa más que comer y dormir a nuestra costa? —Los ojos de Ana se achicaron hasta reducirse apenas a dos finas líneas transversales—. ¿O tú, una muchachita insignificante con ínfulas de gran diva?

Cerró las manos con fuerza sobre el borde de la bañera mientras las muelas rechinaban bajo la cruel opresión conferida.

—No se te ocurra desafiarme nunca más —advirtió su padre en un siniestro tono siseante, el dedo acusador nuevamente en alto—, o de lo contrario sabrás lo que implica provocar a tu padre.

—¡No me exponga a situaciones que me obliguen a rebelarme y le aseguro que dejaré de hacerlo!

—¿Quién te has creído que eres?

Furioso, don Alejandro dio un zarpazo a la superficie del agua, provocando que gran parte de líquido y espuma se derramara sobre la alfombra. Ana se acurrucó todavía más, temiendo que su desnudez quedara expuesta ante el ogro.

—Tienes suerte de que el viejo parezca entusiasmado contigo —sentenció en tono amenazante—. Me temo que, por mucho que te alces en rebeldía, no conseguirás mermar su interés por ti. —Se inclinó para susurrarle al oído—: Se muere por desposarte.

Ana tragó saliva, sintiendo una náusea repentina en la boca del estómago. Aquella era sin duda la sentencia más amarga con que podría condenarla.

—Y yo, porque te despose.

Una vez cumplido su cometido atemorizante, que en realidad era lo único que lo había movido hasta allí, el conde volvió sobre sus pasos mostrando la resolución de un demente. Antes de desaparecer por el hueco de la puerta abierta, se volvió hacia su hija y señaló con un alzamiento de barbilla el vestido de raso verde que permanecía estirado sobre la cama.

—Sinceramente espero que tu vestido no se haya arruinado por completo. Sería una auténtica lástima, condesa: te sienta muy bien. —Le guiñó un ojo con malicia—. Y al viejo parece gustarle mucho.

6

A través de las cortinas de su habitación, Ana observó, ya rebasado el meridiano del día, cómo un jinete desconocido se acercaba al Pazo a lomos de un caballo pinto.

Su gesto se transformó en una mueca de desolación cuando distinguió con nitidez la silueta del propietario de salazones y conservas Monterrey, embozada hasta los ojos y cubierta por un sombrero quizás demasiado escaso para una testa de proporciones tan considerables.

—¿Pero será posible, caballero, que su insistencia no conozca mesura? —susurró horrorizada, llevándose la mano a la frente.

El susodicho se aproximaba al lugar acatando el paso calmoso de su montura que, bajo las ingentes dimensiones del jinete, parecía un simple pony.

Un sirviente se personó en el atrio, saliendo al encuentro del caballero para hacerse cargo del caballo; un segundo empleado apareció al punto para ayudar al jinete a desmontar, pues era obvio que aquel hombre jamás podría hacerlo por sí mismo dada su envergadura, sus extremidades demasiado cortas y su falta de agilidad.

El ceño de la joven se ensombreció ante la visión de aquel individuo grotesco que, a pesar de la ayuda recibida, a punto estuvo de dar con sus huesos y con los del infeliz ayudante en el suelo, creando una situación esperpéntica y digna de risa. Sin duda, el lacayo no contaba con que su tarea conllevara el riesgo de que se le viniera encima una auténtica y devastadora mole humana.

—¡Ay! —gimió, componiendo una expresión de disgusto—. ¿Por qué no se habrá quedado en su casa? ¿Es que no tiene nada mejor que hacer que mortificarme?

Una vez recompuesto, el conejo pestilente se ajustó con suficiencia los puños y los extremos del chaleco, que asomaban por la abertura frontal de su capa. Paseó la vista por la fachada de la casa, afortunadamente sin reparar en la cabecita que curioseaba tras las cortinas de una de las ventanas de la segunda planta, y se encaminó hacia el portón de entrada, con la barbilla alzada y el pecho ridículamente inflado, avanzando a pequeñas zancadas, que era todo cuanto le permitían sus piernas cortas y rechonchas. ¿Acaso no era consciente de lo ridículo que resultaba todo él? ¿De lo absurdo de su imagen, con esos calzones hasta la rodilla que no hacían más que acentuar su baja estatura, esas medias de seda perfectamente arrugadas y esos arcaicos zapatos negros con hebilla, quizás tan viejos como él?

Un sonido leve cerca de su habitación llevó a Ana a desviar la vista del exterior durante un segundo. La puerta se abrió y la silueta prominente de doña Angustias asomó bajo el umbral, seguida por el *fru fru* de sus faldas.

Un suspiro resonó en la estancia, procedente de una aliviada Ana.

—¡Ay, nana, tienes que ayudarme! —Ana corrió hacia ella, que acogió su impetuoso recibimiento con una expresión de sorpresa y una sonrisa prudente. Tomó sus manos entre las suyas y la miró con ojos suplicantes—. ¡Está aquí! ¡Ese hombre ha venido! ¿Te lo puedes creer?

—¿Quién? ¿A quién te refieres?

Ana chasqueó la lengua con impaciencia y tiró de ella hasta la ventana, para que lo viera por sí misma. Para su disgusto, en esos momentos solo quedaba el sirviente, que conducía el caballo pinto hasta los establos.

—¡Al señor Monterrey! —expresó con fastidio. La anciana elevó las cejas—. Parece ser que padre ha tenido la feliz ocurrencia de concederle permiso para visitarme —Ana habló ahora con un ligero tono de enfado en su voz—, lo que no debería extrañarme, teniendo en cuenta que previamente se lo ha concedido para desposarme.

Frunció los ojos y los labios hasta que se transformaron en tres apretadas ranuras.

—¿Está aquí? —fue lo único que preguntó el ama, que continuaba observando el atrio sin ser capaz de ver nada más allá del empedrado del suelo o el crucero de granito que ornaba la plaza—. ¿Tan pronto? ¡Si te fue presentado ayer mismo!

—¡Te lo prometo, acabo de verlo desmontando de su caballo! —Puso los ojos en blanco y resopló, a pesar de que sabía que su ama desaprobaba un gesto tan vulgar y poco digno de una dama—. O, mejor dicho, tratando de no caerse como un saco de patatas mientras lo hacía.

Doña Angustias se esforzó por contener la carcajada delante de ella, para no alentar ese tipo de comentarios, pero se imaginaba la escena y, por su vida, que se prestaba a reír hasta que se reventara el corsé.

—Pues teniendo en cuenta su edad y su envergadura, y el hecho de que su casa se encuentra a una media hora larga de distancia del Pazo —la voz del ama descendió una octava para adoptar un gracioso tono de confidencia—, ha debido de resultar un viaje sumamente molesto para las ingentes posaderas del señor Monterrey.

—¡Oh, pobrecito señor Monterrey! —exclamó Ana sarcástica—. ¡No sabes la compasión que me inspira en este momento!

—Muy audaz por su parte venir a caballo, ¿no te parece, mi pequeña? Como un donjuán o un Lancelot en pos de su damisela.

Ana puso los ojos en blanco.

—¡Oh, nana, no me mortifiques más! ¿Donjuán? ¿Lancelot? ¡Yo diría que se asemeja más a Sancho Panza! —gimió—. Su única audacia es intentar hacerse agradar cuando su presencia no podría resultarme más repulsiva.

—Sin duda debe de estar muy interesado...

Ana resopló con impaciencia. ¡Un interés del todo inapropiado y recibido con auténtico disgusto! ¡Un interés que rayaba en lo ridículo al proceder de un emisor de tan avanzada edad, y que aún se volvía más extravagante al ir dirigido a una joven debutante!

Cuando escuchó la aldaba golpeando contra la puerta principal, sintió que la sangre se helaba en sus venas y que el corazón detenía sus latidos. Un sudor frío ascendió por su espalda y perló su frente. Seguramente, en pocos minutos una doncella llamaría a su puerta para anunciarle la visita del caballero y su interés por verla. ¡Y por su vida que no deseaba estar allí para afrontar tal situación! ¡Y mucho menos disponer de la atención exclusiva de aquel hombre!

—¡Nana, ayúdame, te lo ruego! No quiero verlo... —Su voz resultaba tan suplicante y urgente, y su mirada tan lastimera, que la anciana no pudo evitar compadecerse.

Tampoco ella deseaba un destino así para su niña. Aquella unión era inaceptable, y no solo por la abismal diferencia de edad, sino por la verdadera intención del padre al concertar tan disparatado enlace, y por el hecho ineludible de que, por todos era sabido, Monterrey era un patán incorregible, sucio, de rudos modales y aficionado a vicios muy desaconsejables para un hombre de bien.

—¿Qué quieres que haga? —soltó en un suspiro—. ¿Qué podría hacer yo?

Ana trató de ordenar sus pensamientos con rapidez. No había mucho tiempo, tenía que trazar un plan de huida con la destreza y la astucia de un general de campaña que planificara la retirada de sus huestes.

—¿Dónde está padre?

—Ha salido con el apoderado a ver unas fincas.

Ana se mordió el labio inferior. Le beneficiaba que su padre no se encontrara presente: de ese modo podría actuar con mayor libertad y sin la necesidad de arriesgarse a sufrir represalias. De lo contrario, estaba convencida de que don Alejandro le pondría él mismo un ronzal y le entregaría las riendas al conejo pestilente.

—¡Ayúdame a salir por la puerta trasera! —pidió, suplicó en realidad, sosteniendo aún las manos regordetas del ama entre las suyas—. ¡Ayúdame a salir de la casa sin ser vista! —Las verdes pupilas de la joven eran en ese momento vivo espejo de las lágrimas—. ¡Ayúdame a huir de él!

Doña Angustias meneó la cabeza, a pesar de que estaba considerando la propuesta.

—¿Y a dónde piensas ir?

—¡No lo sé...! —La urgencia de su voz iba acompañada de miradas fugaces y aterrorizadas a la puerta, esperando lo inminente.

—¿Vas a esconderte en la capilla? ¿En el palomar? ¿O en el huerto de naranjos? —La anciana negó con la cabeza—. Ese hombre es capaz de recorrer la finca con tal de encontrarte si sospecha que le engañamos. No dejará rincón sin husmear.

¡Si carece de nariz, nana! Solo posee dos agujeros horadados en la cara a tal efecto.

—¡Pues daré un paseo por el bosquecillo! No creo que se arriesgue a caminar monte a través para encontrarme.

A pesar de parecerse a una liebre.

La anciana se escandalizó un instante.

—¿Por el bosque? ¡Ahí fuera hay zorros y toda clase de alimañas, niña, de dos y de cuatro patas!

—¡Prefiero morir devorada por los zorros que pasar un solo minuto en compañía de ese hombre, nana!

—No me parece bien; el bosque es peligroso, no lo conoces lo suficiente, y además, sabes que no puedes abandonar el Pazo sola, ¿verdad? Tu padre te matará, nos matará a ambas si se entera.

Ana pateó el suelo con la punta de su botina. Le fastidiaban aquellas ridículas normas que seguían vigentes a pesar de que ya no era una niña. ¿Y todo para qué? ¿A qué tanto celo? ¿Para acabar entregándola a un anciano pestilente de mirada libidinosa y dientes enormes?

—No te preocupes, no me alejaré: permaneceré a la espera entre los árboles. Nadie lo sabrá, padre no está aquí... —Se inclinó para conceder mayor énfasis a su súplica—. Por favor, nana, por favor. Ese hombre es repulsivo...

Doña Angustias meneó la cabeza justo antes de ayudarla a enderezarse y llevarse las manos de la joven a los labios para besarlas con ternura. Acababa de claudicar, una vez más, y lo haría cien mil veces con tal de verla feliz. Aquel Monterrey nunca debiera haber aparecido en el camino de la chiquilla. O mejor dicho: su padre no lo debería haber colocado allí. Era tan ridículo que solo de pensarlo le provocaba arcadas.

—Está bien, te ayudaré a escaparte. —Ante la repentina expresión de felicidad en el rostro de la muchacha, trató de componer una expresión severa. No quería parecer demasiado débil o condescendiente a sus ojos—. Y permanecerás atenta, entre los árboles de la linde del bosque, ni un solo metro más allá. —Para enfatizar sus palabras, agitó el dedo índice—. Justo cuando él abandone la propiedad, regresarás a casa por el mismo sitio por el que vas a salir. Te esperaré en la puerta, ¿entendido? ¡Ni un minuto más tarde!

Ana, con la sonrisa en los labios, levantó la mano derecha.

—Lo prometo, nana.

Alberto Monterrey no daba crédito a la información que acababa de recibir hacía tan solo unas horas.

Había llegado al alba a la casa que su padre poseía en la costa gallega para sorprenderlo con una de sus esporádicas visitas, justo cuando el sol escarchaba el cielo en decenas de ronchas anaranjadas.

Solía aparecer sin ser anunciado, esperando así que la inconveniencia de su llegada propiciara que la visita acabara siendo más corta debido a compromisos previos de su padre que, por no ser avisado con antelación, no le hubiera sido posible cancelar. Además, y tenía que reconocerlo, le gustaba provocar al viejo, incluso molestarlo, actuando de forma inconveniente y poco respetuosa, como era el hecho de entrar y salir a su libre albedrío, sin un anuncio, sin una simple nota. Dando a entender que no lo tenía en tan alta estima como para ello.

Esa misma mañana, mientras le acompañaba durante un desayuno tempranero, el anciano le soltó la perla de que pretendía desposarse en pocos meses. Así, como quien menciona un asunto tan intrascendente como el tiempo.

Al escuchar semejante estupidez, espurreó con violencia el café que le acababa de servir una de las doncellas de la casa. Había pretendido desestabilizarlo con su visita inesperada, y ahora resultaba que era él el sorprendido y el desestabilizado. ¡Viejo zorro! Siempre acababa saliéndose con la suya. Pero... ¿Casarse? ¿Con setenta años? ¿En su estado de decrepitud? ¡Por su vida que no había escuchado disparate igual en mucho tiempo!

Si bien había que reconocer que en cada decisión del empresario había bastante de absurdo y muy poco de sensatez. Así era desde que él le conocía o, al menos, desde que había empezado a tener uso de razón para poder juzgarlo con cierto criterio.

Jenaro Monterrey: un hombre extravagante en su apariencia, grotesco en sus ademanes, zafio en su comportamiento y demasiado liberal y poco juicioso en su mentalidad.

Esas, entre otras muchas conductas censurables, habían sido las causas que llevaron a su único vástago a apartarse de su padre de forma paulatina, hasta el punto de que, en la actualidad, entre ellos el contacto había desaparecido casi por completo.

¿Podría decirse que mantenían una relación... cordial? Ni tan siquiera eso, puesto que para alimentar una relación cordial hacía falta un poco de amabilidad y, entre los dos, el trato era tan frío y distante como complicado. Rara era la ocasión en la que no acabaran discutiendo a voz en grito, y eso que sus encuentros se reducían al mínimo. Con todo, y a pesar de lo poco que se veían, padre e hijo podían acabar lanzándose por la boca, el uno al otro, sapos, culebras y demás delicias verbales con absoluta facilidad.

Dos o tres breves visitas al año, por tanto, eran más que suficientes para Alberto, pues, de haber tenido que soportar la presencia del anciano más a menudo, hubiera acabado por perder la cabeza. O directamente, por arrancársela a él de cuajo.

Así estaban las cosas desde que su santa madre falleciera muchos años atrás. La buena mujer se había ganado un sitio en el cielo tan solo por soportar a aquel hombre durante tanto tiempo y en silencio, sin protestar, cargando con todo el peso de aquella relación infame con el mismo empeño e igual resignación con la que Atlas cargaba el peso del mundo sobre sus hombros. Ella había sido la única capaz de meter en vereda y atar en corto, al menos en apariencia, a aquel potro desbocado y, a su vez, había aportado la única dosis de raciocinio y sensatez a aquella relación. Una vez la parte lógica hubo desaparecido, el hombre se volvió intratable. Seguramente ya lo fuera con anterioridad, pero la gran dama que guardaba sus espaldas se encargaba también prudentemente de disimular frente al mundo sus deslices, para conseguir que aquel cavernario aparentara ser solo un poquito más... cívico.

Por ello, una vez que Alberto Monterrey consiguió formarse, terminar su carrera de derecho y convertirse en un activo importante para la sociedad, aprovechando el impulso que le proporcionó la ausencia de su madre, la única del dúo chocante a la que en realidad amaba, decidió poner tierra de por medio y marcharse lo más lejos posible de Galicia, de tantos dolorosos recuerdos, de una vida incompleta y, por supuesto, de su padre. En la Villa y Corte encontró al fin su lugar, y allí llevaba años ejerciendo su profesión en un bufete que había abierto en sociedad con un compañero de la universidad.

Ya no había nada que le atara a Galicia, máxime desde que su propio padre, años atrás y aún en vida de su esposa, pusiera el grito en el cielo al descubrir que su único hijo no deseaba perpetuar la tradición familiar de las salazones, sino estudiar una carrera ridícula que, a sus ojos, le convertiría en un señoritingo engolado y presuntuoso. Un indigno hijo de su padre.

Desconocía tal vez el señor Monterrey que el sentimiento de vergüenza e indignación era recíproco.

Cuando su padre le comunicó que no podría atenderlo durante unas horas puesto que se disponía a visitar a su prometida, sintió un infinito alivio por sí mismo, y una lástima ingente por la incauta *afortunada*. ¡Y condesa, además! Desde luego, estaba claro que en la alta sociedad las mentes involucionaban, en vez de avanzar. ¿De qué otra forma podía entenderse que un hombre sensato desposara a su única hija, una jovencita de dieciocho años y aristócrata, para más señas, con un vejestorio que podría ser su abuelo? ¡Y encima uno como su padre, muy poco agradable a la vista, por cierto, y con un alma aun más horripilante que su apariencia!

La condesa de Rebolada y señorita de Covas, le había informado su padre, ebrio de presunción, era su futura prometida.

Y, ciertamente, no tenía el gusto de conocerla. Aunque si, como le había dicho, acababa de salir de un colegio de señoritas donde había permanecido interna toda su vida, ni siquiera debía de haber debutado en sociedad, por lo cual era normal que nadie hubiera tenido aún el privilegio de contemplar a la exquisita flor.

¡Pobre muchacha, que nada más despertar al mundo ya se topaba de bruces con una realidad bien cruda y desagradable! Ni siquiera le habían dado la oportunidad de florecer, de exhibirse, de disfrutar de la vida, de su lozanía y de los privilegios que conllevaba su condición noble. Verdaderamente, era muy digna de lástima. Sentía una gran curiosidad por conocerla, pero ya llegaría el momento oportuno.

Con ese pensamiento por bandera, y aprovechado su estancia en la costa, decidió acercarse a los establos, mandar ensillar uno de los caballos y salir a cabalgar para explorar un poco y distraerse de las locuras del mundo... y de su padre. Al fin y al cabo, se encontraba allí por un tiempo indefinido, y no era cuestión de desaprovechar el viaje. Por lo que recordaba de sus años jóvenes, Galicia era un lugar muy bello plagado de esencias. Los bosques cercanos serían una grata opción para perderse por unas horas.

¡Al diablo con las condesitas desafortunadas, con los viejos verdes deseosos de dar guerra, con los padres que solo piensan en casar a sus niñas con peces gordos insufribles y con los incautos como él que se veían obligados a vivir en semejante sociedad de hipócritas!

Lucía en esas horas un sol radiante de principios de abril en un cielo inesperadamente despejado, lo que por aquellos lares no sucedía demasiado a menudo y resultaba muy de agradecer.

Desatendiendo las indicaciones de doña Angustias, y faltando a su palabra, Ana acabó por adentrarse en el bosquecillo que circundaba la propiedad, movida por su amor innato por la naturaleza y por el placer que le reportaba extraviarse en cada uno de sus rincones, más que por un mero instinto de desobediencia. Y no se trataba de campo raso sencillo de explorar, o de un jardín acicalado como el del Pazo, sino de un empinado monte infestado de helechos que proliferaban como una plaga. Pinos, eucaliptos, robles y castaños salpicaban por doquier el verde manto de la foresta y, como única vereda en tan abrumadora acuarela, un serpenteante sendero de cabras trazado en severa pendiente por el que no resultaba fácil avanzar, debido a su condición agreste y a las piedras sueltas que lo componían. Por supuesto, el vestuario y la endeble condición física de la caminante también contribuían a hacer que el camino pareciera intransitable. Si cualquier caballero consideraba que ser mujer era sencillo, pensaba ella a cada paso, no tenía más que intentar ascender una ladera ataviado con un par de capas de enaguas, metros de pesada tela, un miriñaque que no hacía más que estorbar e incomodar a cada paso y unas botinas que se ceñían dolorosamente a los tobillos. Cualquier otra odisea no tendría comparación.

En un rellano del camino, justo en un altillo que se abría en una curva despejada a modo de mirador, se paró, brazos en jarras, cogió aire y contempló fascinada la inmensidad que se extendía ante sus ojos.

Olor a pino, a tierra mojada, a vegetación y a mar llegó en volandas hasta ella. A salitre y a libertad.

—No creo que exista belleza semejante en el mundo... —murmuró para sí misma. Siempre había creído que la situación del Pazo era privilegiada, y sin duda lo era, pero desde allá arriba, viendo ahora incluso la señorial propiedad de los Altamira tan pequeñita, se daba cuenta de la magnificencia real de la naturaleza. Y de lo insignificantes que resultaban los seres humanos en comparación.

Animada ante la perspectiva de la belleza que aún debía de quedar por descubrir, se sujetó de nuevo las faldas y continuó ascendiendo con brío. Había tenido la prudencia de tocarse con un sombrero de generosa visera, lo que era de agradecer ya que el sol se derramaba sobre su cabeza con empeño.

Jadeando a causa del esfuerzo, alcanzó al fin la cima del monte. A partir de ahí todo sería más fácil, se dijo a sí misma para sobrellevar el dolor en las piernas y la falta de aire. Brazos en jarras, sonrió, alzando la mirada al cielo. Un cielo azul e imponente que contemplaba ahora a través de la vidriera verdosa que formaban las ramas de los árboles, entrelazadas sobre su cabeza, agitando sus hojas en el aire para filtrar los rayos del sol que llegaban hasta ella en zigzagueantes haces de luz. Un verde intenso y una luminosidad cegadora se derramaron sobre su rostro, proporcionándole una agradable sensación de calor y de libertad.

Abrió los ojos de golpe y una amplia sonrisa ensanchó su rostro. ¡Libre! ¡Libre como el propio sol, como las mariposas y como la canción del viento entre el follaje!

No se lo pensó dos veces.

Alzando los brazos para intentar no tropezar con la maleza, se lanzó sendero abajo a todo correr. Con todo, las ramas bajas de los árboles no dejaban de golpearla, enganchándose en el sombrero o en los brazos alzados durante el descenso. El aire azotaba su rostro y amoldaba al torso y a la estructura de la crinolina la tela de su vestido. A pesar de tales incomodidades, la sensación de libertad resultaba indescriptible.

Hasta el justo momento en el que sus propias piernas se enredaron con algo, tal vez entre sí mismas, con las propias enaguas o con el aro, y acabó por resbalar y caer al suelo de espalda, cuan larga era. Consecuencia de ello: un terrible dolor en la parte baja de la espalda y el vestido seguramente echado a perder.

Gimiendo, trató de incorporarse, pero en realidad el dolor en cierta zona era tan fuerte que desistió.

Todavía continuaría lamentándose para sus adentros de su falta de coordinación y de lo terrible de aquel momento, de no ser por la repentina interrupción que tuvo lugar.

—¿Puedo ayudarla? —Una voz masculina surgida a su espalda, desde algún lugar entre la maleza, la asustó, provocando que diera un respingo y volviera la cabeza en la dirección de la que procedía.

El propietario de la voz asomó entre los helechos. Detrás apareció un caballo blanco que él guiaba tirando suavemente del ronzal.

Ana lo evaluó rápidamente con la mirada, calibrando si existía en él algún vestigio de peligrosidad que lo convirtiera en una presencia amenazante. Era un hombre joven y muy apuesto, si bien debía de acercarse ya a la treintena, a juzgar por su fuerte complexión, su porte varonil y la expresión sobria de su rostro. Vestía tres cuartos de paño marrón oscuro, un pantalón en tonos beige con bolsillera frontal y un sencillo chaleco a juego con el pantalón. Calzaba lustrosas botas de montar y no usaba sombrero, por lo que su abundante cabello rizado quedaba a la vista. Seguramente fuera la marcada ondulación del cabello la que le confería a aquella oscura mata una apariencia despeinada e ingobernable. Y a la vez, le proporcionaba a su propietario un seductor aspecto salvaje. Dos abundantes patillas enmarcaban un rostro serio, pero agradable a la vista.

Apartó la mirada con rapidez; demasiado agradable a la vista, a decir verdad.

En un acto reflejo, estiró la tela de la falda, tratando de mantener los tobillos ocultos de la vista del hombre.

Una vez a su altura, el caballero cabeceó en cortesía. Ella hizo lo propio con un movimiento breve y apenas perceptible.

—Disculpe mi intromisión, señorita. Espero no haberla asustado, pero no sabía de qué otra forma podía si no ayudarla. He visto cómo tropezaba y se caía —aclaró, soltando las riendas del caballo para acuclillarse a su lado—. ¿Se ha hecho usted daño?

Sí, muchísimo: en mi dignidad.

Ana se ruborizó hasta el mismo nacimiento de sus cabellos. Mantenía la cabeza inclinada y vuelta a un lado, sin ser capaz de mirar directamente al caballero, tanto por vergüenza como por recato. Su respiración, a causa de la caída y de tantos sentimientos, se había vuelto entrecortada.

—Me encuentro bien, gracias... —compuso el agradecimiento con los labios en un leve susurro.

La había visto caer. Por lo tanto, habría percibido lo indigno de su caída y la aparatosidad de la misma. También, si era un poco avispado, se habría dado cuenta de la zona de su anatomía más resentida en esos momentos.

La vergüenza que experimentó no podría ser mayor en modo alguno, ni tampoco el calor y la tonalidad que debía de encender sus mejillas.

7

—Le ruego que acepte mi brazo como apoyo. —Ante la mirada dubitativa de ella y, a la vista de las vibrantes pupilas que asomaban en un gesto mohíno, continuó—: soy un buen tipo, se lo prometo.

Y una sonrisa amable secundó sus palabras mientras tendía su antebrazo con gentileza. Ana dudó unos segundos. Aquel hombre era un extraño, un completo desconocido, y los dos se encontraban solos en el bosque.

No es de recibo, no está bien, no le hables, no permitas ni que te toque..., martilleaba en su cabeza la sensata y siempre prudente voz de la conciencia.

Pero te has hecho daño, no puedes ni levantarte sola, seguramente hasta cojearás, ¡ay! ¿No te das cuenta de que te has caído como un saco de patatas, muchachita imprudente? Necesitas ayuda... azuzaba en el otro hemisferio de su cabeza, la picajosa voz de la lógica.

Suspirando en profundidad, componiendo un gesto de disgusto y tratando de mantenerse neutra ante la batalla emocional que se disputaba en su interior, pasó finalmente su mano por el hueco que ofrecía el brazo del hombre, dispuesto para ella formando un perfecto asidero.

Al levantarse del suelo, con ayuda del caballero, un dolor agudo traspasó cierta zona innombrable de su anatomía y, para tratar de ocultar tanto su vergüenza como su dolor, se mordió el labio inferior mientras apretaba los párpados con fuerza, hasta ver chiribitas en la negrura. Una vez en pie, se recompuso el vestido con risible dignidad, tratando de conservar todo el aplomo arruinado durante la caída, aunque el brillante arrebol que adornaba sus mejillas se lo ponía difícil.

Alberto Monterrey, a su vez, se obligó a contener una sonrisa, percatándose del gesto contenido de su acompañante. Era consciente de que la joven no se había lastimado seriamente y, por lo tanto, su preocupación se reducía a la caballerosidad obligada en esos casos.

De ese modo, mirándose de forma furtiva, entre risas contenidas y disimuladas muecas de dolor, empezaron a caminar sendero abajo.

—Despacio. No deseamos sufrir un nuevo percance, ¿verdad? —bromeó, tratando de quitar hierro al asunto. Aunque solo consiguió que la joven se sintiera todavía más avergonzada ante el recordatorio de su incidente—. Tampoco tenemos prisa, no vamos a apagar ningún fuego; lo importante es ir pasito a paso. ¿Puede caminar bien? ¿Es preciso que la lleve en brazos?

Ella asintió con gran vigor, para después negar con idéntico brío, totalmente ruborizada. Si la cogía en brazos, ¡en sus brazos!, corría un serio peligro de incinerarse por combustión espontánea. Y si no acababa muerta de ese modo, lo haría de un inevitable ataque de vergüenza.

Caminaron un pequeño trecho en silencio, con el caballo siguiéndolos a escasa distancia, como un centinela respetuoso. La fuerte respiración del animal y las pisadas de ambos sobre la alfombra de agujas de pino se unieron a los diversos sonidos del bosque.

Ana no sabía qué decir, ni si se esperaba que dijera algo, por lo que se limitó a caminar con la cabeza inclinada y dos rosas encarnadas en las mejillas. No podía dejar de imaginarse a sí misma en brazos de aquel apuesto Lancelot, visión que no contribuía a la relajación de espíritu ni a la concentración mental, sino a un repentino y evidente coloreamiento del rostro, con su consiguiente atropello respiratorio.

Suspiró de forma apenas perceptible. Jamás se había visto en una situación semejante y, por supuesto, era la primera vez que paseaba del brazo de un caballero. ¡Y especialmente de uno tan apuesto como aquel!

Tras ese pensamiento, no pudo evitar dirigir a su acompañante y salvador una nueva mirada furtiva.

Puede que fuera totalmente inexperta en las lides de la vida y las relaciones sociales, pero tenía ojos en la cara, aunque en esos momentos hubiera preferido mil veces ser ciega y, por lo tanto, inmune a la presencia de aquel bello ángel de la guarda.

Era alto —la cabeza de ella apenas rozaba su hombro—, fuerte, atlético y de atractivo rostro de mandíbula cuadrada, en el que destacaba una barbilla varonil provista de hoyuelo. La perfecta imagen de un héroe.

—¿Dónde vive? —La pregunta de él resultó tan inesperada que la joven no pudo más que balbucear sílabas inconexas. Él sonrió, divertido ante su turbación—. No se preocupe, le he asegurado que soy un buen tipo: solo deseo escoltarla hasta su casa para comprobar que llega usted bien.

—No creo que sea lo más prudente, señor —susurró, avergonzada.

Llegar al Pazo colgada de su brazo era lo más imprudente que podría pasársele por la cabeza; máxime con el conejo dentudo rondando.

—Insisto, me quedaré más tranquilo si sé que no vuelve a resbalarse durante su paseo. Es lo menos que un caballero debería hacer.

Ana se mordió el labio inferior e inclinó de nuevo la mirada. Seguramente, en sus adentros, el caballero se burlaba de ella o, al menos, ese temor era el que martilleaba en su cabeza, torturándola y humillándola a cada paso un poco más. Debía de haber resultado muy cómico para él ver cómo, entre correteos inapropiados, aquella señorita se caía en medio del camino con tan poca dignidad; aunque en su favor debía reconocer que no había hecho ningún comentario jocoso al respecto, y que había acudido en su auxilio como un auténtico salvador. Por tanto, resultaba injusto por su parte pensar mal de él.

—Vivo muy cerca de aquí —atajó con brusquedad, pero trató de enmendarse sonando más amable a continuación—. Será suficiente si me acompaña hasta la linde del bosque, al pie del camino real.

—¿Me pide que la deje sola en el bosque? ¡Vaya, eso sí suena imprudente... y muy poco caballeroso por mi parte!

—Le aseguro que vivo muy cerca, señor, mi casa se yergue justo en la linde del bosque.

Alberto decidió no insistir. Al fin y al cabo, la joven parecía encontrarse bastante bien. Ni cojeaba, ni se resentía a simple vista del golpe. Y además, podía seguirla a una distancia prudencial para asegurarse de que llegaba sana y salva. Su caballerosa conciencia cumpliría perfectamente su función y ella no se sentiría incomodada.

—Está bien, usted manda —concedió.

Ana esbozó una sonrisa de suficiencia, porque era la primera vez que alguien le otorgaba semejante potestad de mando.

Mientras continuaban caminando, despacio y en silencio, Alberto dirigió a la joven una nueva mirada furtiva, ¡y ya iban unas cuantas!, tan solo para confirmar lo que había constatado desde un principio: era hermosa como una flor, y fresca y radiante como si la hubiera besado el rocío de la mañana.

Sonrió de medio lado, tratando de disimular el gesto. Sí, sin duda su expedición por los bosques estaba resultando de lo más interesante. Mucho más, desde luego, que soportar las presunciones románticas de su despótico padre.

Había abandonado la residencia del salazonero intentando despejar la cabeza de malos humores y, a media hora de distancia, bosque adentro, se había topado con una auténtica ninfa, de esas de las que solo se tiene constancia a través de las leyendas y el folklore popular.

Una sonrisa, esta vez más radiante y menos contenida que la anterior, curvó sus labios, al tiempo que empezaba a mofarse de sí mismo.

¿Te has vuelto loco, Alberto? ¿O acaso el salitre afecta a tu sentido común? ¿Ninfas? ¿Flores radiantes? ¿Besos de rocío? ¡Ja, valiente bobo estás hecho!

Exhaló muy despacio, tratando de borrar de su cabeza esos desvaríos matutinos dignos de Espronceda. No era una ninfa, por el amor de Dios, ni él era un poeta, pero estaba claro que no se trataba tampoco de una campesina, a juzgar por la elegancia y la calidad de sus ropas, por su piel de porcelana o la finura de sus manos; por fuerza debía ser una joven de buena cuna. La hija de un terrateniente, o de un activo importante del condado. Aunque ninguna joven de buena familia, sensata y prudente, cuya reputación se velara a cada segundo con celo, pasearía sola por el bosque sin carabina.

Frunció el ceño cuando un innato instinto protector y censor, digno de cualquier caballero que se preciara de serlo, arraigó en su pecho. ¿Dónde estaba su carabina?

—Si me permite la apreciación, señorita, no debería usted pasear sin compañía tan lejos de su casa. Resulta muy poco juicioso por su parte.

Ana parpadeó, tensándose sin querer ante la inesperada amonestación.

—Le he dicho que vivo muy cerca, mi casa queda apenas a unos pocos metros —expuso en un tono de protesta, encarnándose todavía más a causa de la vehemencia de su defensa—. Resulta perfectamente juicioso y aceptable.

Alberto sonrió, divertido ante el inesperado viso rebelde que percibió en las palabras de la muchacha. La jovencita tenía carácter... y orgullo. Buena cosa. O quizás no tan buena: cuanto más la miraba y la escuchaba expresarse, más le gustaba.

—Ha tenido usted suerte de toparse conmigo —añadió, chinchándola—, pero una mujer sola en medio del bosque puede presentarse como una presa demasiado fácil y apetecible.

—¿Una presa para los zorros y las alimañas, quiere decir? —preguntó ella, sumándose a la chanza y recordando las palabras de doña Angustias.

—¡O para los salteadores de caminos y otras almas descarriadas que se ocultan en las sombras! Créame, las criaturas que se mueven sobre cuatro patas son las menos peligrosas que se encontrará por estos lares —atajó él, concediéndole a sus palabras un tono intrigante, sesgando los ojos y bajando la voz—. Me temo, señorita, que el mundo está plagado de gente malvada dispuesta a corromper a las pobres almas, incautas e inocentes, que se pasean en soledad por los bosques más oscuros. —Irguió la barbilla con solemnidad para rematar su discurso—. Le sorprendería a usted todo lo que hay ahí fuera.

Ana se humedeció los labios y ahogó un jadeo.

—Pero no se mortifique, está usted perfectamente a salvo conmigo —continuó él—. Ningún rufián se atreverá a corromper su alma mientras permanezca bajo mi amparo.

—Me alegra saberlo, señor.

Alberto sonrió con amplitud, mientras ajustaba sutilmente el brazo de Ana sobre el suyo, provocando con ese gesto que un millón de hormigas corretearan sin control por el vientre de la joven.

—La acompañaré a casa.

—A la linde del bosque —corrigió ella con suavidad.

—A la linde del bosque —concedió, sin aflojar su sonrisa, ni su amabilidad—, y así me quedaré más tranquilo, sabiendo que ni usted ni su alma han sufrido un nuevo percance. ¿Le parece bien?

—Me parece bien —asintió, arrebolada y nerviosa, consciente de la extraña calidez, del agradable cosquilleo, que ascendía en oleadas desde lo más profundo de un vientre torturado por millones de hormigas saltarinas—. ¿Es usted de San Julián? —preguntó, y acto seguido, se mordió la lengua para ruborizarse después con intensidad.

¡Tonta, tonta, más que tonta!, se recriminó mentalmente mientras, a modo de penitencia, seguía mordiéndose la punta de la lengua y notaba cómo el rostro le ardía en fuego puro.

Cualquier señorita con un mínimo de juicio y sensatez en su adornada sesera se limitaría a permanecer con la cabeza y la mirada inclinadas, y la boca perfectamente sellada, osando abrirla tan solo para responder a las preguntas pertinentes —si las hubiere— dirigidas a su persona. Y en ese caso, dicha señorita prudente y juiciosa, se limitaría a responder empleando los monosílabos de rigor. Pero ella... ¿Qué había sido de su cordura? ¿Dónde había quedado su sensatez? ¿Qué iba a pensar aquel intrépido héroe de ella?

Pero el caballero no pareció acusar la falta ni darle mayor importancia al asunto. Sin dejar de sonreír con condescendencia y caminar erguido como un guerrero, respondió:

—No, no soy de aquí. Solo he venido a visitar a un pariente. —Alberto enmudeció un segundo, calibrando si debía revelar el parentesco que le unía al tirano. Seguramente, la gente de san Julián tendría un mal concepto de su padre. Era inevitable en cualquiera que le conociera siquiera un poco. El viejo siempre había sido un tirano, un déspota y un viva la Virgen. Su fama debía de precederle. Y en esos momentos, lo que menos deseaba era que aquella muchachita de aspecto dulce lo asociara con él, un alma corrompida y negra. Por tanto, calló—. Solo me quedaré una semana o dos en el pueblo, a lo sumo.

Sin saber por qué, Ana sintió una punzada de decepción. De algún modo, durante el paseo, se había atrevido a formar castillos de naipes en su cabeza. Castillos de los que aquel caballero era el rey indiscutible.

—¡Oh! Entiendo... —E inclinó la vista para fijarla, bajo un ceño profundamente fruncido, en el tapiz verde y ocre del suelo.

Pero no lo entendía, no. ¡Qué mala suerte la suya! La única persona que había podido conocer desde su llegada al Pazo, la única alma extramuros, aparte de aquel horroroso Monterrey que le revolvía el estómago, era su bello ángel guardián. Y ahora acababa de descubrir que ni tan siquiera podría seguir disfrutando de su compañía, no podría tratarlo ni deleitarse con su bello porte, puesto que tan solo estaba de paso en el pueblo...y, por lo tanto, en su vida. ¡Qué injusto era el destino!

Siguieron caminando en silencio, cada cual perdido en sus cavilaciones (el uno considerando el infortunio que suponía estar emparentado con aquel viejo verde, la otra maldiciendo su mala suerte y la dolorosa sensación de vacío que se había formado de pronto en su pecho), hasta que el caballero detuvo sus pasos, obligándola a levantar la mirada. Se encontraban en los lindes del bosque, junto al camino real. A poca distancia de la jaula de oro.

Jamás un paseo le había resultado a Ana tan corto y frustrante.

—Bien, los límites del bosque, tal y como usted solicitó.

Ojalá el bosque se extendiera hasta el otro extremo del pueblo, pensó ella.

—La libero de mi compañía, señorita, para que pueda volar libre hasta su nido.

Hasta mi jaula.

Con indisimulable pesar, Ana deslizó su brazo del amable asidero que le había sido dispensado, inclinó la cabeza en reverencia y sonrió con timidez. Detestaba tener que poner fin a aquel breve paseo, puesto que jamás se había sentido tan cómoda, y a la vez en continua tensión, en presencia de otra alma. Una tristeza insondable se apoderó de ella, acrecentando el agujero de su pecho y la sensación de abandono que amenazaba con enseñorearse de su alma.

—Agradezco su amabilidad, espero no haberle incomodado demasiado —murmuró la joven, alargando el momento de la despedida y, por tanto, torturando a su corazón.

Él meneó la cabeza, y su amable sonrisa llenó de luz el alma de Ana. Una luz y una sonrisa que ella se prometió guardar como un tesoro entre sus recuerdos.

—¡Oh, no! Ha sido muy grato ejercer de caballero andante, créame: lo mejor en lo que podría ocupar mi tiempo. Aunque confío en que, en el futuro, tenga usted más cuidado; no salga sola ni corretee por el bosque, ¿me lo promete? —Ana, ruborizándose hasta el nacimiento de sus cabellos, asintió despacio—. No siempre voy a contar con la suerte de estar cerca de usted para socorrerla. —Haciendo perdurar su sonrisa, él prosiguió hablando, lo que provocó que decenas de mariposas aletearan en el estómago de su acompañante—. De verdad, ha sido un placer escoltarla hasta aquí, señorita. Me alegro de que no haya sufrido un mal mayor.

Ana agradeció sus palabras con una sonrisa nerviosa, realizó una rápida flexión de rodillas y se volvió para alejarse con paso rápido. Era eso o arriesgarse a que su corazón sufriera algún tipo de colapso.

—¿Es ese edificio que se ve a lo lejos, entre los árboles, el Pazo de Rebolada? —Aquella voz, una octava más alta de lo normal, la obligó a detener sus pasos en seco.

Giró ligeramente la cintura para mirarlo a los ojos. Unos ojos profundos de color obsidiana, ahora fijos en un punto más allá de ella. Un estremecimiento la sacudió de arriba abajo al tiempo que una suave oleada de calor subía por su espalda.

Devolvió la mirada al frente y pudo trasver, entre los pinos y los viejos robles del lugar, los oscuros muros del Pazo, sus paredes vestidas de cal, su señorial tejado de pizarra y sus augustas chimeneas.

Un nudo se formó entonces en su garganta. No había contado con que, desde aquel lugar, en los límites del trazado del bosque, el Pazo quedaba perfectamente a la vista. De hecho, destacaba con absoluto descaro entre los árboles, como un pendón que, lejos de esconderse, se empeñara en sobresalir y hacerse notar.

—Sí, ese mismo es —murmuró, volviéndose lentamente, con el rostro demudado en una máscara de preocupación y temor. Pudo apreciar un brillo extraño en los ojos del caballero, que asoció de inmediato con el pasmo y la fascinación que embargaba a todo cristiano ante la primera visión del Pazo.

El Pazo de mi familia, mi hogar, el que mi padre ha convertido en una prisión.

—He oído hablar de él... y de sus moradores. —Ana tragó saliva. De forma inconsciente, acababa de referirse a ella como moradora del Pazo y, sin embargo, había apreciado un ligero matiz de ignorancia en la voz del caballero—. ¿Se dirige usted allí? —preguntó de nuevo, sin dejar de mirar la fortificación.

Ana cabeceó en asentimiento, nerviosa, con el ceño ligeramente fruncido. ¿No la había reconocido como la condesa? ¿De veras no se había dado cuenta de que se trataba de ella? Sin saber por qué, una agradable sensación de alivio la recorrió, y el nudo que oprimía su garganta, desapareció. Por un momento, aunque se tratara del momento más fugaz e irrelevante, se sintió libre.

—Vivo allí —dijo, apenas en un susurro.

El asintió, sin apartar los ojos de aquellos muros agrisados. Mucha gente viviría en el Pazo: doncellas, domésticos, asistentes personales, damas de compañía, parientes de noble nacimiento pero de rango inferior al de su anfitriona...

La curiosidad le carcomía por dentro. ¿Qué lugar ocuparía aquella joven en el Pazo? Quería preguntar, quería conocer detalles acerca de la condesa, su futura *madrastra*. Necesitaba saber tantas cosas para tratar de entender...

Su padre debía de estar en esos momentos en el interior del Pazo, reunido con su prometida, tal y como había proclamado muy ufano antes de salir de casa. La señorita condesa de Rebolada. ¿Cómo sería ella? ¿Digna de lástima? ¿O por el contrario, merecedora de la penitencia que se le venía encima?

Parpadeó con insistencia, devolviéndose a la realidad, dejando en un segundo plano la visión del edificio señorial y su curiosidad acerca de sus habitantes, para centrarse en aquella dulce joven que estaba junto a él y que parecía mirarlo con el corazón en un puño.

—Antes de despedirnos, ¿puedo preguntar el nombre de la dulce damisela que he tenido el privilegio de socorrer?

Ella sonrió y sintió cómo toda la sangre de su cuerpo se concentraba en sus mejillas.

—Ana... —Pensó deprisa. Ya que él no la había identificado, por una vez deseó ser otra persona distinta y verse libre de convencionalismos. Deseó no ser quien era, para poder ser quien ella quisiera. Y en ese momento de inspiración, de locura e inconsciencia, acudió a su mente el apellido de su ama de cría, que decidió hacer suyo en ese mismo instante—. Ana Guzmán.

Y dobló las rodillas en una tímida reverencia.

—Ana Guzmán —susurró muy despacio, como si paladeara el nombre, como si pretendiera grabarlo a fuego en su memoria. Como ella lo miraba con insistencia y gesto interrogante, se dio cuenta de su despiste y se apresuró a enmendarlo—. ¡Oh, disculpe, Alberto, Alberto Mont...!

Justo en ese instante, una voz aflautada y perfectamente agitada, sonó desde algún lugar cerca de aquellos muros, interrumpiendo las presentaciones y suspendiendo la media reverencia que el caballero había iniciado.

—¡Ana, niña Ana! ¿Dónde estás?

La respuesta de Ana fue abrir unos ojos como platos, formar una «o» perfecta con su boquita de piñón, sujetarse las faldas y echar a correr hacia el lugar del que procedía la voz a toda la velocidad que soportaban sus piernas. Ni una mirada a modo de despedida, ni una simple cabezada; su recuperado sentido común la instaba a alejarse de allí de inmediato con el fin de tratar de enmendar su falta. ¡El ama iba a regañarla hasta hartarse!

Alberto la observó alejarse con una sonrisa en los labios. Sin duda, había sido una expedición muy provechosa e inspiradora la de aquella mañana. Aunque la señorita no fuera una ninfa de los bosques ni una náyade de los ríos, sino simplemente, Ana Guzmán.

—¡Te dije que no te alejaras! —la regañó doña Angustias, sujetándola por la muñeca y tirando de ella, no con enfado o violencia, pero sí con determinación.

—Me despisté... De repente sentí la imperiosa necesidad de aire fresco y de un paseo por la naturaleza —protestó Ana, lo suficientemente bajito como para demostrar que era consciente de su error.

Había faltado a su palabra motivada por su innegable fascinación hacia la naturaleza y por un primario instinto de libertad. Algo que jamás podría experimentar entre las cuatro paredes de su jaula de oro. Pero tampoco había sido algo tan grave e irreparable, pensaba para sus adentros; no había habido consecuencias negativas, y nadie había salido mal parado, salvo ella y su malogrado trasero. Muy al contrario: gracias a ese pequeño acto de rebeldía, había conocido a un caballero apuesto y agradable. Su ángel guardián.

La sonrisa que asomó de forma inconsciente a sus labios provocó un nuevo bufido de doña Angustias que, delante de ella y desconociendo sus pensamientos, caminaba apretando el paso, resoplando, meneando la cabeza y protestando de forma airada bajo las amplias capas de tela.

—¡Aire fresco y un paseo por la naturaleza! ¿Y qué pasa con tu vestido? —Con un repentino aspaviento, como si ambas ejecutaran un controvertido paso de baile, hizo girar delante de sí a la joven, obligándola a mostrarle la espalda. Ana deslizó las manos por la tela, tratando de alejar la atención de la mujer de esa parte del vestido. Su sentido de la culpabilidad no tardó ni medio segundo en teñir sus mejillas de escarlata.

—¡Ay, nana, me caí! —protestó, empezando a perder la paciencia. Algo que sucede cuando se tiene mucho que ocultar y pocas ganas de sacarlo a la luz—. No creo que sea un crimen contra la humanidad el hecho de que la señorita condesa se resbalara y se cayera, ¿verdad?

—¡Lo será si tu padre se entera de todo esto! —Y acto seguido jadeó con resignación, venció los hombros hacia delante y dedicó a la niña la típica mirada que conceden los padres permisivos a sus amados hijos, por más diabluras que estos lleguen a discurrir. Ana, consciente de la flaqueza del ama, parpadeó con coquetería, mirándola por debajo de unas cejas alzadas con conmiseración. Rendida ya del todo, doña Angustias no pudo menos que ceder—. Vamos, debemos regresar antes de que lo haga tu padre, o nos mandará azotar a ambas.

Ana se dejó llevar, caminando con los hombros descolgados y el ánimo abatido.

—Seguramente lo esté deseando —chasqueó la lengua—, al menos en lo que a mí respecta.

—Pues no le daremos esa satisfacción, ¿verdad? —Doña Angustias caminaba sin mirar atrás y Ana solo era capaz de distinguir su generosa espalda y su contoneante trasero revestido de tela y más tela. También la pequeña cofia que recogía su cabello entrecano—. Monterrey se fue hace ya un buen rato. Creí que no se tragaría el cuento de que te encontrabas indispuesta por culpa de una terrible jaqueca.

—Y la tendría si tuviera que soportarlo.

Doña Angustias bufó sin aflojar un ápice el paso, lo que provocaba que, al hablar y caminar —dos actividades que para ella eran difíciles de compatibilizar—, se le entrecortara el aliento.

—Llegué a temer que subiera él mismo a tu alcoba a llevarte la medicina para el dolor. —Y jadeó de nuevo, encogiéndose de hombros—. ¡Qué hombre tan empecinado!

Ana puso los ojos en blanco y suspiró. El empecinamiento debía de ser la más amena de sus cualidades censurables.

Don Jenaro hincó los talones con saña en los costados del animal. Una forma como otra cualquiera de liberar sus frustraciones. Había realizado tan fastidioso trayecto a caballo, con las penosas consecuencias que ello acarreaba —dolor en las ingles, incomodidad en las posaderas, tormento en la espalda y molestia en las pantorrillas—, con el único fin de visitar a la dulce condesita y pasar con ella al menos los treinta minutos de rigor que se estilaban en las visitas diarias. Con un poco de suerte, el astuto zorro del conde extendería la invitación hasta la hora de la merienda o, inclusive, a la cena.

«Visítenos cuando quiera, Monterrey. Le aseguro que la señorita condesa estará encantada de recibirle y agasajarle con su compañía», le había dicho la noche anterior durante la cena. Y con tal incentivo se había personado al día siguiente, rebasado el meridiano del día, tal y como correspondía para una visita de cortesía. ¡Cuál no sería su sorpresa cuando una vieja con cara de perro le salió al paso en el vestíbulo para contarle que la señorita se encontraba indispuesta a causa de una terrible jaqueca! ¡Temprano empezaba con las jaquecas la bella flor! ¿Acaso esas delicadas criaturas eran tan frágiles y ridículas como para indisponerse por un simple dolor de cabeza? ¡Intolerable! ¡Ya le daría él jaquecas una vez casados! ¡No habría excusa que le valiera! No tendría más remedio que obedecer y acatar sus deseos como buena esposa sumisa, o de lo contrario, ¡la tomaría a la fuerza tantas veces como quisiera para bajarle los humos!

Con ese pensamiento por bandera espoleó de nuevo al animal, aunque no sirvió de mucho. El caballo acataba un paso tan indolente que empezaba a temer que, aunque le clavara en el alma la fusta de un soldado, no se movería con más brío.

Resopló, decepcionado con lo que la mañana le había reportado. ¡Y para más inri ahora debía llegar a casa y soportar la presencia indeseada de su hijo!

Ahogó una blasfemia bajo el emboce de su capa. Aquel desagradecido aparecía y desaparecía cuando le venía en gana; a veces incluso podía pasar semestres enteros sin dar señales de vida. Estaba claro que le habían malcriado y, a consecuencia de ello, ahora escapaba a su control. ¿La culpable? Una madre ridículamente amorosa y permisiva que, para empezar, le había dejado ir a la universidad a formarse en esa inútil carrera de leyes. ¿Para qué, teniendo en casa el emporio familiar de las salazones y conservas? ¿Qué hijo respetuoso con la labor de sus ancestros no hubiera querido perpetuar la tradición familiar? ¡Pero no, estaba claro que aquel insensato tenía a poco el trabajo en la fábrica! Él quería más, quería la vida de esos relamidos de la capital que se pasan el día de un lado para otro con un cartapacio bajo el brazo, sin hacer otra cosa más que inmiscuirse en asuntos ajenos con el pretexto de preservar la justicia. ¡Y la idiota de su madre le había alentado a ello!

De nuevo hincó los talones en los vacíos del animal, irritado con la vida, con los hados, con su mala fortuna y, sobre todo, con el ingrato de su hijo. Con un poco de suerte, ese desagradecido de Alberto desaparecería de su vida en pocos días y se mantendría convenientemente ausente, tal vez durante medio año o más. Ni una carta, ni una visita, ni una invitación a la Corte... ¡y lo mismo le daba! ¡Al diablo él y sus ínfulas de señoritingo de ciudad!

Con un mohín de niño caprichoso presto a encorajinarse durante horas, escupió al borde del camino, deseando que, junto a sus fluidos, se esfumara también la mala sangre que le provocaba aquel descastado.

Ni siquiera le invitaría a la boda. ¿Para qué? A buen seguro aquel cretino hijo de su madre se la aguaría con sus sermones. Envidioso, eso es lo que era.

Alberto esbozó una sonrisa seguramente de lo más boba, consecuencia de las emociones y pensamientos que discurrían en su interior.

Después de la mala sazón que su padre había dejado en su ánimo esa misma mañana con la ridícula noticia de una boda, cuando no esperaba que nada fuese capaz de iluminar su día, la repentina aparición de aquella muchacha en medio del bosque, como una ninfa patosa o un hada que hubiera perdido sus alas, parecía haber conseguido lo imposible. Y por eso sonreía como un tonto mientras la recordaba.

Era una joven hermosa y adorablemente tímida, lo que era de esperar en una señorita de buena cuna y aún mejor educación. Los rubores constantes de sus mejillas y sus oportunas caídas de párpados daban buena fe de ello. Además, moraba en un Pazo, así que debía de serlo, por fuerza.

Y no solo se trataba de su agradable carácter, con un atractivo viso de independencia y rebeldía, sino de que Ana Guzmán poseía sin duda los ojos más verdes y hermosos que había visto jamás, preciosos broches de una expresión sumamente dulce en un óvalo de porcelana. ¿Y sus labios? Una fresa madura elegantemente tronchada en dos.

No pudo resistirse a amagar una carcajada. ¿Eran suyos tales pensamientos? ¿Desde cuándo se había vuelto todo un romántico, digno discípulo de Don Juan, de Espronceda o del famoso Lord Byron inglés? ¿O acaso las filosofías sentimentales de aquel joven literato barbudo con el que había coincidido en un par de tertulias madrileñas y que firmaba sus escritos como Gustavo Bécquer se habían colado, sin darse cuenta, en su cabeza, como las hiedras que se aferran con ahínco a una viejo muro de piedra, hasta convertir al regio letrado en alguien irreconocible?

¡Estás para encerrar, Alberto!

Meneó la cabeza sin dejar de sonreír. Debía de ser el clima gallego, que lo trastornaba; quizás el húmedo aroma del musgo vestido de rocío que trepaba por los troncos de los árboles, ansiando arañar las altas copas; tal vez la niebla vaporosa y reptante del amanecer, o el leve crujido de las agujas de pino bajo los cascos del caballo. Lo que fuera, alteraba sus sentidos hasta acercarlo al abismo del delirio. Y estaba claro que era ese un abismo al que no deseaba asomarse por ninguna mujer.

—No juegues con fuego, Alberto —se dijo a sí mismo. Tan solo él y su apacible montura fueron testigos del improvisado monólogo—. No te compliques la vida. Estás de paso, por lo que no merece la pena inmiscuirse en asuntos de faldas que no te reportarán más que complicaciones innecesarias. Ha sido un hecho puntual, un encuentro puntual; ahora debes olvidarla.

Y con esa consigna en su cabeza, continuó su viaje de vuelta a la residencia de Jenaro Monterrey. Pero no fue capaz de evitar que, pese a su empeño, o quizás a causa de él, los hados se carcajearan en su cara, danzando con sorna ante sus ojos, adentrándose en su sesera y burlando su firme empeño, pues durante todo el trayecto no pudo pensar en otra cosa más que en Ana Guzmán y en sus adorables ojos verdes.

Una vez a solas en su alcoba, Ana se dejó caer boca arriba sobre el lecho para organizar sus pensamientos, con los pies colgando del borde de la cama y la mirada inmóvil en los elevados artesones del techo, que veía enmarcados por el dosel.

Alberto. Ese era el nombre de su caballero andante, de su héroe, de su salvador. ¡Qué bello nombre para un héroe, para un galán!

Alberto...

La palabra sonaba como eco celestial en su cabeza. Si tuviera delante un piano, le compondría una hermosa tonada. Si fuera poetisa, le escribiría los versos más hermosos.

Se mordió con picardía el labio inferior mientras un gesto de febril ensoñación asomaba a su rostro.

Alberto...

¡Qué apariencia tan agradable, qué rostro tan hermoso!

No había podido escuchar su apellido, pues el ama le había interrumpido en plena presentación, pero no importaba: por alguna extraña razón, no había podido dejar de pensar en él, con o sin apellido, ni un solo segundo, ni siquiera cuando doña Angustias tiraba de su brazo y la sermoneaba por su imprudencia. Además, ¿qué importancia podía tener un apellido, existiendo en el mundo un hombre tan perfecto como él?

Se tumbó de lado, escondiendo una mano bajo un cojín, mientras descansaba en él su cabeza cargada de pensamientos. Pensamientos que tenían nombre propio y un porte apuesto, unos ojos insondables del color de la noche, un varonil rostro de mandíbula cuadrada escoltado por pobladas patillas, y un hermoso cabello ondulado en el que extraviar los dedos. Suspiró. Y a la vez, una sonrisa lánguida asomó a sus labios.

Alberto, Alberto...

Bien podría acompañar dicho nombre un rotundo «del Lago» o «de Leonis», o tal vez un «de Gaula», pues, al igual que los caballeros de las leyendas artúricas, ese hombre se dibujaba ya en su cabeza como un auténtico caballero andante. ¿Y si uno de esos fuera en verdad su apellido?

¡Y además tenía un caballo blanco!

¡Aaay!

Rodó sobre la cama hasta quedar boca arriba, con los brazos en cruz encima de la colcha, y cerró los ojos sin dejar de sonreír.

Alberto poseía una elegancia natural, apreciable al caminar y en cada uno de sus movimientos, un exterior galante, viril, y parecía muy fuerte, a juzgar por la firmeza de su brazo, por sus hombros anchos y su figura erguida.

Un nuevo suspiro resonó en la estancia. Demasiados suspiros para ser obviados por un alma que jamás había suspirado por motivos semejantes.

—Alberto... —Y esta vez sus pensamientos se convirtieron en palabras, pronunciadas en un tono dulce y soñador. Un tono a juego con la mirada de su propietaria y la sonrisa que embellecía su rostro.

En su vida hasta el momento había existido un cierto orden; impuesto por otros, efectivamente, pero un orden al fin y al cabo, una normativa que no se había atrevido a desobedecer, aunque sí a cuestionar mil veces. O, en vez de un orden, podría entenderse como una obligada sumisión a un destino carente de fulgor, una vida perpetuamente oscurecida bajo la sombra funesta y alargada de su padre. Bajo el peso de sus blasones y su nobleza. Bajo el viso de una libertad que jamás podría alcanzar.

Pero en cuestión de segundos, la irrupción de Alberto había conseguido desbaratar ese orden impuesto y adueñarse de todo, convirtiendo su vida, su encuentro fortuito, en la perfecta escena de una novela romántica. Desde su encuentro casual en el bosque, no había podido sacarlo de su cabeza y a cada segundo estaba llenando su pensamiento, ocupándolo todo, imperando sobre la sensatez y la obediencia.

El simple recuerdo de su mirada obsidiana, de su rostro hermoso y maduro, de su porte varonil o del olor a cedro y cuero que desprendía, la simple evocación de su vestuario, de su conversación, de su sonrisa torcida o del modo en que se inclinaba en reverencia provocaba que cientos de mariposas bailaran en su estómago. Cielo santo... ¿de dónde habían salido tantas intrépidas aladas de pronto?

Sin darse cuenta, se descubrió a sí misma sonriendo. Y no se trataba de una simple sonrisa a medio esbozar, sino de una risita que derivó en carcajada y que tuvo que amortiguar contra el cojín.

¿Qué le sucedía? ¿Se había vuelto loca de pronto? ¿Acaso había sido capaz de olvidar todo el infortunio que la rodeaba para dejarse envolver por las gasas rosadas y etéreas del enamoramiento? ¿Acaso eso que sentía emergiendo desde lo más profundo de sus entrañas para aposentarse y aletear en su pecho era el amor del que tanto había leído en las novelas y del que le había hablado doña Angustias?

Alberto, querido Alberto...

Pero también recordó que él había mencionado estar de paso, que se marcharía en una semana o dos. Una tristeza infinita barrió con brusquedad la sonrisa de su expresión e hizo desaparecer las gasas rosadas y etéreas que la envolvían. Se llevó las manos al rostro para ocultar unos ojos ya completamente vidriados, y gimoteó. Estaba segura de que, cuando aquel maravilloso ser abandonara San Julián, su corazón huiría tras él.

Por fortuna, don Alejandro tuvo la decencia de no invitar al señor Monterrey a cenar. Contar con su presencia dos noches seguidas hubiera sido más de lo que los sensibilizados ánimos de Ana podían soportar.

Por lo tanto, la cena transcurrió en silencio, como solía acontecer cuando padre e hija se sentaban a la mesa.

El uno comía con tal ansia y voracidad que parecía que llevase días de ayuno, y la otra no hacía más que jugar con la comida, componiendo dibujos sobre la loza con la verdura de la guarnición, mientras dejaba asomar a sus labios, de forma totalmente inconsciente, breves sonrisas que amortiguaba mordiéndose el labio inferior. Por fortuna, el conde no fue testigo de ese ánimo absorto ni del comportamiento repentinamente soñador; tenía asuntos mucho más interesantes de que ocuparse, como las codornices rellenas con salsa de uva o las patatas guisadas del plato, antes que prestar atención a la boba que presidía la cabecera opuesta. El único pensamiento que podría entorpecer levemente su gula era el de ver prosperar, y cuanto más rápido mejor, el cortejo del viejo Monterrey. Si conseguía quitarse de en medio a su principal acreedor, saldar con su ayuda el resto de las deudas y, a su vez, asegurarse de que su sitio en Rebolada y su nivel de vida estaban garantizados, su horizonte se vería libre de brumas.

Sin duda, el viejo estaba interesado en la florecilla, así que ahora solo hacía falta alentarlo para que la boda tuviese lugar lo antes posible. O al menos, si acaso el cortejo se alargaba un poco más, que el viejo *aflojara la gallina* y saldara las deudas del conde cuanto antes. Después, que hiciera lo que le viniera en gana. Como morirse, por ejemplo. ¿A quién le importaba?

8

—¿Vamos, nana? ¡Di que sí, anda! —Ana tironeaba con insistencia de la bocamanga del vestido de doña Angustias, componiendo un gesto mohíno y suplicando como una niña pequeña que solicitara un agasajo muy merecido.

La anciana permanecía sentada en el acogedor sillón de mimbre que presidía su habitación, justo al lado del ventanal, desde donde poseía una magnífica vista del exterior, mientras la señorita continuaba de rodillas, hecha un ovillo a sus pies, con las faldas derramándose alrededor como un inmenso anillo de seda natural de un suave rosa palo. Bajo los dos volantes inferiores de la falda asomaban zapatos con borlas del mismo tono. Las mangas se ceñían al codo en una populosa marea de encaje blanco. Una enorme lazada blanca trazada al frente estrechaba la fina cintura, y una tiara de flores de seda rosa y violeta enmarcaba su cabeza, proporcionando ornamento y color a un peinado muy sencillo. En verdad parecía una muñeca de porcelana.

—Ay, niña, no sé si es prudente...

—¿Y por qué no, nana? —gimió la señorita, alzando las cejas y adelantando el labio inferior—. Padre ha salido, lo acabo de ver en el atrio hace un rato. Se llevó su caballo, sus podencos, su ropa de caza y dos o tres lacayos como escolta.

Doña Angustias cabeceó. Era cierto que el señor había sido invitado al coto de caza de uno de sus amigos, uno sin nombre y seguramente sin honorabilidad ya que trataba con él, pero en verdad a ella poco le importaban las idas y venidas del conde, ni tampoco sus cuestionables amistades. Como el resto del mundo, el ama sabía que el patrón era aficionado a la bebida y a los naipes, y que una cosa o la otra, o quizás ambas a la vez, acabarían siendo su perdición. Por desgracia, también la de su hija. Suspiró. Ciertamente, tal vez la de toda la casa de Altamira.

—Va a asistir a una cacería, se lo oí comentar en la cocina a uno de los sirvientes que lo acompañan.

—¿Ves? —La joven esbozó una sonrisa radiante. Aquella era una noticia maravillosa—. ¡Permanecerá fuera todo el día, pasándoselo bien mientras amenaza con su odiosa escopeta a esas pobrecitas liebres que nada le han hecho! —Al hablar así compuso de nuevo una expresión suplicante. Doña Angustias puso los ojos en blanco e inspiró por la nariz. Resultaba convincente, la muy tunanta. Y ella, sin duda, demasiado maleable. Ese era el problema—. ¿Y nosotras qué? ¿Pasaremos todo el día encerradas en el Pazo, aburridas como dos peces atrapados en su estanque, mirando las musarañas y contando las arañas de los rincones? ¿Es eso lo que nos espera? —Adelantó el labio inferior de forma exagerada—. ¿Vas a permitirlo, nana?

—Ana...

—¡No es justo, nana! —protestó con énfasis, consciente de la grieta que acababa de abrir en la determinación de la anciana—. ¿Por qué tendríamos que aburrirnos si existe otra opción? ¿Por qué tenemos que ver la vida pasar sin hacer nada, salvo esperar a que nos concedan permiso para disfrutarla?

Doña Angustias suspiró.

—Porque somos mujeres, es nuestro destino.

Ana chasqueó la lengua y meneó la cabeza con fastidio, de modo que los pétalos de las flores de seda de su tiara se bambolearon graciosamente.

—¡Pues no es justo! —se quejó. Y acto seguido, endulzando la voz—: ¡Anda, vayamos al mercado! He oído las cornetas de los buhoneros esta mañana. ¡Vayamos! Recuerdo que una vez me llevaste cuando era una niña. ¿Lo recuerdas tú?

La anciana cabeceó y una breve sonrisa iluminó su rostro.

—¡Me cargaste en brazos toda la mañana mientras íbamos y veníamos entre los puestos de los campesinos! ¡Vayamos otra vez! ¡Tal vez podamos comprar fresas! —Y compuso una exagerada expresión soñadora—. ¡Me encantan las fresas! ¡Y los fresones, nana!

La anciana dudó. Lo cierto era que podía resultar entretenido revivir aquellos momentos de antaño, pasar un tiempo a solas las dos y permitirle a la niña despegar un poco las alas. Al fin y al cabo, la pobrecita era una bella mariposa que merecía salir y ver la luz del sol, en lugar de permanecer toda su vida, hasta marchitarse, encerrada en un invernáculo frío y gris.

—No es tiempo de fresas, Ana, estamos en abril. —Tuvo que esforzarse mucho para disimular la sonrisa que escoltaba su excusa.

La joven se humedeció el labio inferior mientras pensaba una alternativa.

—¡Pues compraremos flores! Estoy segura de que los campesinos venderán flores muy bonitas recién cortadas de sus campos —Sus ojos brillaban con un nuevo fulgor—. ¡Ramos, quiero muchos ramos para mi alcoba! ¡Lavanda, madreselva... qué popurrí más precioso sería, nana!

—¿Más bonitas que las flores del jardín de Pazo? —La anciana la miró con suspicacia—. Lo dudo. En Rebolada tenemos los macizos y ornamentos más envidiados de toda la provincia.

Empezaba a quedarse sin argumentos, así que optó por entristecerse exagerando el gesto, dejando clara su decepción. Se le daba condenadamente bien alzar las cejas, inclinar los párpados y adelantar el labio inferior en un irresistible puchero.

—Iremos al mercado —consintió al fin la anciana, arrastrando las palabras.

Ana mudó su expresión al instante, sonriendo con entusiasmo mientras daba palmas como una chiquilla. Se puso en pie de un salto, lo que provocó que la tela de su falda susurrara un arrullador *fru fru*.

—Nana, ¿puedo pedirte algo más?

La anciana la miró con gesto resignado y alzó una ceja con suspicacia.

—¿Mi sangre? Porque ya es lo único que me queda por concederte, y a ti por pedirme.

Ana rio con naturalidad.

—¡No, nana, se trata de algo mucho más sencillo! —El ama compuso una mueca de incredulidad—. ¿Podemos dejar el carruaje al inicio del mercado y adentrarnos en la plaza caminando? —La anciana se disponía a replicar cuando la señorita la interrumpió con un argumento que ablandó del todo su corazón—. Por una vez no quiero ser la condesa, nana, quiero ser una joven como otra cualquiera, una joven que va al mercado a disfrutar de los colores y las especias que cargan el ambiente, paseando y disfrutando de la mañana en compañía... —parpadeó zalamera, tomándola del brazo— de alguien de la familia. La persona más querida para ella.

Aquella mención al parentesco fue el colofón final para convencer a la anciana y derribar todas sus frágiles barreras. Barreras que, en lo concerniente a Ana, eran débiles como palillos.

—Una joven normal y corriente no llevaría un vestido de seda plagado de encajes, mi niña —murmuró, alzando las cejas con condescendencia—. Tampoco una elegante tiara coronando su cabeza, como si de una reina se tratara.

La muchacha se miró a sí misma frunciendo el ceño. La chispa de una nueva idea tardó solo unos segundos en iluminar su mirada. Con un movimiento rápido, se quitó el ornamento de la cabeza.

—¡Me cubriré con un guardapolvo pasado de moda! ¡El más feo y oscuro que encuentre en mi guardarropa! —exclamó, como si hubiera descubierto de pronto la fórmula de la felicidad— O tal vez incluso pueda pedirle un abrigo a una de las doncellas más jóvenes. ¡Eso haremos! ¡Le pediré su abrigo de los domingos a Silvana, mi doncella personal! Es muy buena y no me lo negará. ¡Y me haré un nuevo peinado, más sencillo y sin adornos! ¿Qué te parece? Nadie se fijará en mi vestimenta ni en mí.

Doña Angustias torció el gesto, pero optó por no rebatir. Su niña tenía que estar loca para pensar que un triste guardapolvo y un peinado sencillo serían capaces de eclipsar la belleza y la elegancia natural de su pose, su piel de nieve o sus andares señoriales.

Acababa de discutir con su padre. Una vez más. Y esta vez había sido una de esas discusiones en las que uno de los dos debía mostrar la sensatez y la prudencia de abandonar el *ring* o, de lo contrario, acabarían llegando a las manos. ¡Y nada le causaría mayor satisfacción, aunque estuviera mal pensarlo siquiera, que darle un buen pescozón al viejo, a ver si de ese modo entraba en razón y los engranajes de su cabeza volvían a su sitio!

Esa mañana, las faltas de respeto que solían imperar en sus discusiones habían traspasado ya la fina línea del enfrentamiento verbal para derivar en un nivel superior en el que, muy seguramente, ninguno de los dos podría parar, y que acabaría acarreando consecuencias catastróficas.

Como sucedía siempre, el sensato y, por tanto, el primero en abandonar y tragarse la bilis, había sido él. El viejo era tan obtuso que, si por él fuera, seguiría embistiendo contra la pared durante horas.

Don Jenaro había insistido en que le acompañara a la fábrica para supervisar la producción y observar de cerca las tareas de los trabajadores. Además, entre otras muchas cosas, quería mostrarle a su hijo la balsa de salmuera que habían construido en la parte nueva del edificio.

Por supuesto, y siguiendo la costumbre, él se había negado, lo cual había desatado la furia del viejo titán.

Muy al contrario de lo que pensaba su padre, no se trataba de que tuviera a menos el trabajo en la nave de salazones y conservera. En los duros tiempos que corrían, cualquier trabajo resultaba digno, máxime teniendo en cuenta las terribles condiciones en las que trabajaban aquellos hombres y mujeres bajo la mano dura e inflexible del viejo Monterrey: jornadas de trabajo que superaban las doce horas, pasando frío, con las manos metidas todo el día en aquellas gruesas arenas de salitre o, por el contrario, en la balsa de agua fría rebosante de sal. Y si alguno de los empleados estaba enfermo, incapacitado o moribundo, era rápidamente sustituido, sin el menor preámbulo o escrúpulo.

Alberto no podía estar de acuerdo con un trato tan inhumano e injusto, y eso era lo que suponía para él el método empresarial de su padre. Toda la fortuna de la casa Monterrey se erigía en base a la explotación de gente sencilla que necesitaba trabajar para sobrevivir. Y a él, como hombre de leyes y defensor de la justicia, le roía las entrañas presenciar tal desatino.

Su padre, por el contrario, vivía sumamente feliz y complacido con el avance de la fábrica y el engrosamiento de sus arcas, incapaz de entender en su cabeza de chorlito que sus métodos de trabajo resultaban tan primitivos como inhumanos.

Alberto abandonó la casa con un sonoro portazo y echó a andar calle abajo, bordeando la zona portuaria, buscando algún tipo de entretenimiento capaz de distraerlo de sus problemas familiares.

Detuvo un carro descubierto de alquiler y le pidió al mayoral, que se sentaba con altivez en el pescante mientras estrujaba un cigarro entre los labios, que le llevase a cualquier sitio capaz de distraerle. ¡Cualquier pasatiempo sería bien recibido con tal de no volver sobre sus pasos y gritarle al viejo cuatro cosas que, por lo visto, nadie se atrevía a decirle, pero que eran lo único que el tirano merecía oír!

Hacía bastante fresco, a pesar de la presencia de la esfera brillante, que resplandecía con gracia sobre el tapiz ampliamente despejado del firmamento. Era una de las consecuencias de vivir junto al mar: la brisa del norte procedente de mar adentro no permitía que las temperaturas concordaran con la sonrisa limpia y radiante del astro rey. En San Julián siempre hacía fresco, y siempre era necesario vestir prendas de abrigo, aun en pleno verano.

El viento sacudía con vigor, como si fuera a arrancarlos de cuajo, los toldos del mercado, así como los amplios y oscuros refajos de las campesinas que cruzaban la plaza con la mercancía sobre sus cabezas, apoyadas encima de rodetes de paño, sujetando aquellos enormes barreños repletos de pescado fresco y verdura apenas con una mano, o con ninguna, mientras caminaban con andares erguidos y una tonada popular en los labios.

Ana observaba con curiosidad a su alrededor. Había pisado el pueblo en contadas ocasiones, muy pocas veces en un día tan concurrido como el del mercado, por tanto todo resultaba novedoso a sus ojos. Y todo despertaba en ella curiosidad: el bullicio que provocaban las vendedoras, sentadas en pequeñas banquetas anunciado a voz en grito sus productos, el correr de los chiquillos inmersos en sus juegos, o la multitud de voces y conversaciones que flotaban en el aire y llegaban a sus oídos arrastradas por el viento.

El repique de los zuecos de madera de los aldeanos resonaba en el suelo empedrado del mercado, y el olor de los excrementos del ganado, de las balas de heno humedecidas, los estridentes rebuznos de los pollinos y los mugidos agónicos de las vacas añorando a sus crías, las risotadas de los hombres en las cantinas y los aromas del pulpo y de los erizos de mar cociéndose en enormes cacerolas de cobre ascendían en volandas por todas partes, llenándolo todo.

Doña Angustias la llevó calle arriba, bordeando los puestos, tratando de sacarla de su estado de ensimismamiento para evitar que se tropezara o tirara la mercancía expuesta. No pudo evitar sonreír de pura satisfacción, observándola con mal disimulada ternura, cuando descubrió los ojos verdes de la niña abiertos como platos y sus labios ligeramente separados en una expresión de muda fascinación.

Ana era como un niño pequeño que descubriera el mundo por primera vez, y se sintió orgullosa de ser ella la que se prestara a mostrárselo en esa ocasión.

Había cestos a rebosar de simientes: maíz, trigo, centeno... y otros con berzas, repollos tempranos, cebollas, coliflor, tomates y ristras de ajos. Arenques, cangrejos y productos típicos de un puerto pesquero. Cabritos asándose al espeto. También vieron gallinas rubias cacareando y escarbando la tierra por todas partes, conejos enormes apiñados en cestos de mimbre, de color gris y mirada despierta, que hicieron sonreír a la niña ante el parecido que guardaban con cierto pretendiente indeseado; vacas con sus terneros, caballos, yeguas de tiro, mulos e incluso cerdos atados como si fueran un perro doméstico en presencia de su amo. Todo estaba a la venta. Aperos de labranza, carros agrícolas, huevos, quesos caseros, pilas de leña de castaño para la lumbre, enormes cacerolas de cobre, mantas maragatas... a Ana no le alcanzaban los ojos para mirarlo todo y grabar los trazos de aquella pintoresca acuarela en su mente.

Con su brazo enlazado al de doña Angustias, alzaba la cabeza y estiraba el cuello para apreciarlo todo y no perderse detalle. Miraba la mercancía en venta, pero también miraba a la gente, escuchaba de refilón sus conversaciones, sonreía y alzaba las cejas, motivada por ellas, sintiéndose testigo de cotilleos maliciosos que su mente ingenua ni siquiera habría llegado a sospechar. Parecía disfrutar de aquel instante de libertad como si le fuera la vida en él, sabedora de que, tal vez, tardaría mucho en repetirse.

Doña Angustias fue consciente de cómo los dedos de Ana se cerraban con fuerza sobre su brazo, y de cómo incluso le clavaba las uñas a pesar de los guantes y de la gruesa tela de su manga. Le dirigió una mirada amonestadora, pero contuvo sus palabras al descubrir la expresión de su rostro.

De repente, estaba lívida como la cera y su semblante parecía reflejar en cada poro un torbellino de emociones reprimidas. Siguió la dirección de sus pupilas para detener la mirada a pocos metros, en la silueta de un hombre que, a su vez, las observaba con una fijación extraña.

Doña Angustias parpadeó con nerviosismo tratando de entender por qué los dedos de la niña seguían cerrados con fuerza sobre su brazo o por qué diantres sus uñas se clavaban de forma cruel en su piel. Pero lo único que veía era la mirada inmóvil de Ana cosida a la silueta de aquel desconocido y, a su vez, la oscura figura del hombre parado a escasa distancia, siendo también él muy consciente de la presencia de ambas.

Frunció el ceño y lo evaluó con rapidez. Nunca lo había visto por el pueblo y, desde luego, no tenía aspecto de mercachifle. Era un hombre maduro que seguramente rondaría la treintena, o incluso, la rebasaba; frente despejada con algunos frunces fruto de la edad y la experiencia; mirada firme y penetrante, tal vez debido a la profundidad de sus ojos oscuros, a la severidad de sus cejas gruesas o a la arruga invariable que se dibujaba en su entrecejo; abundante cabello ondulado peinado con raya a un lado, largas patillas y aspecto cuidado.

El caballero vestía un gabán de paño oscuro y enorme solapa, bajo el que asomaban un chaleco de *tweed,* los puños impecables de una camisa blanca y el elaborado lazo de un pañuelo color crema que vestía su cuello.

Aparecía en esos momentos ligeramente cargado de hombros, observándolas con el brazo izquierdo cruzado sobre el pecho, recogida la mano en el pliegue del brazo derecho, que se alzaba hasta acariciar con los dedos la barbilla. Una pose comedida y que a su vez acusaba los aires obviamente distinguidos de su propietario.

—Nana, sujétame fuerte porque creo que me voy a desmayar en este mismo instante... —murmuró la niña para su sorpresa, justo en el momento en el que el hombre rompía su pose de estatua inanimada para acercarse a ellas.

Doña Angustias le vio acercarse al mismo tiempo que era consciente de cómo se incrementaba la dolorosa presión de aquellos dedos enguantados sobre su antebrazo. Como la niña siguiera apretando de ese modo, iba a dejarla sin circulación.

El hombre se paró frente a las dos, inclinó la cabeza en una enérgica reverencia que ambas respondieron con flexiones rápidas de rodillas y habló con una voz grave y, ¿a qué negarlo?, seductora.

—Señorita Guzmán, ¡qué inesperada sorpresa!

Por alguna razón inexplicable, se había dirigido a ella, pues a pesar de su avanzada edad, su condición de soltera seguía convirtiéndola en *señorita*; pero sus profundos ojos negros no la miraban a ella, sino a su niña Ana.

Observó entonces a la joven y descubrió dos rosas escarlata manchando sus mejillas, así como un curioso brillo cintilando en sus pupilas. Y casi podría asegurar que el corazón juvenil estaba a punto de salirse de la suave coraza de seda rosa y encajes que lo cubrían. ¿Acaso aquellos dos se conocían? Todo parecía indicar que sí. Y en ese caso... ¿cómo era posible?

Ana tragó saliva. Sentía la garganta seca y el corazón zumbando desbocado en su pecho. No lo había creído posible cuando le distinguió de pronto entre el gentío, a pesar de que a esas alturas sabía que reconocería su rostro en cualquier lugar, aun existiendo una multitud de por medio, como era el caso. Por algo había estado presente en sus pensamientos desde el día anterior, adueñándose de sus sentidos y de todas y cada una de sus horas de sueño.

Pero ahora que había dejado de ser un sueño para convertirse de nuevo en una persona real, ahora que se había acercado a ellas y había hablado con aquella voz tan grave y viril, su corazón había reaccionado actuando como un demente, golpeando del mismo modo que las feroces olas del Cantábrico contra las rocas: sin ningún tipo de piedad.

Se humedeció los labios para intentar hablar, aunque era consciente de que haría falta mucho más que eso para que la voz brotara con normalidad de su garganta. Si sus palabras temblaban tanto como sus piernas, aquello iba a ser un auténtico desastre. Y no quería ponerse en ridículo por segunda vez delante de él.

—Señora... —Alberto se inclinó hacia la anciana que escoltaba a la joven, ignorando su identidad. Ana fue consciente del detalle y se apresuró a hablar:

—¡Le presento a doña Angustias Guzmán! —Miró a su ama con intención y los ojos abiertos de par en par, ejecutando un alzamiento de cejas mal disimulado—. Mi madre.

Esperaba que la anciana fuera buena y le siguiera el juego, pero no contó con la expresión de pasmo que asomó al rostro de la buena mujer, ni con el inesperado ataque de tos, fruto de la sorpresa y la incredulidad, que la acometió y casi la llevó a desgañitarse. Tras unos segundos de sofoco, en los que Ana palmeó su espalda, la anciana se recompuso, encarnada como una amapola y jadeante como un jamelgo tras una inesperada carrera, para fulminar a su niña con la mirada. Ana, por toda respuesta, esbozó una sonrisa tímida y rezó para que no la descubriera. En efecto, el ama continuó callada como una bendita, aunque si las miradas mataran...

—Es un auténtico placer, señora Guzmán —dijo él, insistiendo en la reverencia a la mujer. A continuación, se dirigió de nuevo a la joven—. No esperaba encontrarla esta mañana en el mercado.

Ella se ruborizó con intensidad y fue consciente del suave calor que subió por su pecho.

—Tampoco yo a usted, teniendo en cuenta que solo está de paso. Pensé... —temí, en realidad—, que ya se habría usted ido.

Él cabeceó en negación.

—Permaneceré todavía unos días en San Julián, como le comenté. —Doña Angustias alternaba la mirada de uno a otro, sin entender nada.

—¿Y le complace el pueblo? —Fue lo único que pudo decir Ana sin que la lengua se le trabara.

Alberto amplió la sonrisa y asintió con un movimiento apenas perceptible, como si calibrara en una balanza los pros y los contras de aquel lugar. Contras: la presencia de su padre y las incomodidades propias de provincias, frente a las facilidades de la Corte. Pros: aquella hermosa criatura. Ella, toda ella, solo ella.

—San Julián es un auténtico remanso, debo reconocerlo —su voz descendió una octava para adquirir un registro bajo y seductor—, y todo lo que veo me complace sobremanera.

Ana, encendida, inclinó la mirada, consciente de que el cumplido iba dirigido exclusivamente a ella.

—Sin duda es un lugar pacífico e inalterable —comentó, pues era necesario decir algo—, aunque seguramente no a la altura de las exigencias de la gente de ciudad.

Ese comentario no era casual en absoluto, sino que tenía el objetivo de sonsacar al caballero su procedencia. Si estaba de paso, su residencia habitual se encontraba en otro lugar. ¿Dónde? Alberto picó el anzuelo al instante.

—Cierto que es muy diferente de la Villa y Corte, pero créame que de vez en cuando resulta agradable poder pasear por las calles sin necesidad de sortear carruajes o burlar la presencia de individuos con los que uno no desea encontrarse. —La divertida malicia de aquel comentario, obligó a Ana a esbozar una sonrisa—. Aquí resulta más sencillo evitar presencias indeseadas. Además —el brillo de su mirada se acentuó, volviéndola más insondable y penetrante—, siempre he oído que los bosques gallegos poseen una magia antigua e inexplicable, y que albergan en sus profundidades criaturas maravillosas. Hace muy poco he podido descubrir que así es. ¿Sabía usted que estos bosques están plagados de hadas? Aunque algunas, me temo, no son demasiado ágiles y no hacen otra cosa más que caerse entre los arbustos.

De nuevo, Ana se obligó a descender la mirada. Por fortuna, Doña Angustias permanecía en silencio, mudo testigo de la conversación, sin entender nada de lo que allí se decía. ¿Sería ella consciente de que las lisonjas del caballero iban dirigidas a su persona, o acaso tal suposición era tan solo fruto de una inflamada imaginación?

El caballero, perfectamente erguido y manos en puños a su espalda, volvió ligeramente la cabeza para observar al gentío, apenas unos segundos, y comentar con divertimento:

—¿Por qué parecemos ser objeto de interés para todos? —sonrió zalamero—. Aunque puedo imaginármelo: dos mujeres tan hermosas en la plaza del pueblo siempre acaban llamando la atención.

Para tratar de disimular su embarazo ante un halago tan descubierto, Ana desvió la mirada y percibió que, en verdad, se había formado un pequeño corrillo que les miraba con mal disimulada atención. Pero no los contemplaban a ellos dos como pareja chocante, tampoco a la anciana ama que se recuperaba a marchas forzadas de su ataque repentino de tos, sino a ella en particular. Escuchó cuchicheos, observó miradas de admiración recorriendo su figura de arriba abajo... Vio incluso cómo algunas mujeres la señalaban sin pudor con el dedo. Un calambre, producto de un estado de nervios agitado, sacudió su estómago. Instintivamente, cerró el guardapolvo con fuerza sobre el pecho, tratando de que la ajada prenda actuara a modo de escudo.

Aunque la mayoría de los habitantes del condado no sabría identificarla, puesto que no la habrían visto desde que abandonara el Pazo con cinco años, todos eran conscientes de que doña Angustias trabajaba en Rebolada al servicio de la condesa. Y ahora aparecía en el pueblo en compañía de una joven foránea a la que nadie sabía identificar. Resultaba demasiado obvio.

Si Ana hubiera sido consciente del borboteo en las entrañas de su querida nana, hubiera puesto fin a aquello de inmediato. Pero, en esos momentos, la señorita no percibía más que la presencia de Alberto y la profundidad de sus ojos negros fijos en ella. Y, como suele suceder con las mentiras, lo que empezó siendo tan solo un pequeño copo de nieve, luego empezó a rodar rápidamente convirtiéndose en una bola cada vez más grande e imparable.

—¡Oh, pueda ser tal vez porque mi madre es el ama de cría de la señorita condesa! —dijo con cierto bochorno, y cerró los dedos en torno al antebrazo de la anciana, rogando para que la buena mujer siguiera con la charada solo un poco más. La anciana, sumisa y maravillosa, cabeceó en señal de asentimiento, apretando la sonrisa hasta reducirla a una fina y severa línea transversal—. Y los moradores del Pazo siempre han llamado la atención entre los habitantes del condado, me temo.

—Oh, ¡cierto, me había dicho usted que residía en el Pazo! —exclamó Alberto, componiendo una expresión de despiste. ¡Como si hubiera podido olvidarlo!—. ¿De verdad? ¿Ama de cría de la condesa? —preguntó, esta vez mirando directamente a la anciana, que ladeó la cabeza en mudo asentimiento mientras forzaba una sonrisa. De nuevo, miró a Ana—. ¿Y cómo es vivir en una casa tan augusta? Todo allí debe de ser lujos y comodidades.

—En realidad, nosotras residimos en las dependencias del servicio, por supuesto —se apresuró a aclarar—. La casa grande es exclusiva de los señores.

Alberto comprendió. La había considerado una pariente de la noble, tal vez una prima cercana o lejana, una que sin duda rivalizaría en belleza y gracia con su señora, pero ahora acababa de descubrir que tan solo era la hija de su ama de cría. Posiblemente, y eso era mucho suponer por su parte, ejerciera como dama de compañía de la condesa. No obstante, no se sintió decepcionado con el descubrimiento. Aquella criatura parecía estar muy lejos de decepcionarle de modo alguno.

—Siempre me han despertado curiosidad los linajes antiguos. Lugares de tal solera deben contar con historia propia, como si una antigua magia emanara de cada muro. Y tengo entendido que la casa de Altamira reúne todos estos requisitos: antigüedad, historia... —Exhaló con fuerza, desinflando el pecho—. ¡Estoy de paso en el pueblo, pero ni se imaginan todo lo que he oído mencionar a esa familia en las últimas horas!

Ana se puso en guardia.

—Espero que fuera para bien —añadió, azorada, y empezó a caminar con paso distraído, incapaz de controlar su desasosiego, obligando a sus dos acompañantes a seguirla—. Supongo que a todo el mundo le fascina la pompa que rodea a los Altamira, las historias que encierra un Pazo tan antiguo y la distinción que acompaña al apellido. Se trata de una de las familias más ilustres de la provincia, y de toda Galicia, me atrevería a decir.

Alberto caminaba a su lado con los brazos recogidos a su espalda y las manos ocultas bajo los faldones de su gabán. Una ilustre familia que, por lo visto, muy pronto estaría emparentada con la suya a través de los lazos del matrimonio. De un matrimonio tan absurdo como esperpéntico, todo había que decirlo. Ojalá pudiera entrevistarse a solas con la condesa para advertirla de lo inapropiado de tal unión. Le pediría que reconsiderara sus opciones antes de emparejarse de por vida con un patán al que solo le faltaba rebuznar para ser en todo como un asno.

—¿Es amable la señorita condesa? —preguntó de pronto, absorto todavía en sus cavilaciones. Lo que en verdad quería decir era: «¿Merece lo que se le viene encima?».

Doña Angustias boqueó y alzó una mano, amagando una respuesta, pero Ana la silenció en el acto, ciñendo con fuerza su brazo, bajando su mano alzada y apresurándose a responder en su lugar.

—¡Lo es, sí, muy amable! ¿Verdad, *madre*? —Y miró al ama, abriendo mucho los ojos y elevando las cejas en una silenciosa regañina.

El ama carraspeó, tratando de aclararse la voz y de quitarse el pasmo de encima. Su ceño fruncido, dedicado exclusivamente a su niña, y su sonrisa forzada eran prueba más que evidente de su conflicto interior.

—Es una muchachita un poco... *intrigante* —respondió la mujer, dilatando las aletillas de la nariz con una profunda inhalación.

En respuesta, Ana esbozó una sonrisa exageradamente amplia.

—¿Intrigante... pero amable? —Alberto también sonrió, confuso. Ninguna condesa amable merecería ser desposada con su infame padre. Prefería que fuera intrigante, incluso malvada, frívola e intratable, para juzgarla digna de su aciago destino—. Siempre he tenido a estas señoritas de alta alcurnia por damas frívolas y consentidas, acostumbradas a hacer lo que les viene en gana. Bellos escaparates de un apellido, bonitos adornos para una casa, ornados floreros para un baile, pero sin nada a tener en cuenta en la sesera. Si usted me dice que la señorita condesa, en lugar de todo esto, es una dama amable y...

De nuevo, doña Angustias boqueó en un intento de intervenir y dar su opinión real acerca de la intrigante condesita, pero Ana se lo impidió con un nuevo apretón en el brazo.

—La señorita de Altamira no es así, ni boba ni pretenciosa, se lo aseguro —corroboró, muy seria—. Es una buena muchacha—suspiró—. Apuesto a que a todas las jóvenes que se pasean ahora mismo por esta plaza les encantaría estar en la piel de la condesa de Rebolada y señorita de Covas —continuó. Y en su voz, cualquiera podría apreciar una extraña tristeza que, por supuesto, no pasó desapercibida a Alberto, que alzó la mirada para observarla con curiosidad—. De ser así, no pueden imaginar siquiera el triste alcance de sus deseos.

—¿Y a usted no?

Ana volvió la cara para dedicarle una mirada profunda. De este modo, sus ojos se encontraron durante un segundo en el que el mundo dejó de girar y el oxígeno de recorrer sus cuerpos.

—¿Cómo dice?

—¿No le encantaría ocupar el rol de la condesa, aunque fuera por unas horas? Usted ve cómo vive, la trata a diario. ¿No le gustaría ser ella?

—No, a mí no. —Y rápidamente desvió sus pupilas a los cestos llenos de víveres, devolviendo el dinamismo a las figuras que, mientras hablaba con Alberto, habían permanecido invisibles a sus ojos—. Si pudiera elegir, sería cualquier cosa menos la señorita condesa de Rebolada. Créame.

Los dos permanecieron en silencio durante unos minutos, andando con paso distraído entre los puestos de verduras, pescado fresco y animales de corral.

Doña Angustias, caminando en el lado opuesto a la pareja, realizaba a la perfección su papel de carabina silenciosa. Una incapaz de estorbar con su presencia a sus acompañantes, y mucho menos a su consentida señorita. Aunque por dentro estuviera que echaba humo y deseara pillar por banda de una vez por todas a su niña para interrogarla a conciencia y descubrir el origen de aquella absurda charada.

—Confieso que la condesa me provoca una cierta curiosidad, ya lo ve usted por mis preguntas —habló de repente Alberto, consiguiendo que sus palabras intrigaran a su acompañante hasta el punto de dedicarle una mirada ceñuda—. ¡Pero es normal, se lo aseguro! Estas grandes personalidades siempre me han llamado la atención, siempre he deseado ver más allá de lo que muestran a través de su bella y cuidada fachada. En el fondo no dejan de ser personas normales que sienten y padecen como el resto de los mortales, ¿no lo cree usted?

Ana le miró intrigada y el ceño fruncido se aligeró. ¿Le gustaría ver más allá? ¿Le gustaría saber qué pensaba y qué sentía? ¿Quería conocer lo que guardaba en su interior, lo que la torturaba y la hacía feliz?

—Cuando paseo por delante del Palacio Real, la persona de su Majestad me produce la misma curiosidad —continuó él—. Todos estos personajes parapetados tras los muros de sus mansiones lo hacen, me temo. Deben de sentirse tan lejos de todo, tan apartados del mundo dentro de sus enormes heredades... Al menos yo me sentiría así.

Ana parpadeó muy deprisa. ¿La comparaba con la reina?

—¡Puedo asegurarle que la condesa es una joven muy sencilla! —se apresuró a argumentar, con demasiado énfasis tal vez—. ¡No existe comparación posible con su Majestad! Ella no es, la señorita condesa no es... —meneó la cabeza, rendida—. ¡No es como muchos piensan que debe ser! —Se silenció un segundo, sopesando las palabras. Tanta vehemencia podía resultar contraproducente. Y delatora.

—Pero no me ha comprendido usted —rio él, intrigado por el repentino sofoco de la joven—. Cuando pienso en estas grandes personalidades mis pensamientos no van acompañados de ligereza o banalidad, envidia o desazón, no me malinterprete. Más bien podría decir que siento... lástima de ellas.

Es el único sentimiento que puede inspirarme esa desgraciada si va a desposarse con el viejo avaro.

Ana de nuevo fijó en él una mirada penetrante. Sus pupilas brillaban. Sus labios, temblaban.

—¿Lástima? —jadeó—. ¿Por la reina... y la condesa?

—Sí, compasión. —Ella separó ligeramente los labios en mudo gesto de sorpresa. Su corazón estaba a punto de colapsar—. Imagino lo lamentable que debe de resultar saberse una marioneta a merced de cualquier despiadado titiritero —Pensó en la dama de Altamira y en su padre, en su próxima y desacertada unión y meneó la cabeza con desaprobación—. Su señorita condesa, tan joven, tan indefensa, tan inexperta, tan condenada a condescender... y tan obligada a hacerlo.

Ana sintió una punzada en el alma, un zarpazo en el corazón y un ejército de mariposas en el estómago. En algún momento había surgido un agujero en el centro mismo de su pecho; un agujero que crecía a cada paso hasta alcanzar dimensiones opresivas. Continuó mirándolo con interés y secreta fascinación. Aquel hombre parecía entenderla y leer en su alma. No la veía como una diva inalcanzable. Comprendía sus demonios. Aunque, en la cabeza del caballero, aquella empatía fuera dirigida a otra persona. A la supuesta condesa.

—¿Y qué otra cosa podría hacer ella? Al fin y al cabo la condesa no es más que una mujer, una que ni siquiera posee la mayoría de edad suficiente para dirigir su vida. —Expresar en voz alta aquella amarga sentencia dejó un regusto desagradable en su alma.

—¿Qué podría hacer? ¡Rebelarse, santo Dios! —exclamó él con vehemencia, simplemente pensando en su padre—. ¡Y cortar esos hilos que la mantienen atada a quienes pretenden manejarlos! Y si no pudiera cortarlos, al menos aflojarlos para permitirse cierta libertad de movimientos. ¡Debería darse la vuelta y librarse de los grilletes que le han impuesto, y jamás acatar órdenes que le impidan actuar con criterio propio!

Ana le miró fascinada, y él le devolvió una mirada profunda y penetrante.

—Porque quiero pensar que la muchacha no es una completa cabeza hueca, sino que es capaz de pensar por sí misma y tomar sus propias decisiones.

—Lo es, se lo aseguro —dijo apenas en un susurro, mientras, una vez más, sus ojos permanecían firmemente enlazados con hilo invisible durante más tiempo del estimado prudente—. Pero no creo que esa liberación sea tan sencilla. Su padre... —y acto seguido meneó la cabeza en negación, temerosa de hablar más de la cuenta— jamás le permitiría decidir por sí misma.

—En ese caso, debe aprender a ser más lista que los que la rodean: adivinar la siguiente jugada y encontrar el modo de capearla. En definitiva, usar su inteligencia y ese sexto sentido atribuible a su sexo, para sobrevivir dentro del tablero de juego y salvarse.

Y elegir así su propio destino, y ser capaz de rechazar elecciones desacertadas. ¡Santo Dios! ¿Mi padre? ¿Por qué?

—Estoy segura de que así lo haría, si pudiera —murmuró Ana, ceñuda—. Pero creo poder asegurar que no es una mujer libre, jamás lo ha sido en realidad, ni le dejarán serlo. Sus cadenas son demasiado gruesas y su carcelero, demasiado severo.

—¿No es libre... o no es valiente?

Ana suspiró. De repente se sentía muy cansada.

—Desde el momento de su nacimiento, su destino ha dejado de pertenecerle, doy fe de ello. Su vida va firmemente unida a un título y a un sinfín de obligaciones que no puede desatender.

Como la de casarse con alguien que le repugna por un mero capricho de su padre.

Alberto caviló unos minutos en silencio mientras continuaban el paseo.

—Usted también la compadece.

Las mejillas de Ana se tiñeron de escarlata una vez más.

—¿Cómo dice?

—A la joven dama —aclaró—. Comprendo que no desee usted cambiarse por ella; al fin y al cabo, a una persona a la que le arrebatan la posibilidad de ser libre, de expresarse, de alzar su voz, también se la arrebatan de ser feliz.

Ana fue incapaz de tragar saliva, a pesar de la sequedad de su garganta y del nudo que apretaba fuerte en ella. Una sola gota de líquido bastaría para deslizarlo hacia abajo y, sin embargo, ahí estaba y ahí permanecería *per secula seculorum*, firme e inamovible como la negra sombra que empañaba su destino.

Continuaron paseando por el mercado durante un buen rato, hablando de mil y un temas intrascendentes, como el tiempo y el estado de los caminos, nunca más de la condesa o los habitantes del Pazo, aunque la mayoría de las veces se dejaron envolver por los silencios. Hablaron más las miradas de ambos que todo aquello que pudieran llegar a decir los labios, y mucho más los silencios arrobados, las caídas de párpados, los puños apretados a la espalda y las sonrisas cargadas de timidez que cualquier palabra dicha.

Hay almas, sin duda, que pueden perfectamente hablar y expresarse a través de los ojos, y corazones capaces de compenetrarse sin necesidad de palabras.

Finalmente, se detuvieron al pie de la bocacalle que comunicaba la plaza con las afueras del pueblo, donde, medio oculto tras unas altas y floridas acacias, permanecía el carruaje con el rico timbre heráldico de la casa Altamira tallado en las portillas.

Sabiendo que era el momento de separar sus caminos, muy a su pesar, el caballero les ofreció un contenido cabeceo a modo de despedida, sintiéndose incapaz de apartar los ojos de Ana, y las mujeres ejecutaron a su vez sendas flexiones de rodillas en rápida reverencia. Pero ninguno se movió.

De forma sorpresiva, Alberto tomó la mano de la joven, sujetándola apenas por la punta de los dedos, provocando en ella un ligero sobresalto, e hizo ademán de llevársela a los labios. Todavía inclinado hacia ella, rozando la fina tela de los guantes con los labios y traspasándola por completo con sus penetrantes ojos negros, susurró de forma que tan solo ella pudo oírlo:

—Espero que el cielo me permita deleitarme de nuevo, y pronto, con la visión de su ángel más bello. —Acto seguido, se volvió hacia doña Angustias para expresarse en un tono perfectamente normal—. Señora, ha sido un placer.

Ana no fue capaz de decir nada; bastante tuvo con disimular la sonrisita boba que amenazaba con desbordarse, afianzar su agarre en el brazo del ama y tirar de ella con brío calle arriba, mientras los braseros de sus mejillas ardían con fuerza, y sus ojos, estaba segura de ello, brillaban como dos luceros del alba.

En un momento dado, en mitad del callejón, volvió la cabeza para encontrarse con la mirada del caballero que, al pie de la calle, continuaba en la misma pose en la que lo habían dejado, observándola con mirada fija e inescrutable.

Se mordió el labio inferior, dejó aflorar la sonrisa y se volvió a toda prisa para continuar calle arriba, hasta desaparecer finalmente del campo de visión de su querido Alberto.

Por fortuna para ellas, el caballero no fue consciente de cómo un grupo de chiquillos se acercaba entre risas a las mujeres para rogar una limosnita, conscientes de la identidad de la dama joven.

—Tocado y hundido... para siempre —murmuró Alberto, una vez a solas en la embocadura del callejón, hablando en realidad para los elegantes nudos de su *cravat*.

—Espero que me expliques qué ha sido todo eso —siseó el ama, en el mismo instante en que ambas se sentaban en el carruaje y las portillas eran cerradas, proporcionándoles la deseada intimidad.

—Nana, gracias por no delatarme, estoy en deuda contigo. —Ana se inclinó hacia adelante para tomar las manos de la anciana y besar con devoción sus nudillos, uno a uno.

—¡Por supuesto que lo estás, y una deuda muy gorda, me temo, señorita de Altamira! —Doña Angustias bufó, tratando de mostrarse debidamente ofendida, aunque en el fondo era consciente, las dos lo eran, de que daría hasta la sangre de las venas con tal de ver feliz a su niña del alma—. ¿O tal vez debiera decir «señorita Guzmán»?

—¡No te enojes conmigo, nana querida! No he hecho nada malo en realidad. —Y la visión de ese labio inferior estratégicamente adelantado fue su perdición. Cuando habló a continuación, su voz sonó mucho más comedida y dulce, como la madre transigente a la que una hija zalamera acaba de ganar la batalla por millonésima vez.

—¡Has mentido!

—Solo he adornado un poco la realidad —se excusó, componiendo una expresión lánguida.

—¡Yo diría más bien que la has empañado! ¡Convertirte a ti misma en la hija de una sirvienta! —Meneó la cabeza con incredulidad, provocando que los volantes de su cofia se agitaran—. *¡Vivimos en las dependencias del servicio, por supuesto!* —remedó, aflautando la voz—. ¿Conocías a ese hombre? ¿Cómo es posible?

Ana puso los ojos en blanco y esbozó una sonrisa de rendición al tiempo que su rostro adoptaba un delator tono a cereza y leche.

Suspiró. Sabía que su ama era la única en la que podía confiar dentro de aquel mundo de lobos en el que le había tocado vivir, por lo que empezó a relatarle con pelos y señales la aventura del día anterior en el bosque. La anciana escuchó la narración con el rostro fruncido, y cabeceó en señal de negación cuando llegó a la parte que mencionaba la caída.

Por supuesto, Ana evitó referir que dicho caballero andante se había adueñado desde entonces de su raciocinio y de todos y cada uno de los latidos de su corazón. Tampoco mencionó que le parecía apuesto, seductor, encantador y galante. No sería capaz de exteriorizar tales pensamientos sin morirse de vergüenza o prenderse entera como una pira de leña seca.

—¿Y qué es eso de que soy tu madre y tú la simple hija de una sirvienta? —jadeó, llenando el aire de aspavientos. Tenía que protestar, que indignarse, que amonestarla; era su obligación, y cualquier excusa era válida para mostrar su enfado y su indignación—. ¡Oh, Ana, sabes que te quiero como a una hija, pero creo que esta mentira no te llevará a ninguna parte! ¿Por qué ocultar quien eres? ¿Qué tiene de malo ser Ana de Altamira?

—¿Qué tiene de malo? —repitió, incrédula—. ¡Ahora mismo... todo!

Doña Angustias levantó el dedo acusador para esgrimirlo como un bastión irrefutable.

—Las mentiras tienen las patas muy cortas, señorita, no lo olvides.

—¿Y qué más da? —suspiró, encogiéndose de hombros—. Al fin y al cabo, solo está de paso; no creo que permanezca en San Julián más de una semana o dos. Después se irá y nada de esto tendrá ya importancia.

Doña Angustias fue consciente de la tristeza implícita en esa afirmación.

—No me parece prudente, niña, ni razonable. Se trata de un juego peligroso, y no lo apruebo. Yo ya lo he dicho; ¡allá tú y tus mentiras! —murmuró, y afianzó sus brazos sobre el pecho para manifestar su descontento, a pesar de la compasión que desbordaba su alma.

Al fin y al cabo, ese era su cometido en el Pazo: ser la guía de la señorita condesa, su ángel de la guarda, la voz de su conciencia. No podía condescender a todas sus ocurrencias sin protestar un poco antes, o mostrarse debidamente severa. Pero no fue capaz de decir nada más. Porque, en realidad, el caballero le parecía amable, de buenos modales y encantador, y no pudo apreciar en él ninguna falta reprochable más allá de su ingenuidad por creer en las invenciones de la joven.

Ana suspiró y desvió la mirada al paisaje verde, húmedo y vistoso que se dibujaba del otro lado de la ventanilla. De repente, parecía que todo el peso del mundo volvía a recaer sobre sus hombros. Ya no había rastro de la joven entusiasta de hacía escasos minutos: de nuevo volvía a ser la condesa, la insondable, la pobrecita inocente atrapada en una existencia que odiaba.

—¿Recuerdas que dijiste que, cuando me enamorara, mi corazón elegiría a la persona a la que entregar mis afectos?

Doña Angustias suspiró.

—Lo recuerdo.

—¿Recuerdas que dijiste que reconocería ese amor una vez lo tuviera delante?

—¿A dónde pretendes llegar?

Ana tomó aire en profundidad.

—Creo que mi corazón ha elegido, nana.

Doña Angustias se tensó y quiso jadear, pero se limitó, por respeto a la señorita, a abrir y cerrar la boca como un pez arrojado fuera del agua.

—¡Pero si ni siquiera le conoces! ¡Por lo que dices, has hablado con él en dos ocasiones contadas! ¿Cómo que tu corazón ha elegido? ¿Acaso se ha vuelto loco tu corazón?

Ana volvió rauda la mirada para fijarla en su anciana ama, y la mujer descubrió entonces, en las verdes pupilas, el espejo de cientos de lágrimas. Las suyas también se humedecieron en el acto.

—¿Y cuánto tiempo se necesita para darte cuenta de que quieres a alguien? ¡Oh, nana, el tiempo no determina absolutamente nada! ¡En un minuto, un corazón puede sobrecogerse... mientras que, en trece años, otro puede permanecer perfectamente sepultado bajo una capa de hielo! —Ana esgrimía sus razones como una heroína a la que no le hiciera falta nada más que empeño para defender su causa.

La anciana tragó saliva, incapaz de refutar tal alegato.

—¡Ni siquiera sabes nada de él! ¡Alberto... qué más? ¡No conoces ni su apellido ni sabes quién es su familia! ¿Dónde vive? ¿A qué se dedica? ¡No sabes nada!

Percibió cómo Ana apretaba la mandíbula tan fuerte que un nervio palpitó en su mejilla. La joven desvió de nuevo la mirada al paisaje verde y generoso de San Julián.

—Lo único que sé es que no quiero al señor Monterrey. Y mucho menos ahora que mi corazón ha elegido.

9

La tarde transcurrió lentamente. Por desgracia para la joven condesa, don Alejandro no tuvo la deferencia esta vez de abstenerse de invitar a Monterrey a cenar.

El conde había regresado a media tarde de su jornada cinegética, visiblemente satisfecho con el resultado y deseoso de alardear ante un tercero impresionable de la cantidad de liebres y perdices que atestaban su cinturón de caza, así que lo primero que hizo al llegar fue enviar un mensajero a la residencia del empresario para convidarlo a catar las delicias obtenidas por tan diestro cazador.

A esas alturas, todo San Julián sabía que no poseía la menor destreza en el manejo de las armas, sino tan solo el servicio inestimable de sus perros de caza y sus fieles lacayos, que eran los que en verdad levantaban la pieza, se la ponían a tiro y hacían todo el trabajo. Incluso con los ojos cerrados, sería imposible errar el disparo. Luego, por divertimento del patrón, estos pobres serviles corrían a la par de los canes, azuzados como tales, en busca de la pieza abatida para ofrecérsela al señor conde. Aquellos pobres siervos no poseían dignidad, ni el señor les permitiría tenerla jamás.

Ana, previamente advertida de tan aciaga invitación por boca de su querida ama, permanecía sentada frente al tocador de palisandro con la mirada perdida en la imagen que le devolvía el espejo, dejándose hacer por Silvana, su amable doncella personal, como una muñeca de porcelana a la que su propietaria peinara y acicalara sin necesitar su consentimiento. La muchacha se afanaba en alisar los lacios mechones color miel, perfectamente ceñidos a la sien y tirantes hacia atrás, para reconducirlos después y trenzarlos en un discreto rodete sobre la nuca. La cabeza se vencía a los lados ante el concienzudo cepillado por parte de la doncella, meneándose sobre un cuello que por momentos parecía no ser suficiente para soportar el peso de sus pensamientos. La doncella bien podría deshacer el sencillo peinado y colocar en su sitio un despeluchado nido de mirlo, o incluso cortarle de un tajo todo el cabello hasta que quedara al ras, y la absorta propietaria de aquella hermosa marea castaña seguiría sin inmutarse. Tenía la mirada perdida, vacía, y el semblante carente de expresión. Su rostro era el espejo perfecto de la desolación que crecía en su alma.

Una vez rematado el peinado, Ana se levantó con aire derrotista, como el reo que camina sin escape o posibilidad de indulto hacia el cadalso alzado para él, y se paró en el centro de la habitación, acatando la rutina a la que había tenido que adaptarse a su vuelta de Madrid: dejarse vestir, asear y componer como si fuera una inútil o una muñeca sin personalidad.

La doncella, siempre dócil y amable, ajena a la desazón de la señorita, continuó con su labor para ayudarla a completar su atavío. El siguiente paso consistía en apretar los cordoncillos del corsé. La joven, sujetándose a los pilares del dosel, soportó los fuertes apretones cerrando los ojos y ahogando la respiración. Con cada nuevo empellón, sentía cómo se le contraía el alma y cómo su interior se vaciaba de emociones. En verdad, rezaba con desesperado fervor para que el siguiente ceñimiento le hiciera perder el sentido, la llevara a desfallecer o a morirse allí mismo; cualquier cosa con tal de librarse de su destino.

Mientras la señorita continuaba desmotivada y resignada, la doncella le ayudó a vestir un sobrio vestido de tafetán y seda natural, con recuadros en violeta y blanco; abrochó los botones que cerraban el cuello, ahuecó los bullones de los hombros, encajó la cinturilla y alisó la falda con la mano, acomodando la pesada tela por encima del armador.

Ana se volvió despacio y se contempló en el espejo. Había elegido un vestido sin escote, con recatado cuello de caja y sobremanga en forma de pagoda rematada con doble volante, cuya manga interior de gasa terminaba en un puño ceñido de encaje. Uno de los pocos vestidos de su armario que dejaban la menor parcela de piel al descubierto. Lo había hecho a posta. No poseía la presencia de ánimo para arreglarse y agasajar a su padre o alimentar la lujuria de aquel anciano detestable. Y a partir de ahora, así sería siempre: cada vez que tuviera la odiosa obligación de soportar la presencia de Monterrey, luciría sus atavíos más sobrios, horrorosos y pasados de moda.

Puede que se tratara de una reacción sumamente pueril, pero estaba dispuesta a cualquier cosa con tal de desmotivarle, de afearse a sus ojos... o, al menos, de no resultar tan apetecible. Recordó entonces la siseante afirmación de su padre cuando interrumpió su baño nocturno: «Me temo que, por mucho que te alces en rebeldía, no conseguirás mermar su interés por ti. Se muere por desposarte».

Un escalofrío, producto del más profundo horror, la sacudió de arriba a abajo y se obligó a parpadear para hacer desaparecer las lágrimas que asomaron a sus ojos. No lo iba a permitir. Si al final tenía que claudicar y entregarse, lo haría tras luchar a brazo partido contra su destino. Y lucharía hasta vencer o desfallecer.

Volvió el rostro hacia la doncella.

—¿Qué te parece, Silvana? —Abrió los brazos para exponerse ante la joven, como un objeto envuelto en un modesto papel de regalo—. ¿Qué imagen ofrece esta pobre condesa?

La sirvienta pareció evaluar su respuesta unos segundos.

—El vestido no le hace demasiada justicia, señorita, me atrevería a decir que es demasiado sencillo para ornar su belleza como se merece.

¡Bien! Era justo lo que pretendía, pensó, sonriendo por dentro.

—¿No desea elegir otro más vistoso de su vestidor? Tiene usted tantos y tan bonitos... Si quiere puedo prepararle uno ahora mismo, no tardaré más de cinco minutos.

Ana sonrió con amargura a la muchacha.

—Este es perfecto, gracias.

Perfecto para disuadir a un espantajo dentudo.

Una vez ante las puertas del comedor, no pudo evitar pararse bajo el umbral, más por cobardía que por presunción, provocando que su detención, para su desgracia, causara un mayor efecto en su entrada. Si hacía un minuto, allá arriba, se había sentido decidida a luchar por su destino y su libertad, a enfrentarse al déspota, al lujurioso, al tirano y al depravado, ahora, en presencia de aquellos dos terribles enemigos, en la soledad de un campo de batalla de mármol y caoba, notaba que su aplomo y su valor estaban a punto de flaquear, sino directamente por los suelos. Temblaba, temblaba como una vara verde, y lo que más temía era que sus acompañantes pudieran apercibirse de ello y atacaran allá donde más sabían que le iba a afectar.

Suspiró. Ojalá pudiera abandonar la estancia con cualquier pretexto para refugiarse en su habitación, aunque a juzgar por la severa mirada de su padre, que acababa de levantarse seguido por el otro caballero, no creía estar a salvo de él ni aun ocultándose en el último confín del mundo.

Una breve sonrisa asomó a sus labios cuando reparó en la expresión del conde. ¡Bien! Su pequeño acto de rebeldía había surtido efecto, al menos en el severo y malicioso conde de Rebolada. El otro caballero no ofreció muestra alguna de perturbación o desencanto, para desolación de Ana. El señor Monterrey parecía ser más tonto de lo que ella pensaba.

Pero la expresión airada de su padre le reportaba, por el momento, satisfacción suficiente. Seguramente, el aristócrata pensaría que aquel no era uno de los mejores vestidos para engatusar a ningún pretendiente, aun tratándose de uno viejo y carente de gracia, gordo, apestoso y desagradable.

Ana cruzó la estancia completamente envarada, más por necesidad que por arrogancia, sintiendo su estómago bullir con fiereza y una tirantez dolorosa en la espalda. Apenas se sentía capaz de caminar, de tan agarrotados como notaba todos los músculos de su cuerpo y a causa del temblor que hacía entrechocar sus rodillas. Con esa pesimista certeza por bandera, inhaló y continuó su fatídica cruzada, que en esos momentos poco o nada tenía que envidiar a la de los Pobres Caballeros de Cristo en Tierra Santa. Tan solo deseaba acabar cuanto antes con aquella tortura; si, además, la gruesa tela de su vestido tuviera a bien colaborar y no emitiera el delator *fru fru* al caminar, y si las miradas de los dos hombres —lasciva una y censora la otra—, no se dirigieran a ella, sería la criatura más feliz del mundo. Pero sus deseos y sus esperanzas fueron en vano: ni el vestido colaboró con su silencio, ni ninguno de los presentes apartó la mirada de ella durante un solo segundo.

Un sirviente le retiró la silla de respaldo alto y Ana ocupó su sitio en la cabeza opuesta de la mesa. Rogó al cielo que aquellos dos intrigantes continuaran con la conversación que mantenían antes de su llegada al comedor, se tratara de lo que se tratara, con tal de que no se fijaran en adelante en su presencia. Pero todo parecía indicar que tal plegaria tampoco iba a ser escuchada: por el rabillo del ojo observó con desagrado que el anciano no le quitaba la vista de encima.

—Permítame decirle que está usted encantadora esta noche, señorita de Altamira.

Ana puso los ojos en blanco y ahogó una maldición. ¿Acaso aquel bobo no tenía ojos en la cara? ¿O acaso sería tan necio como para adularla y devorarla con la mirada a pesar de su soso atavío? La próxima vez, se vestiría con un saco de patatas.

—Gracias por su gentileza, señor Monterrey. También usted está sumamente... *elegante*. —El elogio casi se le atragantó, y supo en ese mismo instante que iría directa al infierno a causa de la mentira que acababa de soltar. ¿Elegante? Tan elegante como podría estarlo un cerdo con levita.

Le sorprendió ver que su padre le hacía señas a la doncella para que no sirviera en su copa vino de naranja, sino tan solo agua. Ana clavó en él una mirada con ceño que su padre advirtió de inmediato y respondió con una sonrisa pérfida, unida a un comentario, si cabe, igual de malicioso.

—Nada de vino esta noche, querida, no nos arriesgaremos a que estropees un vestido tan... *bonito* —el retintín era obvio— por culpa de una bebida derramada a destiempo, ¿verdad?

Ana se mordió el interior de las mejillas hasta que el sabor de la sangre se hizo presente. Se sentía acorralada y sin salida, como la mosca a la que arrinconan contra el quicio de la ventana esperando el momento oportuno para aplastarla. Y el conde parecía estar preparado y con el dedo en alto para tal fin.

Un buen rato después, un hondo suspiro, surgido de lo más profundo y sincero de su alma la sorprendió por completo, vaciándola por dentro.

Bajo la mesa, cerró los puños en un arrebato de frustración. ¡Maldita fuera la hora en la que abandonó el internado! Al menos allí, en compañía de las monjitas y de sus estiradas compañeras, se encontraba más o menos a salvo. Jamás le habían prestado la menor atención, cierto; no había hecho ni una triste amiga en trece años, pero tampoco la habían molestado en demasía. No como ahora.

Al menos en el internado se encontraría a salvo de convertirse en un bocado apetecible para aquel anciano baboso y pestilente. Porque estaba segura de que el tufillo a pescado que invadía el comedor procedía de él, y no de la merluza en salsa verde que presidía la mesa.

Pero, aunque ella esquivaba los ojos de aquellos dos hombres, era muy consciente de que las frías pupilas del conde permanecían clavadas en su persona, pendientes de cada movimiento, analizando sin piedad sus gestos para poder después amonestarla con conocimiento de causa. Sin duda, en esos instantes debía de arderle la sangre al ver el poco aliento que ofrecía la muchacha a su cortejador. ¡Ni aun siendo muda, sorda o ciega podría hacerle menos caso!

Las pupilas de Monterrey, sin duda licuadas bajo el calor de la lujuria, estaban prendidas en su imagen, calibrando, imaginando, valorando la mercancía expuesta y barajando la mejor forma en la que podría darle uso. Y la certeza de semejantes pensamientos consiguió encenderla e indignarla a partes iguales. ¡Si pudiera levantarse y abofetear aquel rostro flácido hasta cansarse, sería la mujer más feliz del mundo!

Una vez terminada la cena, los caballeros se levantaron y se encaminaron al salón contiguo, dispuesto para que los integrantes del sexo masculino hicieran sobremesa, fumaran y hablaran de sus cosas. Fue el momento que Ana aprovechó para planificar su huida y ponerse a salvo. De no ser por la fluida cháchara de Monterrey, ambos hubieran podido percibir el suspiro de alivio que huyó de sus labios nada más traspasó el umbral del comedor para perderse en el pasillo.

Sus pasos, breves y comedidos en un principio, pronto alcanzaron la categoría de carrera, hasta el punto de que, por un instante, se vio a sí misma cruzando el corredor con las faldas agarradas y huyendo en estampida. Cualquier cosa antes de que los caballeros tuvieran la feliz idea de solicitar su presencia una vez terminaran con sus puros y su coñac.

Justo antes de alcanzar el pie de la escalera y reclamar la presencia del ama para iniciar el ascenso, sintió una prensa cerrarse sobre su brazo derecho, reteniéndola con dureza por el codo. Se volvió, asustada, y se encontró con la mirada rapaz del conde, atravesándola bajo una dura mirada con ceño.

—¿Qué crees que estás haciendo?

Ana tragó saliva y sostuvo su mirada, ignorando el cruel golpeteo del corazón que, en lo más profundo de su pecho, sonaba como un mazo loco percutiendo hueco y rotundo dentro de una caja.

—Me retiro a mi alcoba, señor —murmuró—. Me encuentro cansada.

Fue consciente de la dura opresión que su padre confería a la mandíbula, a juzgar por la pulsación que percibió en sus mejillas y por las finas líneas en que se convertían sus labios.

—¿Piensas subir las escaleras tú sola?

Ana casi bufó. Era obvio que su padre no se encontraba molesto por esa nimia circunstancia, pero, en aquel instante, fue una excusa tan válida como otra cualquiera. La enarboló con ganas, como el estilete perfecto para romper la fina pared de hielo que los separaba emocionalmente.

—El ama está a punto de llegar. —Y deseó que tal certeza resultara suficiente disuasión.

—Me decepcionas, Ana —dijo él secamente—. Te consideraba más inteligente.

Con un movimiento rápido, ella se zafó del agarre, liberando el brazo y alzando la barbilla con decisión.

—¡También usted me decepciona a mí, padre! —protestó, apretando los dientes—. ¡No se imagina cuánto!

Don Alejandro, manos en puños a los costados, la miró con dureza un instante, calibrando la posibilidad de maltratarla y obligarla a acompañarlo de vuelta al salón. Podría hacerlo. Estaba en su derecho. Podría llevarla a rastras, obligarla a sollozar, a suplicar, destrozar su soso peinado y su altivez; con gusto lo haría y disfrutaría de ello. Sin embargo, se limitó a recorrerla de arriba a abajo con una mirada censora y un gesto de desagrado en los labios.

—¿Es esto lo mejor que tienes? —escupió, sujetando un extremo de la falda para zarandearlo con desprecio—. ¿Para esto me gasto el dinero en modistas y varas de las telas más caras del mercado? ¡Vergüenza debiera darte vestir como una sirvienta!

De un brusco tirón, el conde desgarró la tela, que se descosió por la unión de los volantes a la altura de la cintura. El sonido de la tela al quebrarse imitó perfectamente el que emitió el interior de Ana justo en el momento en el que se rompía el fino hilo de su paciencia.

—¡No veo qué tiene de malo este vestido! —Con resolución, recuperó el extremo de tela vapuleado, para alisarlo después con dolorosa dignidad. No sirvió de mucho: el desgarro era evidente y la falda se arrugaba ahora de un modo feo—. A mí me gusta.

—Te gusta... —rugió entre dientes, arrastrando las palabras y sonriendo con malicia—. ¡Te gusta! —Su rabia y su penosa contención eran visibles a través de sus ojos inyectados en sangre y de la vena latente de su sien—. Disfrutas provocándome, ¿verdad?

Ana continuó con la barbilla en alto, sosteniendo su mirada. Su aplomo en esos momentos era notable. El temblor que hacía entrechocar sus rodillas, también, aunque por fortuna el villano no parecía apercibirse de ello.

—No sé por qué dice eso, padre. ¿Provocarle? ¡Ha sido usted quien ha roto mi vestido sin motivo aparente! —Le miró de hito en hito, y sus verdes pupilas refulgieron, frías y duras como dos piedras preciosas. Tras varios segundos de escrutinio, sacudió la cabeza, rendida—. Solo pretendo retirarme a mi habitación. Estoy muy cansada.

—¡No será a causa de lo mucho que has sociabilizado con nuestro convidado! ¡Una maldita hija muda, eso es lo que parecía tener esta noche! —bufó. Las palabras seguían sonando en su boca como arena arrastrándose entre los dientes—. ¿Cómo puede ser tan soberbia, señorita de Altamira?

Ana le vio aflojar y apretar el puño en un único movimiento, y por un instante temió que lo levantara contra ella. Golpearla era la última bajeza que le quedaba por cometer.

—¿Soberbia, dice? —jadeó, escéptica—. ¿Qué espera de mí? ¿Qué quiere que haga? ¿Pretende que me venda? ¿Pretende que obsequie con mis afectos a ese anciano apestoso?

Don Alejandro la aferró con saña del brazo, sin importarle el daño que le pudiera provocar. En ese instante, sus dedos de acero impedían toda circulación sanguínea, clavándose en la carne.

—Ese anciano apestoso será muy pronto tu marido —siseó, con aire siniestro—. ¡Asúmelo de una maldita vez! ¡Tu marido! ¡Tu amo y señor! —La zarandeó con violencia antes de soltarla de golpe. En un intento por recuperar la compostura, tiró con suficiencia de los puños de la camisa y de los extremos del chaleco—. Puedes hacerlo fácil o difícil, Ana, eso lo dejo a tu elección, aunque permíteme señalarte que cuanto más difícil se lo pongas, más disfrutará Monterrey. Es de esa clase de personas a las que les gustan los retos.

Ana compuso una expresión furiosa mientras cerraba las manos a los costados. La rigidez de su pose no impidió que la sangre le hirviera en las venas. Es más, en esos momentos, borboteaba como un caldero de lava hirviente.

—¡No lo haré! ¡No voy a casarme con él! ¡Antes me mato! ¿Me oye? ¡Me mato!

El conde no pasó por alto los ojos desorbitados de su hija y por una vez, aquella falta de contención, nunca antes observada, le descolocó. Ana siempre había sido una esfinge de indiferencia, una criatura aparentemente sin sangre en las venas. Toda aplomo y mesura.

—Te casarás —su voz, de tan tranquila, sonó especialmente amenazante, por lo que Ana no pudo evitar estremecerse— o pagarás las consecuencias. Y créeme que entonces desearás en verdad estar muerta.

La condesa alzó la barbilla con fingida dignidad mientras se esforzaba por no llorar. No, delante de aquel monstruo, nunca.

—Creo que de algún modo ya estoy muerta.

El conde hizo oídos sordos.

—Jamás me desafíes, porque no sacarás ningún provecho de ello, pequeña consentida. Y la desobediencia conlleva un severo castigo.

—¿Incluso para su hija?

—Especialmente para mi hija. Obedece, y tus últimos días como soltera te resultarán soportables. Desafíame, y solo conseguirás pasar de un infierno a otro. ¡Buenas noches, señorita condesa!

Inclinó la cabeza con energía hasta rozar la pechera de su camisa con la barbilla, giró sobre sus talones y desapareció entre los claroscuros del corredor. Todo ello después de haber traspasado completamente a su hija con la intensa ira de su mirada.

Medio pueblo todavía dormía y la otra mitad se desperezaba con el familiar aroma de la madera seca alimentando las chimeneas o el graznido incesante de las gaviotas dando en el puerto la bienvenida a los botes que volvían de faenar.

Había amanecido un día fresco y húmedo, cansino y pesado, empañado por una neblina goteante que amenazaba con perdurar todo el día.

Un caballero elegantemente vestido, ataviado con sombrero de copa, capa de paño y bigote quijotesco, abandonó el despacho del notario de San Julián portando un discreto cartapacio bajo el brazo y una sonrisa triunfal en los labios. A su lado caminaba, con los andares bamboleantes de un ganso, un caballero de escasa estatura, extremidades especialmente cortas y tronco ovoide, embozado en una capa que en nada favorecía a su breve y redonda constitución; a cada paso bufaba, sudaba y se enrojecía su blandengue rostro.

Ambos trataban de abrigarse del clima zigzagueando bajo los soportales y alzando las solapas de sus abrigos. Acababan de firmar de mutuo acuerdo un documento en el que el señor Monterrey perdonaba el adeudo que el conde viudo había contraído con su persona meses atrás. Un adeudo que había hecho boquear al mismísimo notario, y cuyo documento el noble se apresuró a firmar.

Desde el momento en que la suma había alcanzado los seis dígitos, don Alejandro fue consciente de su incapacidad para saldarla. No porque no dispusiera de tal cantidad en efectivo en las arcas de la familia, sino porque a esas alturas aquella no era la única deuda que cargaba sobre los hombros. Existían otras igual de abundantes, y cada semana seguían sumándose más; a ese paso, ni la Corona sería capaz de liquidarlas y permanecer solvente.

Pero esa misma mañana, ante notario, su principal acreedor había certificado que la deuda más ingente de todas las acumuladas hasta el momento había sido satisfecha, lo que suponía un gran desahogo y un importante paso para el astuto zorro. Todo estaba saliendo a pedir de boca y, si el plan seguía adelante, también conseguiría que el viejo salazonero pagara las deudas restantes. A camino largo, paso corto, o eso solía decirse.

—¿Y si nos dejáramos caer por una taberna para mojar el gaznate y celebrar los avances de nuestro satisfactorio acuerdo? —propuso el conde, a esas alturas ya innegablemente eufórico.

—¡Ea, unas tazas de vino siempre son bien recibidas! —El anciano se tocó el ala de su anticuado sombrero de tres picos, tratando tal vez de disimular un desasosiego que a su acompañante no parecía importar—. Aunque permítame decir que, por el momento, el único en obtener alguna satisfacción está siendo usted, señor conde. Por más que me diga o me deje de decir, no observo yo ningún tipo de avance o predisposición en la señorita de Altamira.

Don Alejandro, pecho inflado cual palomo, atrajo hacia sí con firmeza y en un acto reflejo, el cartapacio. Lo que había en su interior era lo único que le importaba.

—¡Bobadas! —exclamó, al borde de la risa—. ¡No entiende usted la mentalidad femenina, Monterrey! —El aludido alzó las cejas, dispuesto a rebatir su falta de experiencia en esas lides, pues era tan amplia como incuestionable—. Mi hija es una muchacha decente, honrada y virginal. Ha sido educada en la prudencia y en la moralidad, por lo que es natural que no muestre abiertamente sus inclinaciones. Tal actitud no sería propia de una hidalga de rancio abolengo. —Le miró tratando de cambiar las tornas a su favor, intentando componer una expresión ofendida—. ¿Hubiera preferido acaso que se comportara como una vulgar campesina, insinuándose por las esquinas?

—No es eso. Yo juraría que mi presencia le es del todo indiferente, señor conde.

El conde chasqueó la lengua.

—¡No se deje engañar por las apariencias! ¡Timidez, caballero, timidez femenina! —Y le palmeó un omóplato con suficiencia—. Debe insistir en su cortejo, hacerlo más evidente, mostrar abiertamente sus deseos, agasajarla con su compañía. Ser más insistente, señor mío, de eso se trata. Ella no le rechazará, se lo garantizo. No deje de pasarse por el Pazo tanto como guste, siempre será usted bien recibido en nuestra casa. Además —y al hablar así achicó los ojos con malicia—, todavía tenemos que liquidar ciertos puntos de nuestro acuerdo, no nos olvidemos de ello.

Monterrey torció el gesto ante la velada mención a las restantes deudas del conde, que él se habría comprometido a saldar a cambio de la mano, y del cuerpo entero, de la esquiva dama.

—Me temo, señor conde, que ya he pagado un gran anticipo sin haber obtenido la más leve compensación por ello. —Aunque caminaba al lado del de Covas, en apariencia afable, y ambos se disponían a beber hasta embriagarse y que los sirvientes los metieran a la fuerza en sus carruajes, el tono de su voz sonó firme y encerraba una sólida amenaza—. Pocos hombres pagan una mercancía antes de catarla, y este viejo empresario no piensa soltar un mísero real hasta que no observe algún avance con la señorita Altamira.

El conde apretó los dientes tan fuerte que temió por un instante que alguno se le astillara. Tendría que mover pieza con astucia antes de que el viejo se retirara del juego. Cierto que ya había conseguido mucho, pero los restantes acreedores, aunque con menores sumas contra él que el viejo, eran insistentes y poseían muy pocos escrúpulos. Cualquier noche podían asaltarle en el camino al Pazo y darle una soberana paliza, o incluso algo peor. Y no podía arriesgarse a tal suceso ahora que escondía bajo los faldones de su chaqueta, y a buen recaudo, a la gallina de los huevos de oro. Solo era cuestión de peinarle el plumaje con maestría para camelarla y mantenerla conforme. ¡Y que la dichosa gallina se tragara sus exigencias de una buena vez! ¿Acaso pretendía pedirle peras al olmo? ¿Acaso esperaba que una muchacha, una virginal doncella, se rindiera de amor ante un viejo gordo y zafio como él? ¡Bastante logro era para aquel patán que una perita en dulce como Ana se casara con él, para encima venir con exigencias ridículas!

—Obtendrá sus avances, Monterrey, yo mismo me encargaré de ello. —Y descansó una mano en su espalda para animarlo a traspasar el humilde umbral de aquella taberna abarrotada de bebedores, mientras en su fuero interno ahogaba mil y una maldiciones contra una hija melindrosa que se rebelaba a sus deseos.

La lluvia caía sin fuerza, sin prisa, aunque a un ritmo cadencioso e incesante, en forma de ese molesto y cansino sirimiri tan habitual en aquel rinconcito del mundo. Con su habitual velo traslúcido, el llanto monocorde de los cielos empañaba el paisaje verde, húmedo y fértil de San Julián, transformando aquella adorable visión en una acuarela melancólica y desdibujada. En una perfecta cortina húmeda y ondulante que se desplazaba por la pradera a un ritmo suave y lento.

Ana, sentada frente a los ventanales, permitía que Silvana le cepillara la melena con mimo, alisando la marea castaña en toda su adorable longitud para realizar después con ella un discreto recogido.

Había elegido semejante ubicación puesto que no quería contemplar su reflejo en el tocador, porque era consciente de que las lágrimas acudirían a sus ojos en el instante en que la joven del espejo clavara en ella sus ojos angustiados y suplicantes de auxilio. Sabía que enfrentarse a su propia mirada implicaría llorar. Sabía que aquel reflejo no haría otra cosa más que recordarle su imposibilidad de liberarse. De salvarse de su destino. Contemplarse sería reconocer su derrota. No podría soportar enfrentarse a aquella jovencita de mirada triste.

—¿Le hago daño, señorita? Le ruego me disculpe, por favor.

Ana parpadeó, devolviéndose a la realidad, y se percató de que una lágrima descendía en solitario por su mejilla. Con un movimiento rápido, se limpió la humedad del rostro con los dedos.

—¡Oh, no, Silvana! —musitó, forzando una sonrisa—. De hecho, que te cepillen el pelo es uno de los grandes placeres de la vida. Más si se hace con el mimo con que lo haces tú. —Echó la cabeza hacia atrás para mirarla a los ojos y esforzarse en componer para ella una sonrisa agradecida.

Silvana observó la hermosa cara vuelta hacia arriba, con los ojos, muy a pesar de su propietaria, velados por un llanto inminente, y se sintió desconcertada. Llevaba muy poco tiempo sirviendo en el Pazo: había entrado pocos días antes de que lo hiciera la propia condesa, pues su finalidad exclusiva en aquel lugar era la de ejercer de doncella personal de la hidalga. Silvana, cuya edad rondaba la de su patrona, sentía una profunda admiración por aquella criatura hermosa como un ángel, elegante como una reina y bondadosa como correspondía a una dama de su categoría. La condesa era una señorita muy humilde y cercana, muy noble y agradable, y ella le había tomado un gran afecto —resultaba imposible tratarla y no quererla, en realidad—, por lo que, en su bonanza servil, se negaba a que ningún infortunio acechara su existencia. Por ello, quizás extralimitándose en sus funciones, y siendo consciente de tal hecho, habló con voz trémula, mientras continuaba con el cepillado.

—Entonces esas lágrimas son porque está usted triste, señorita. Y un alma noble y generosa como la suya no debería estar triste por nada en el mundo.

Ana tragó saliva, apretó los párpados aplastando dichas lágrimas y se entregó al suave vaivén en el que las habilidosas manos de la doncella mecían su cabeza. No debería estar triste, pero lo estaba. No podía ser de otra forma. Su padre había decidido casarla con aquel hombre repulsivo y, a juzgar por su insistencia, no parecía dispuesto a que el matrimonio se demorara demasiado. ¿Por qué tanta prisa? ¿Tanto le importunaba su presencia en el Pazo como para querer *despacharla* de forma tan precipitada?

Mientras permaneció en el internado, él se había visto perfectamente libre de soportar su presencia, pero ahora que había regresado al Pazo, la perspectiva de tolerarla cada día del resto de su vida debía de antojársele una pesadilla. Y pocas cosas puede haber peores, ni más dolorosas para un hijo, que ser consciente del desprecio y la repulsión que despierta en un padre. Es algo... contra natura.

—No esté triste, señorita —insistió la doncella con pueril empeño—. Le haré un recogido tan bonito que sin duda será usted la flor más encantadora del Pazo. ¡Y de todo el condado, ya lo verá!

—Creo que la tristeza que siento no se puede aliviar con recogidos ni florituras, Silvana —murmuró sin abrir los ojos—, porque mi tristeza procede de dentro, de lo más profundo de mi alma.

Al menos, ninguna modista había acudido aún al Pazo a tomar medidas y presentar telas para el ajuar de la futura novia, y tampoco se había hecho un anuncio oficial ni una pedida de mano simbólica, lo que suponía un gran alivio. En el momento en el que algo de todo aquello sucediera, el descenso hacia el abismo sería ya irreversible.

—¡Ay señorita condesa, no diga usted eso! —Y su pena se contagió a la afectuosa doncella, que tuvo que suspender el cepillado para fijar la mirada en el paisaje exterior, completamente velado por el llanto de los cielos—. Los corazones buenos siempre salen victoriosos de las batallas que emprenden. Y si no, mire usted ahí fuera —Ana despegó los párpados y obedeció a la muchacha, fijando sus acuosos ojos verdes en el húmedo paisaje que se vislumbraba a través de la ventana—: ahora llueve, todo está empañado y parece que nunca vaya a escampar, ¿verdad?

Ana asintió muy despacio, prestando atención al exterior. El cielo lloraba, mostrando una extraña empatía con su presencia de ánimo.

—¡Pero lo hará, escampará! Y todo se verá más limpio y brillante que antes. Señorita —y se inclinó ligeramente para observarla cara a cara y obtener su atención—, su corazón sanará de tristezas, ya lo verá. La bruma pasará y volverá a latir con fuerza y alegría.

Ana trató de retener las lágrimas, que ya picaban y bailaban en el borde enrojecido de los ojos.

—¡Ay, mi dulce Silvana, me temo que a nadie le importa el corazón de esta condesa, ni sus tristezas, ni sus infortunios! Tan solo desean utilizarlo en propio beneficio mientras les sea rentable. Después... lo tirarán al caldero de los desperdicios y se lo darán de comer a los cerdos. —Jadeó con fuerza y cerró de nuevo los ojos, inclinando la cabeza hacia atrás y entregándose por completo a su acicalamiento personal.

La doncella no fue capaz de decir nada más. Inspiró hondo y continuó mimando con el cepillo aquella hermosa marea castaña, sintiendo una dolorosa compasión por la flor más bella e infeliz de aquel majestuoso lugar.

10

Ana retorció las manos de forma frenética y convulsa, en un gesto perfectamente a la altura de su nerviosismo.

Había sido una mala idea. ¡No! Seguramente había sido una idea pésima, Santo Dios. Pero en el mismo instante en que la lluvia hubo escampado —siguiendo las predicciones de la buena de Silvana—, una única idea, llamémosle intuición, se instaló en su cabeza, aportando un rayo de esperanza a su aciaga existencia. Por eso decidió aferrarse a dicha idea, con idéntico empecinamiento con el que un heroico guerrero se aferraría a su estandarte.

Y sí, Silvana tenía razón: ahora todo parecía más brillante y hermoso que antes de la tormenta. Y ella más boba e ingenua que nunca.

Suspiró en profundidad y, después de ello, recorrió por enésima vez el mismo espacio de terreno en un paseo tan obsesivo como metódico. De hecho, se podía apreciar perfectamente la breve parcela sobre la que la joven había descargado su ansiedad, pues la hierba humedecida aparecía pisoteada, y un estrecho surco se había creado bajo los repetitivos pasos de la nerviosa caminante. Una y otra vez. Venga a un lado y venga al otro. Y las manos que continuaban retorciéndose con frenesí. De no ser por la presencia de los guantes, a esas alturas tendría los dedos enrojecidos y sangrantes.

—No va a venir, no va a venir... ¿Por qué iba a hacerlo? ¿Acaso te lee la mente? —murmuró para sí misma, sin poder aflojar la severa arruga de su entrecejo ni el convulso aleteo de decenas de mariposas en su estómago. Y casi mejor que no fuera.

Había conseguido convencer a doña Angustias para que la acompañara a dar un paseo, alegando su necesidad de oxigenarse después de haber pasado toda la mañana encerrada en el Pazo. Aunque en realidad, y su corazón bien lo sabía, su anhelo era otro muy distinto.

El ama había aceptado, seguramente alentada por el revitalizante olor de la tierra mojada después de la lluvia. La buena mujer se había quedado reposando unos metros más abajo, sentada en el tronco derribado de un viejo roble, resollando y apretándose los vacíos, achacando a su edad y a su reumatismo la imposibilidad de ascender siquiera medio metro más. Y por más que su niña se lo pidió y tiró de ella, la anciana se plantó en aquel reclinatorio natural e insistió en que no movería ni un solo músculo no siendo para regresar a casa.

Ana hizo un mohín. Quería subir un poco más, solo hasta el pequeño mirador desde el que se distinguía toda la costa. Solo hasta donde la última vez...

La anciana, percibiendo su decepción, la alentó a continuar sola, ya que realmente se trataba de una distancia muy corta; que tratara de disfrutar de la hermosa panorámica y luego volviera para reunirse con ella. Ana aceptó encantada.

Pero ahora empezaba a pensar que había sido una mala idea. Nada le garantizaba que Alberto fuera a pasar por allí. Que lo hubiera encontrado por casualidad en aquella parte del bosque la primera vez que se vieron no garantizaba que fuera a encontrarlo también esta vez, ¿verdad? ¿Quién sabía por qué habría pasado por allí? ¿Casualidad? ¿El destino? ¿Quién sabía a dónde se dirigía entonces?

No, no había sido una buena idea. Y las tripas así se lo confirmaron retorciéndose en un movimiento constrictor.

—¡Oh, Dios, Ana, maldita la hora en que hiciste caso a tu corazón! ¿Y tú, corazón, por qué no te limitas a enternecerte con poesías y dejas las cuestiones prácticas para el cerebro?

Se llevó una mano temblorosa al escote y jugueteó con los galones bordados en hilo de seda de su capellina, acariciando a su vez con devoción el relieve de su medallita de santa Ana.

En medio del fresco ambiente primaveral, del follaje y del cántico de los gorriones, sonó lánguido el eco de un suspiro.

—Estás perdida, Ana de Altamira, tan perdida como enamorada, y de nada te sirve ni una cosa ni la otra.

Se miró la puntera enlodada de sus botinas y los bajos del vestido echados a perder de barro, frunció el ceño y casi sollozó. ¿Acaso no era cierto que se sentía desesperada por verle? ¿Acaso no era cierto que había memorizado cada palabra de las conversaciones mantenidas hasta el momento? Su rostro, su pelo, su aroma, su vestimenta. ¿Acaso no era cierto que todos sus suspiros iban destinados a él?

El agitado relincho de un caballo la hizo estremecer y la obligó a volver la cabeza en la dirección de la que procedía el pequeño alboroto para, acto seguido, llevarse una mano al pecho y esbozar una sonrisa trémula.

El corazón seguía vivo... y latía fuerte.

Alberto descendió de un salto de su caballo. Del mismo modo brincó el corazón en su pecho, con una cabriola digna de un saltimbanqui circense. Se sentía como un inocente crío que viera hacerse realidad su sueño más anhelado, sin ser él mismo consciente, hasta ese momento, de la profundidad de tal anhelo. Al menos fue así cuando divisó la silueta de Ana en el camino. ¡Qué casualidad más grata haberla encontrado allí! Aunque, teniendo en cuenta que el bosque se encontraba a más de media hora de camino de casa de su padre, y que la primera vez que la vio fue en aquel lugar, las casualidades no parecían tener mucha cabida.

¡Ah, idiota, si has venido a este lugar con un único objetivo en mente! ¿A quién intentas engañar? A estas alturas estás más pillado que una liebre atrapada en un cepo.

Cuando salió de casa esa misma mañana, su padre ya no se encontraba en sus aposentos. Los sirvientes le dijeron que había abandonado la casa apenas rayar el alba. ¡A saber en qué asuntos andaría enredado el perro viejo para tanto madrugar, condición de la que nunca había sido partidario! Además, se había llevado su capa nueva, según informes del servicio, y el pequeño tílburi, según él mismo pudo comprobar cuando cruzó por las cocheras en dirección a los establos.

Desde su llegada a San Julián, apenas había cenado en casa. Corría el rumor entre el servicio de que el anciano Monterrey se había vuelto convidado habitual en el Pazo de Rebolada, hasta tal punto que pareciera que pasaba más horas en la casa solariega que en su propia residencia. ¡Dios, ojalá pudiera mantener una entrevista privada con la señorita condesa! De ese modo la advertiría, si acaso la pobre criatura todavía permanecía ciega en ese sentido, de lo equivocado de desposarse con aquel hombre que, además de viejo y decrépito, era un patán rudo, vulgar y muy poco dado a sentimentalismos, lo que podría acabar dañando la sensibilidad de una muchacha de su condición. Ni su padre era merecedor del cuerpo virginal y el alma incorrupta de una inocente, ni aquella pobre criatura merecía un destino tan aciago.

—Señorita Guzmán —cabeceó en señal de saludo al llegar a su altura—. El cielo ha escuchado mis plegarias y me concede de nuevo la compañía de uno de sus ángeles.

La joven respondió al halago con una rápida flexión de rodillas y dos hermosas amapolas desplegándose en sus mejillas. Cuando alzó los ojos hacia él, Alberto descubrió además un fulgor resplandeciente en sus pupilas. Ahora, en medio del bosque húmedo y brillante, le parecían si cabe más verdes y vívidas que nunca.

—¡Qué grata sorpresa, señor...! —En ese momento, de nuevo, echó en falta conocer su apellido pues, a todas luces, el nombre de pila o, peor, el apelativo de *querido Alberto* con el que lo mentaba en sus sueños, no resultaría apropiado.

Aunque, sin duda, *querido Alberto* era la única y mejor forma en la que podría referirse a él, si se mantenía fiel a sus sentimientos.

Le miró, y al hacerlo, su corazón dio un vuelco. Estaba realmente apuesto ataviado con un gabán de paño hasta las rodillas, de tono verde musgo, completamente desabrochado, que permitía distinguir debajo un chaleco brocado del mismo tono y unos sencillos pantalones con bolsillera frontal. Calzaba botas de montar y un elegante sombrero que le hacía parecer aún más alto de lo que ya era. Contuvo un nuevo suspiro; ciertamente parecía un príncipe azul en medio de la espesura.

—Señorita... —Meneó la cabeza con desaprobación, y su tono, a pesar del alzamiento irónico de una ceja y de su sonrisa ladeada, encerraba una clara reprimenda—. ¿De nuevo la encuentro sola paseando por el bosque?

Ana balbuceó tornándose, para su disgusto, todavía más encarnada.

—No me riña, no estoy sola. Mi... mi madre se encuentra descansando muy cerca de aquí. —Alargó el brazo para señalar un punto invisible sendero abajo—. La pobre se agota con facilidad después de un rato de caminata.

Aquello sonaba a pretexto; el tono escarlata de sus mejillas, el temblor de los labios, la vehemencia de su voz y los movimientos nerviosos de sus manos así lo evidenciaban. Alberto percibió además el improvisado caminito pisoteado a su espalda y tuvo que contener la sonrisa. Una punzada de ternura y otra de deseo cruzaron a un tiempo por su pecho. Estaba claro que no había sido el único en buscar la presencia del otro y forzar un encuentro. Saberlo resultaba muy reconfortante a esas alturas. Era eso, o pensar que definitivamente el clima gallego y aquellos ojos verdes le habían hechizado.

—¿Será correcto que hablemos entonces, a pesar de que su madre no se encuentre presente? —inquirió con una sonrisa traviesa—. ¿O tal vez deberíamos hacer como que no nos hemos visto y seguir cada cual con su camino?

Ana percibió el juego y contuvo la sonrisa.

—¿Seguir su camino? ¿Es eso lo que desea? —Se encogió de hombros, continuando la charada—. Además, no estoy sola, si le tenemos en cuenta a usted y a los pajarillos que nos rodean.

—Cierto es. —Y se quitó el sombrero para enarbolarlo en una cómica reverencia—. Puede usted contarnos a los pajarillos, a mi caballo y a mí: le aseguro que este noble animal será mudo testigo de nuestras confidencias, y no acusará la falta. —Le guiñó un ojo, que acentuó los ya encendidos rubores de la joven—. *Lucero* es bastante condescendiente en tanto a formalidades se refiere.

Ana sonrió ahora de forma abierta y adelantó la mano para acariciar la frente albina del animal.

—No existe falta alguna. Ya hemos sido presentados —respondió—. Y no es la primera vez que conversamos. ¿O acaso lo ha olvidado?

La mirada obsidiana de Alberto imitó en negrura y profundidad el halo insondable de los pozos sin fondo. Dos pozos en los que Ana ya se sentía irremediablemente atrapada. Dejó de sonreír; se puso serio de pronto y habló con una voz más grave de lo habitual.

—Creo que no podré olvidarlo mientras viva.

Quizás fue ese el momento exacto en el que el corazón de Ana dejó de latir y el aliento huyó de sus labios. El momento preciso en el que un escalofrío la sacudió de arriba abajo y la boca se tornó seca y áspera como un cauce estéril. ¿Cuánto duró su turbación? Unos segundos, minutos tal vez; el tiempo que sus miradas permanecieron enlazadas y todo lo demás dejó de tener importancia. Con todo, se las arregló para devolverse a la vida y continuar hablando.

—Entonces creo que por esta vez podremos hacer la vista gorda, con permiso de su montura y de nuestros amigos los pájaros. —E insistió en la caricia a la testuz del animal, que acogió su cariño con un leve empujón del hocico.

Alberto la miró embelesado. Algo que resultaba inevitable teniendo delante a aquella ninfa de piel de porcelana, labios de fresa y mirada de agua quieta de lago.

—¿Le gustan los caballos?

Ella asintió, mirando el animal con dulzura y una extraña nostalgia.

—¿Monta usted?

Ella negó con la cabeza.

—Me gustan los caballos, y de niña solía montar en el regazo de mi madre. —Su tono adoptó un registro melancólico y soñador—. A ella le gustaba mucho montar, y solía hacerlo cuando disponía de buena salud. Lo hacía realmente bien: saltaba, galopaba... aunque yo nunca podría ser demasiado objetiva con ella. Para mí, era la mejor amazona del mundo.

Alberto frunció el ceño, tratando de asociar esa información con la imagen que tenía de doña Angustias. No podía imaginarse a aquella mujer oronda como una perfecta amazona. Sesgó los ojos. Había algo en los recuerdos de Ana que le resultó extraño. Algo que no cuadraba. Algo que, a la vez, sonaba lejano y doloroso en los labios de ella.

—¿Y ya no monta? —Ana parpadeó, devolviéndose a la realidad—. Su madre, quiero decir.

Ana sintió como si acabaran de asestarle una patada en el estómago. Fue por eso, quizás, que boqueó.

—¡Oh, no, ya no! —E inclinó la mirada, avergonzada de su desliz.

—¿Tampoco usted?

Replegó los labios, y sonrió cuando el animal embistió su hombro con el morro, en respuesta a sus mimos.

—Mi padre no lo permite. —Su sonrisa se tornó dolorosa y resignada—. En el Pazo hay muchos caballos, pero ni siquiera me deja acercarme a los establos. Me temo que jamás me permitiría tener un caballo propio.

—Debe de ser muy severo su padre, si me permite la apreciación. —Y acto seguido, en el mismo tono grave y sensual de antes—: No imagino qué clase de persona podría negarle algo que usted quisiera.

Ana acusó el halago tornándose más encarnada, si es que en algún momento su piel había perdido dicha coloración en presencia de Alberto.

—Pues mi padre es una de esas personas —sentenció, con voz amarga. Todos los recuerdos de su infancia, aquellos que no pertenecían a los momentos felices compartidos con su amorosa madre, pasaban por la imagen de su padre vociferando. Lo recordaba erguido y amenazante como un titán, como una sombra funesta, fulminándola con la mirada, destrozando sus sueños, sus ilusiones, sus proyectos infantiles en pos de una bofetada o un castigo injusto—. Es un hombre... intransigente y duro.

—Lamento oírlo.

Y en verdad lo lamentaba. Cualquier sufrimiento infringido a aquella criatura, por algún motivo, le desgarraba el alma. Por ello, casi sin darse cuenta, se descubrió apretando la mandíbula con fuerza.

Ana exhaló por la nariz, humedeciéndose los labios al tiempo. El verde de sus pupilas se había vuelto de pronto más oscuro y cortante.

—No se preocupe, creo que a estas alturas ya me he acostumbrado a las peculiaridades de su carácter. —Hizo una breve pausa antes de continuar—. Aunque no dejen de sorprenderme.

Y lastimarme.

Alberto se silenció. No sabía qué decir, y sin embargo sentía un deseo incontrolable de decir todo... de abrazarla y confortarla entre sus brazos, de borrar con suaves besos la leve arruga de su entrecejo y curvar hacia arriba las sonrosadas comisuras de sus labios. Deseaba protegerla y decirle que todo estaría bien, que nadie ensombrecería jamás su bello rostro si él podía evitarlo.

Como no sabía por dónde salir ni cómo liberar su impotencia y su frustración, se limitó a tirar levemente de las riendas del animal mientras decía con fingido tono animoso:

—Demos un paseo. ¿Le apetece? Según recuerdo de la otra vez, un poco más arriba hay un pequeño saliente a modo de mirador desde el que se distingue gran parte de San Julián.

Ella cabeceó en señal de asentimiento y sus ojos brillaron de nuevo, apartando de sí el velo oscuro que los había nublado hacía tan solo unos segundos.

—Sí, el punto exacto donde me caí...

—Donde nos conocimos —apostilló él.

Ana sonrió.

—Las vistas desde allí son inmejorables. Se ve casi todo san Julián. Los campos de espadañas y los esponjosos brezos rosados están preciosos en esta época.

¡Qué alegremente regresó Ana a casa! ¡Con qué algarabía saltaba en el pecho su corazón!

Había pasado los últimos y más maravillosos quince minutos de su vida en compañía de su *querido Alberto;* no más de quince, o de lo contrario doña Angustias hubiera acusado su ausencia y la habría obsequiado con la consabida reprimenda y una mirada con ceño. Y no sería porque el ama no estuviera a esas alturas perfectamente advertida de las inclinaciones románticas de su niña, o porque no conociera el destino real de sus afectos, pero sucedía que el ama era una mujer mayor que se guiaba por una moral intachable y unas convenciones absurdas. Sin duda desaprobaría esos coqueteos furtivos que nada tenían de malo y que, al fin y al cabo, le daban la vida a su niña del alma. Y mucho menos los consentiría sin la presencia oportuna de una carabina y centinela moral.

Suspiró. La próxima vez consentiría en que la acompañara, si acaso lograba convencerla de ello y la buena mujer no se deshacía en cruces y amonestaciones, y de ese modo la entrevista podría prolongarse más de quince brevísimos e insignificantes minutos.

Muy poco podía sospechar la muchacha que su gozo, una vez traspasadas las murallas de su hogar, iba a ahogarse en un pozo, en uno cenagoso, pestilente, de aguas infectas y espesas, que la recibió con una sonrisa amarillenta de formidables paletas y una mirada que rezumaba falso almíbar.

¡Con qué rapidez el corazón puede pasar del júbilo más pleno y de la algarabía más rotunda, del dulce aleteo del enamoramiento y las alegres palpitaciones de la ilusión, a la desazón más profunda y al más oscuro sopor, hasta el punto de parecer silenciarse por completo dentro de un pecho repentinamente sin vida!

El conejo dentudo y pestilente paseaba por los jardines del Pazo en compañía del conde, y ambos parecían enfrascados en una conversación de lo más interesante, a juzgar por sus risas socarronas y sus cabeceos briosos.

Ana frenó en el acto sus, hasta el momento, gráciles pasos, y se detuvo por completo. Tan solo la presencia de doña Angustias a su espalda impidió que se desplomara o emprendiera una huida poco sutil.

—¡Señorita de Altamira! —Incluso la reverencia que le fue ofrecida a lo lejos le pareció ridícula.

Flexionó las rodillas dos veces, una por cada uno de los hombres que se alzaban ante ella.

—Aprovechando la oportuna llegada de la condesa —apuntó el conde, dirigiendo a su hija una mirada preñada de intención, sin duda una velada reprimenda por no encontrarla en el Pazo cuando llegaron—, me retiro. Asuntos impostergables me aguardan en mi despacho.

Ana, perfectamente escoltada por doña Angustias, cerró las manos en puños. Estaba segura de que era mentira. De que no se trataba más que de una sucia treta para forzarla a soportar la presencia de aquel hombre. Para obligarla a hacerle compañía.

—Es propio, don Alejandro —habló Monterrey, que parecía muy complacido ante el repentino estado de laboriosidad de su acompañante.

—Queda usted en buenas manos, Monterrey, Ana puede perfectamente ejercer de anfitriona para usted. Le mostrará cualquier rincón del parque que desee conocer.

—En las mejores manos, no lo dudo —coreó el anciano, mirando a la joven con su habitual lascivia coronada de enormes paletas sobresalientes—. Por supuesto sin ánimo de ofenderlo a usted, señor conde.

—No me ofende. —Ambos se miraron como si entre los dos existiera una clave de entendimiento indescifrable para el resto de los mortales. Seguramente así fuera. Cuando don Alejandro dejó escapar las siguientes palabras, el corazón de Ana dio un vuelco. Un vuelco que nada tenía de romántico y mucho de enfermizo—. Doña Angustias, haga el favor de acompañarme dentro. Tengo que darle indicaciones para un evento que tendrá lugar en el Pazo en unos días.

Doña Angustias boqueó, sintiéndose impotente, mirando de forma alternativa al severo y ceñudo conde y a una aterrorizada Ana, que compuso con los labios un mudo y suplicante: «por favor, no», desorbitando los ojos y empalideciendo al instante. Finalmente, no pudo más que cabecear en asentimiento y abandonar la escolta de su niña para disponerse a seguir al patrón, inclinando la cabeza hasta apoyar la barbilla en el pecho. Aquel gesto de rendición por parte del ama consiguió enardecerla hasta límites insospechados. No iba a rendirse a su destino sin pelear.

—¿A solas, padre? ¡No me parece oportuno ni prudente!

Enmudeció en el acto, dándose cuenta de lo poco que le había importado hacía tan solo unos minutos permanecer a solas con Alberto. ¡Pero es que se trataba de algo completamente distinto! ¡Alberto nada tenía que ver con el atroz Monterrey!

—¡No veo qué tiene de particular! —atajó el conde, fulminándola con la mirada. Esta vez no iba a permitir ridículas insubordinaciones. Esta vez tenía que complacer a la gallina de los huevos de oro, y no iba a consentir que una estúpida pollita estorbara sus planes—. Don Jenaro es un caballero que goza de mi absoluta confianza y, teniendo en cuenta el grado de parentesco que pronto alcanzará dentro de esta familia, no veo nada de malo en que pasees en su compañía. ¡Y por nuestro Pazo, además!

Ana inclinó la mirada para perderla en el denso tapiz trebolado del suelo. En realidad, era incapaz de ver nada, puesto que la neblina de la ira cegaba sus ojos.

—¡Pero no es de la familia! —se quejó. Y dirigió al anciano una mirada retadora que habría sido capaz de traspasarlo si las capas de carne en su cuerpo fueran menores—. ¡Todavía no!

¡Concédanme al menos esa venia!

—Ese no ha de ser inconveniente. No lo es para mí, que soy el cabeza de familia y tu tutor, por tanto, tampoco debe serlo para ti —zanjó el conde, y esa vez, si alguien no vio las chiribitas en sus ojos, fue porque no quiso verlas. Una sonrisa mordaz asomó bajo su bigote acaracolado—. ¡No sabía que tuviera una hija tan reservada, santo Dios, te han enseñado bien las monjitas! —Mirando a un sonriente Monterrey—. Se lo dije, señor mío: casta y pura como una santa. Va a llevarse usted un tesoro.

Ana chasqueó la lengua y pateó el suelo con su botina, consumida por la impotencia y la indignación.

—Jamás lo he dudado, señor Covas. —La sonrisa salaz de aquel anciano asqueroso, cuyas enormes paletas asomaban entre unos labios gordos como morcillas, consiguió hacer hervir la sangre en sus venas—. Un tesoro que disfrutaré mucho de desenterrar con mis propias manos.

—¡Le recuerdo que nada se ha hecho oficial, padre! ¿Qué pensarán los sirvientes? ¿No debemos, acaso, dar ejemplo? —gimió, esgrimiendo tal vez su último recurso, aun a sabiendas de que, al hacerlo, podía destapar la caja de los truenos. Y así fue. Los primeros relámpagos no se hicieron esperar.

—A eso, querida, le pondremos solución mucho antes de lo que imaginas. Que no te atormente.

Con un cabeceo lento y amenazante, y un escueto: «¡Doña Angustias!», el conde se despidió de la desigual pareja, seguido muy de cerca por los pasos apretados y renqueantes del ama, que un par de veces se volvió para mirar a su niña con el alma contrita y los ojos bañados en llanto.

—Y bien, señorita de Altamira, me gustaría mucho contemplar de cerca esos cipreses centenarios de los que me ha hablado su padre —sonrió, mirándola como si fuera a devorarla una vez se hubieron quedado a solas.

Ana suspiró y solo pudo enlazar las manos frente al talle y encomendarse al Señor.

Llevaban ya un buen trecho caminado y la incomodidad para Ana no podría ser mayor ni más insoportable. Su postura era una clara evidencia de su desazón: caminaba exageradamente erguida, con los brazos rígidos a los costados, el cuello agarrotado, las manos en puños y la mirada perdida en algún punto distante, seguramente en un universo a años luz de aquel lugar. El individuo que la acompañaba no parecía apercibirse de la tirantez de su pose, ni de gran cosa en realidad.

¿De verdad iba a pedirle la mano? ¿Para qué, si no, aquel paseo a solas por el jardín? Tragó saliva y apretó los párpados. ¿Hincaría su rodilla en el suelo? Casi jadeó al imaginarlo. Si Jenaro Monterrey hincaba su rodilla en el suelo, muy probablemente ya nunca más sería capaz de levantarse. Tampoco parecía hombre de muchos discursos, así que supuso que sería rápido y, posiblemente, tosco. ¡Oh, sí, tosco como un jabalí hambriento rondando un maizal!

Jenaro Monterrey avanzaba renqueante como un ganso mareado, sudando y resollando por la nariz como un cerdo al que apuraran al degolladero. A cada segundo, se llevaba el pañuelo de mano a su reducido cuello para sacarlo completamente empapado de sudor. Goteaba como una vela encendida, y los mechones ralos de su cabello, así como la inservible lazada de su pañuelo, húmeda, desceñida y sucia, daban buena fe de ello.

Santo Dios, pensaba Ana a cada paso, un hombre como él no estaba ya para semejantes trotes. ¿Por qué se empeñaba en someterse a ellos? Debería quedarse en casa, con las pantuflas puestas y un chaleco de franela bien abrochado, sentado frente al fuego mientras se asentaba el cuerpo con un caldo de pollo.

—Señorita de Altamira —empezó a hablar, una vez hubo realizado una pasada con el pañuelo por toda su enrojecida faz—, como supongo que usted sabrá, su padre espera que nuestras familias se unan muy pronto en feliz compromiso. —Su voz, tratando de sonar seductora, imitó el siseo de una cobra—. Sinceramente, yo también lo espero con ansia.

—El jardín está precioso en primavera ¿verdad? —interrumpió ella con voz nerviosa—. Los jardineros del Pazo realizan un buen trabajo.

Y se mordió el labio inferior tratando de aliviar su estado de nervios y sus crecientes ganas de huir. Toda ella temblaba y, de no haber tenido las manos apretadas en puños, no habría sabido qué hacer con ellas. Santo Dios... ¡Todo apuntaba a que iba a declararse!

Don Jenaro hizo caso omiso a la apreciación paisajística. En realidad, le importaban muy poco los aderezos ornamentales del jardín, y mucho menos los rodeos con que la joven pretendiera evitar su conversación. ¿Timidez femenina, había dicho el padre? ¡Ja! ¡Pues bueno estaba él para andarse con enredos pueriles a esas alturas!

—Su padre me ha asegurado que dicha unión es aceptada de buen grado por usted...

—¡La primavera, la estación de las flores! ¡Mi favorita entre todas! ¿Ha visto qué hermoso luce todo? ¿Y con qué alegría cantan los pajarillos entre el follaje? —expresó en un jadeo exaltado. Y acto seguido su tono descendió—. Se dice que las haditas de la estación son las que cuidan de las flores y las llenan de colores y aromas para nosotros. Las hortensias violáceas están preciosas...

Y, abrazándose a sí misma, se desvió un poco para caminar entre dichas hortensias, las azaleas y las adelfas en flor con paso nervioso, evitando al menos durante unos pocos metros la compañía de aquel hombre. No pudo caminar mucho tiempo, no obstante, pues las rodillas se entrechocaban de tal forma que apenas podía avanzar. El intenso picor que empezaba a fraguarse detrás de sus párpados le advirtió además que el tiempo de contención se agotaba y que en pocos minutos la presa que retenía las lágrimas se abriría de golpe.

—¿Señorita de Altamira? —La voz de él sonó una octava más alta de lo normal.

—¿Sí? —dijo trémula, sin ni siquiera volverse.

—Pretendo iniciar una conversación con usted...

¡Pues desista, se lo ruego, siléncese en este mismo instante! No me torture con sus atenciones ni me haga partícipe de ellas.

—¡Le ruego que me escuche! —A juzgar por su tono, aquello no era un ruego.

Ahogó un sollozo. En el interior de sus párpados, un molesto picor *in crescendo* se hacía notar.

—Hable, pues.

El anciano carraspeó, y Ana, abrazándose con fuerza y sin intención de soltarse, elevó la mirada al cielo suplicando un poco de presencia de ánimo.

—Usted sabe que yo no soy noble, no poseo blasones ni títulos en mi familia —el anciano seguía parloteando a cierta distancia detrás de ella, ignorando tal vez que el corazón de Ana había alcanzado la garganta y latía allí amenazando con salir al exterior—, pero dispongo de una buena renta gracias a la empresa de salazones y conservas, por lo que la perspectiva de una vida acomodada queda absolutamente garantizada —continuó, sin apartar la mirada de la espalda de Ana: de sus hombros que ascendían y descendían en agitado vaivén, de su hermosa capellina y de la parte posterior de su bonete—. Aunque supongo que las rentas y posesiones son un tema delicado para tratar con una mujer.

Ana jadeó.

—Resulta un tema un poco... violento, a decir verdad.

Aunque no esperaba menos de semejante oso.

—Y fuera de lugar, puesto que las mujeres nada entienden de números ni economía...

Ana no pudo replicar como se merecía aquel patán, puesto que, dando muestra de una agilidad inesperada en un individuo como él, tanto por dimensiones como por edad, el anciano apareció de pronto frente a ella para tomarle la mano con urgencia y muy poca delicadeza.

¡Que no se arrodille, por Dios, que no se arrodille o no podría soportarlo!

—¡Suyo es todo lo mío, señorita condesa, se lo ofrezco con gusto!

Ana, horrorizada, forcejeó unos segundos para liberar su mano del agarre. Don Jenaro insistía con muy poca gentileza en retenerla aun en contra de su voluntad, aunque al final, gracias a un tirón brusco, muy poco fino, consiguió recuperarla. En el acto, ambas manos corrieron a ocultarse tras las faldas, poniéndose a salvo.

—¡Señor Monterrey! —gimió espantada.

—Cuando nos casemos, todas mis posesiones estarán a su merced. ¡Y mi persona, por supuesto!

¡Su persona es lo que menos me interesa!

—¡Señor Monterrey, no considero apropiado ni necesario tratar un tema como el presente en estos momentos!

¡Ni en ninguno, en realidad! Su ceño fruncido y la ferocidad repentina de su voz demostraban su indignación.

—Está bien, lo comprendo —sonrió con forzada zalamería—. A las mujeres de noble cuna como usted debe uno ganárselas desde el corazón, no con menciones a rentas y propiedades. He mostrado muy poco tacto al referirme a nosotros como a una simple transacción. —Se inclinó hacia ella para enroscar en un dedo uno de los caracolillos que asomaban indiscretos bajo la visera—. No le quepa duda, mi joven dama, de que puedo ser un hombre de sangre caliente y grandes pasiones si me lo propongo. No un poeta, desde luego, pero sí alguien capaz de satisfacer sus apetitos.

Con un sutil ladeo de rostro, Ana desligó su rizo de aquel dedo corto, gordo y rechoncho. El anciano, impelido por su errónea creencia de que la muchacha tan solo era tímida, pero estaba bien dispuesta, levantó una mano para acariciar con el dorso la ardorosa mejilla. Esta vez, Ana se vio obligada a realizar un violento quite para esquivar la indeseada caricia. El anciano sostuvo la mano en el aire durante unos segundos, sin duda asombrado por el inesperado rechazo. Acto seguido, esbozó una sonrisa y recuperó el dominio de su extremidad, ocultándola tras la espalda.

—No se preocupe, señorita, puedo ser paciente si la compensación merece la pena —afirmó, mirándola con innegable lascivia. A esas alturas solo le faltaba babear, y seguramente ya tenía la boca llena de agua—. Y estoy seguro de que, en su caso, teniendo en cuenta la valía del premio final, valdrá la pena esperar.

—¡Absténgase de tocarme y de dirigirse a mí en estos términos tan poco decorosos, señor, se lo exijo! —siseó, con los ojos anegados en llanto. La rabia que la roía era tan grande, y tan difícil la tarea de contenerla, que la barbilla, los labios y toda ella temblaban como un junco a merced del viento.

Él ladeó el rostro, mirándola con divertimento. Como el lobo que calibra un delicioso cordero segundos antes de lanzarse sobre él para devorarlo.

—Dicen que el cariño verdadero no entra por el corazón, sino a través de cierta parte de la anatomía femenina que en estos momentos no voy a mentar —continuó provocando, lamiéndose los labios mientras sesgaba la sonrisa—. Sabré esperar, y esperaré hasta el momento en que sea usted mía. Entonces podrá comprobar de primera mano la certeza de este dicho.

Ana no pudo soportarlo más. Barajó seriamente la posibilidad de abofetearlo, y de hecho sus manos, cerrándose en puños y estirándose después, evidenciaron su conflicto interior. Finalmente optó por desistir: aquel necio ni siquiera era merecedor de semejante desprecio.

Abrazándose a sí misma, más para insuflarse fuerzas y sostenerse que por otra cosa, jadeó indignada, se dio la vuelta y se alejó del lugar a grandes zancadas, sin importarle lo más mínimo que aquella huida le acarreara graves consecuencias ante su padre. En esos momentos prefería soportar las afrentas del conde, que la abofeteara y la encerrara de por vida en su alcoba si ese era su deseo, antes que verse en la necesidad de sufrir la lascivia de aquel sátiro desvergonzado.

—Pues ya sabe usted todo cuanto necesita saber. Envíe a alguien al mercado a buscar pescado fresco y buenas piezas de ternera —habló el conde, perfectamente repantigado y complacido detrás de la mesa de su despacho—. Y advierta a las doncellas que no economicen en velas, esta vez no. Todo tiene que estar listo y dispuesto para el sábado.

¿El sábado?

Doña Angustias, ceño fruncido y manos temblorosas enlazadas frente al talle, boqueó como un pez fuera del agua.

—¡Oh, señor, pero falta muy poco para el sábado y está todo por hacer! —protestó con timidez—. Si pudiera postergar la velada solo un poco más, la organización resultaría más satisfactoria...

En realidad, el ama no pedía tiempo para organizar la dichosa fiesta, aunque era consciente de que cualquier evento de índole festivo —y tan inusitado en aquella casa habitualmente triste, fría y reacia a recibir invitados—, significaba trabajo extra para todo el servicio, y para ella misma, en su papel de ama de llaves; pero no lo hacía por eso, sino que reclamaba tiempo para su niña. ¿Así que aquel era el dichoso evento que pretendía organizar el señor y que tanta prisa corría, como para dejar sola y desamparada a la condesa en presencia de aquel...? ¿Una fiesta para anunciar el compromiso de su única hija con el viejo verde? Santo Dios de los cielos, ¿de modo que aquella calaverada ya estaba en marcha? Ana iba a morirse en cuanto se enterara de las intenciones del conde.

—Lleva usted trece años sin dar palo al agua en esta casa. Por una vez que se le exija un poco de celeridad no va a suceder nada, ¿verdad? —El conde se expresaba con ese siseo amenazante, tan habitual en él y en las cobras a las que tan fielmente emulaba, mientras achicaba los ojos hasta reducirlos apenas a dos simples ranuras maliciosas—. Además, siempre está usted a tiempo de recoger sus bártulos y dejar el puesto de ama de llaves a alguien más joven, dispuesto y competente.

Doña Angustias acusó la puñalada en el mismo sitio de siempre: encima de las viejas heridas aún sin cicatrizar asestadas por el conde durante trece largos años. Justo encima del corazón. Inclinó la mirada y trató de no desangrarse delante de él.

—El sábado estará todo dispuesto, señor —dijo lacónicamente.

El conde sonrió de forma aviesa, de manera que las comisuras de sus labios de serpiente asomaron bajo los extremos emperifollados de su bigote.

—Haga venir aquella discreta orquestina de la otra vez. No cobran mucho y son bastante aceptables, al menos estos son capaces de mantenerse sobrios durante su intervención. Mañana le pasaré la lista de invitados para que lo organice todo y envíe a cada casa la consabida invitación. —El hombre replegó los labios en una mueca despectiva—. ¡Y no ponga esa cara de becerro asustado, por el amor de Dios, no serán demasiados!

Doña Angustias cabeceó en resignado asentimiento.

¡Por descontado que no serán demasiados! Teniendo en cuenta que a la mitad de la crema le debe usted dinero, y que la otra mitad no le puede ni ver, no creo que se arriesgue a encerrar en su casa a todas esas hienas hambrientas. Sería un suicidio impropio del astuto zorro.

—¡No te imaginas lo que me ha dicho, nana! ¡Ese hombre es un auténtico degenerado! —Se llevó las manos a las acaloradas mejillas y sollozó. Las pestañas todavía permanecían húmedas a causa de las recientes lágrimas—. ¡Cielo santo, me hierve la sangre solo de recordarlo! ¿Cómo se puede ser tan desvergonzado?

—No hace falta que lo jures, criatura. —El ama, de pie detrás de ella, deshacía con mimo el peinado de la joven mientras esta permanecía sentada frente al tocador—. Conozco demasiado bien la reputación de ese hombre como para saber que es un sucio patán y un mujeriego.

—¿Y acaso no está prevenido padre de dicha reputación? ¿O es que le da igual?

—¡Debes decírselo! Esa no es forma de dirigirse a una muchacha inocente como tú, máxime teniendo en cuenta tu grado de nobleza frente a la ausencia de la suya. ¡No es correcto! Y por más que sea tu... *prometido* —le costaba articular la palabra y, de hecho, la pronunció asqueada—, no debería tomarse semejantes licencias. —Ana arqueó las cejas en una mueca desolada, acompañando el gesto de un suspiro—. Si él está acostumbrado a tratar con mujeres de mala vida y dudosa moralidad, y que Dios me perdone —se persignó, meneando la cabeza hasta hacer bailar los volantes de su cofia—, tú no tienes la culpa. Tu padre debería reprenderlo.

—Nada ganaría diciéndoselo a padre —suspiró, venciendo los hombros hacia atrás hasta reposar la espada contra el respaldo de la silla—. Por alguna razón que desconozco, ambos parecen formar parte de un extraño consorcio. No le coarta, no le limita, sino que le jalea. No entiendo el porqué, en otras circunstancias, un hombre zafio como el señor Monterrey jamás se encontraría entre las relaciones habituales de padre. Carece de clase, de elegancia, de prestigio, ¡de educación! No tiene sentido, nana, al menos no en mi cabeza.

Doña Angustias se mordió la lengua. Ella sabía el porqué. En realidad, a esas alturas toda la casa lo sospechaba y murmuraba sobre ello. No era justo seguir ocultándolo por más tiempo para tratar de evitarle a la niña la vergüenza resultante de saberlo, cuando, en realidad, sus posibilidades de alcanzar una existencia dichosa estaban a punto de desmoronarse por culpa de esa triste verdad.

—Creo que se trata de un asunto de dinero —dijo, escueta—. Monterrey carece de todo eso que has dicho y más. Pero tiene mucho dinero. Y eso es lo único que busca tu padre.

Ana alzó los ojos y sus miradas se encontraron en el espejo.

—¿De dinero, nana? —jadeó, escéptica—. ¡Pero si somos los Altamira! ¡Los condes de Rebolada! ¿Un *pescadero* posee más solvencia que nosotros?

El ama meneó la cabeza muy despacio en triste negación.

—Nada es como crees, pequeña mía. La casa de Altamira ha dejado de ser lo que era. Desde el fallecimiento de tu santa madre, que Dios la tenga en su gloria, todo ha sido un descenso vertiginoso hacia el abismo.

Ana parpadeó inquieta, sin acabar de comprender.

—Deudas de juego, cariño. —La vergüenza que experimentó al destapar la caja de las miserias de la familia solo podría ser comparable a la de la condesa, que acusó tal sentencia como quien recibe una puñalada certera en el corazón—. Tu padre es un hombre rendido al poder de los naipes. Jugador y bebedor. Sus vicios le han dominado, convirtiéndose a estas alturas en una enfermedad. —Adelantó las manos para acunar en ellas las mejillas de la joven, acariciándole la suave piel del rostro con los pulgares—. Me temo que las arcas de la familia no son tan prósperas como lo fueron en el pasado, y toda la culpa es del mal vicio de tu padre y de su espíritu derrochador.

Y dicho esto, empezó a relatar a su querida niña todo lo que sabía y sospechaba, lo que había oído y lo que se rumoreaba en el condado. Propiedades vendidas a toda prisa y de forma furtiva, mensajes extraños acumulándose en el vestíbulo, sombras amenazantes merodeando por los alrededores al caer la tarde, invitaciones canceladas con el pretexto de haberse convertido el conde en presencia *non grata* en ciertos lugares...

Ana, conforme escuchaba el relato del ama, sentía cómo el corazón se encogía en su pecho hasta alcanzar las dimensiones de un higo seco, cómo las fuerzas se desvanecían como un puñado de bruma entre los dedos y cómo las lágrimas corrían por su cara en desbandada. Al principio de la narración, trató de retenerlas para soportar serena la verdad; después ya dejó de intentarlo, rendida a la dolorosa realidad. El linaje de su familia se desmoronaba por culpa de aquel tirano, y ahora también su propia vida estaba a punto de arruinarse en sus manos.

—¡Me vende a un hombre que ni siquiera él mismo soporta, solo para saldar una deuda de juego y cubrirse las espaldas! —No era una pregunta, sino la dura confirmación de la verdad—. ¡Oh! ¿Acaso se puede ser más ruin y egoísta, nana? —Se cubrió el rostro con las manos cuando un violento sollozo la acometió y supo que no iba a poder afrontarlo con dignidad—. ¿Acaso no es esto lo peor? —Sollozó entre los dedos, entrecortando las palabras a causa del profuso llanto—. ¡Hubiera preferido mil veces que lo hubiera hecho por otra razón, por preservar mi moral, como justificó en su momento, por mantenerme a salvo de cazafortunas...! ¡Cualquier cosa! Esto no es más que una nueva muestra de lo poco que significo para él, de que es capaz de destruir mi vida y mis posibilidades de ser feliz por propio capricho. ¿Es esto justo?

Rendida, se debruzó sobre el tocador para entregarse por completo a un llanto desmedido. Doña Angustias se limitó a hacerle sentir su presencia reposando las manos sobre sus hombros, que convulsionaban movidos por el llanto. La impotencia la consumía. Ojalá tuviera en sus manos la llave mágica capaz de sanar su alma y, al tiempo, la clave para liberarla de la sombra funesta de aquel hombre corrosivo que lo único que hacía, una y otra vez, era arruinar la vida de aquellos que le rodeaban.

—Ahora lo entiendo todo. Santo Dios, ¡por eso su urgencia! ¡Por eso su empeño en que sea amable con el señor Monterrey! ¡Seguramente ese hombre sea su principal acreedor! —La voz llegó amortiguada desde el profundo abismo de donde emergía. Ana hablaba sin levantar la cabeza del soporte que formaban sus brazos dispuestos sobre el tocador—. No podía esperar... Ni él ni los acreedores, ¿verdad?

Doña Angustias cerró los dedos sobre los hombros de la chiquilla, tratando de reconfortarla. Aunque tampoco su presencia de ánimo era encomiable en ese instante.

—¡Qué vergüenza, nana! ¡Mi madre se moriría otra vez si se viera obligada a presenciar semejante atropello!

Alzó de pronto la cabeza con una vehemencia inesperada para fijar la mirada en el espejo. En él se reflejaba un rostro hinchado y enrojecido por el llanto, humedecido y trasformado en una mueca de dolor. Ojos inyectados en sangre, labios febriles y temblorosos y una firme determinación en la mirada. Sus centelleantes pupilas se encontraron con los acuosos ojos del ama en el espejo.

—¡Pero no voy a ser su moneda de cambio, nana, me niego a ello! Un hijo no tiene por qué pagar las faltas de su padre. ¡Y menos las de un padre injusto y cruel como Alejandro Covas!

—Eso es cierto, niña, tú no tienes nada que ver con él. Tu alma no es negra ni está contaminada como la suya —le sonrió a la imagen del espejo con dulzura—, tú eres noble y buena como tu madre.

—¿Y cómo acabó madre, que tan buena era? —En dos enérgicos movimientos se limpió con las manos la humedad del rostro, empleando una brusquedad innecesaria—. ¡No, nana, yo no acabaré como ella! ¡Yo no pienso concederle semejante poder al tirano! No sucumbiré, le desobedeceré... ¡Por mi vida que le desobedeceré!

De forma repentina, el ama se inclinó sobre ella para rodear en un abrazo protector los hombros de la chiquilla y apretar fuerte. La mención a la señora, el recuerdo del daño que aquel dictador le había infringido durante años hasta el punto de acabar llevándola a la tumba con su desdén, fue el resorte definitivo que enervó su ánimo. Porque una vez se había visto obligada a mantenerse al margen y permanecer, en apariencia, impasible, pero ahora no había cabida para una segunda.

—Ni yo permitiré que lo hagas, niña. Te protegeré con la mía si es necesario, pero no permitiremos que destruya tu vida.

11

Ana, perfectamente escoltada por su querida ama, gastaba las horas hasta el almuerzo paseando por el atrio, haciendo resonar sus pasos sin rumbo sobre el suelo empedrado. Ninguna de los dos hablaba. Y tampoco hacía falta. Después de haberse sincerado la noche anterior, no precisaban palabras para un buen entendimiento. Perfectamente comprendía el ama los silencios de la niña. Y los respetaba. Mucho tenía encima la pobre, y bastante valentía y presencia de ánimo mostraba al intentar sobrellevarlo con entereza. Al fin y al cabo, no dejaba de ser una chiquilla. Una chiquilla que capeaba las tempestades con mayor dignidad que cualquier adulto.

La mirada de Ana no se detenía en nada. Ni en el crucero de granito, —a cuyo Cristo había rezado ya esa mañana todo cuanto sabía—, ni en los jarrones de cantería vestidos de musgo; tampoco en el muro de piedra cubierto de verdín, y mucho menos en las grotescas gárgolas de ojos ciegos que las observaban a ambas desde los ángulos remotos del tejado. Bastante pasatiempo suponía pensar en sus desgracias, que a esas alturas tenían nombre y apellidos: Alejandro Covas y Jenaro Monterrey, y en la mejor forma de librarse de ellas. Por más que se devanara los sesos, no encontraba solución a su desdicha.

Podría escaparse, fugarse del Pazo y abandonar Galicia, embarcarse y cruzar el océano en dirección a ultramar. Muchos gallegos lo habían hecho ya, buscando una nueva vida en tierras de arena y sol, y ella sabía que el ama la acompañaría hasta el fin del mundo si fuera preciso; además, tenía unos ahorrillos guardados y algunas joyas de calidad, así que no resultaba tan descabellado. Pero su condición de mujer y, además, menor de edad, la convertía en presa fácil. Su padre la mandaría a buscar hasta debajo de las piedras. E igualmente la obligaría a casarse después de castigarla por su espantada.

También podría resultar que la de fúnebre crespón viniera a reclamar el alma impía de Monterrey en cualquier momento. Teniendo en cuenta su apego a la gula y a los vicios de la carne, y lo avanzado de su edad, no resultaba disparatado que tal acontecimiento se produjera en el instante menos pensado. Y mejor que sucediera antes que después.

Se mordió el labio inferior y apretó los párpados, girando la cabeza hacia el Cristo crucificado de granito. Que Dios la perdonara por pensar de un modo tan poco cristiano y, a la vez, tan siniestro, pero a esas alturas su desesperación era tan grande que se aferraría hasta a un clavo ardiendo. Máxime después de haber sido informada por el ama de la intención de su padre de celebrar una fiesta de anuncio de compromiso en solo cuatro días. ¡Cuatro días hasta su juicio final!

La irrupción de uno de los recaderos del Pazo, que llegó al atrio tirando de las riendas de un caballo, apartó a ambas mujeres de sus respectivas cavilaciones.

Ana no pudo evitar fijarse en el animal: un hermoso tordo atruchado de línea cartujana, alto, de hueso ancho, poderosa grupa y línea barroca, que caminaba detrás del mozo con paso manso y la cabeza inclinada. Nunca le habían dejado tener un caballo, pero era este un animal que le gustaba y cuyas razas conocía bastante bien. En el pasado, le había dicho nana alguna vez, su abuelo había poseído uno de los establos mejor surtidos de la provincia.

—¿Qué hay, José? —saludó doña Angustias afablemente, como era habitual en ella, acercándose al recién llegado.

—¡Buen día nos dé Dios, doña Angustias! —El chico se quitó la visera y cabeceó a modo de saludo, apretando el gorro, hecho un gurruño, contra el pecho—. Señorita condesa. —Acentuó su reverencia al dirigirse a la joven.

Pero Ana apenas reparó en la cortesía, puesto que ya se había adelantado y acariciaba la ternilla del animal con una sonrisa radiante en los labios. Doña Angustias sintió una punzada de ternura en el pecho. Era la primera sonrisa que le había visto esbozar ese día.

—¿No es precioso, nana?

—Preciosa, señorita —corrigió el mozo, azorado al verse obligado a corregir a la patrona—. Es una yegua.

Ana ensanchó su sonrisa; sus ojos resplandecían. Sujetando las correas de la cabezada, continuó acariciando al animal sin dejar de mirarlo. Todo su cuerpo aparecía salpicado de motitas marrón clarito que se confundían con su blancura, y solo se podían apreciar muy de cerca. Como si de pecas o diminutos lunares se tratara. Una yegua llena de pecas y lunares. ¡Era tan linda y tierna!

—¡Oh, nana, es un criatura maravillosa! —Y deslizó su mano enguantada por el cuello musculado del animal. Sus crines blancas, lacias e impolutas como si hubieran sido tejidas en hilo de nieve, se mecían suavemente al son de la brisa.

—No había visto antes este ejemplar en los establos —admitió la anciana. Se dirigió al mozo—. ¿Desde cuándo lo tenemos, José?

El mozo carraspeó y se puso la visera de cualquier modo. Las guedejas de un pelo demasiado largo y sin peinar sobresalieron a los lados.

—Técnicamente no es nuestro, doña Angustias... o mejor dicho, no lo era. Acaba de traerlo para usted un mensajero del pueblo. —Ana dejó de acariciar al animal para mirar al joven con sorpresa. A continuación se volvió hacia el ama, que tenía los ojos a punto de salírsele de las órbitas y la boca abierta de par en par.

—¿Para mí?

—Usted es la única señorita Guzmán del Pazo de Rebolada, ¿no es verdad?

El ama cabeceó en asentimiento, tan despacio que parecía que se le hubiera roto algún hueso del cuello y tuviera miedo de que se le descolgara al menor descuido.

—Pues parece ser que es un regalo... para usted, doña Angustias. —Y el mozo sonrió a la mujer con picardía.

Ante la impasibilidad del ama, los labios de Ana se cerraron formando una «o» perfecta. Sus mejillas ya se habían manchado de escarlata y su corazón había iniciado un violento baile, acoplándose a la agitada respiración.

—¡Oh, es el mejor regalo que podrías desear! ¿No estás de acuerdo, nana? —preguntó con cierto sofoco.

Doña Angustias esbozó una sonrisa pasmada que se heló en un extraño rictus de incomprensión.

—¿Quién lo envía? —atinó a preguntar.

El mozo soltó una exclamación, seguida de una disculpa, y se puso a rebuscar en los bolsillos de su chaleco. Tras unos segundos de búsqueda infructuosa, le alargó a la mujer un pequeño rectángulo de papel perfectamente lacrado.

—El mensajero solo me dio esta carta. No dijo más. —Su tono se volvió pícaro y juguetón y una sonrisa intensa asomó a sus labios, mostrando una dentadura mellada—. Usted sabrá si tiene algún admirador en San Julián, señora.

La mirada censora que le dirigió al joven hizo que este se silenciara de inmediato e inclinara la mirada al suelo, avergonzado de haberse tomado semejante licencia con una mujer tan mayor y bondadosa como el ama.

Doña Angustias retuvo el papel entre los dedos sin saber qué hacer con él. Era evidente que el obsequio no era para ella, y no era correcto que leyera una correspondencia que no iba dirigida a su persona, sino a la niña. La única *señorita Guzmán* capaz de recibir regalos en Rebolada.

—Ana, hazme el favor, léela tú. Estoy demasiado sorprendida para hacerle justicia. —La mirada intencionada que le dirigió, con alzamiento de cejas incluido, hizo que la joven se ruborizara con mayor intensidad.

Ana tomó el papel con ansia, dándole vueltas al sobre entre los dedos, incapaz de reconocer la letra y mucho menos el escudo del lacre. El corazón zumbaba en su pecho como un enjambre de abejas fuera de control. No esperaba ningún regalo, y mucho menos uno como aquel. Rasgó el sello y desplegó una cuartilla perfectamente plegada en tres dobleces. Sus ojos recorrieron con agitación aquellas líneas elegantemente garabateadas y, conforme avanzaba en la lectura, los rubores se acrecentaban en sus mejillas y las suaves comisuras de sus labios se elevaban en una radiante sonrisa. Incluso tuvo que llevarse una mano a los labios para disimular una risita.

Espero que ni su padre ni su madre se ofendan por mi atrevimiento. Mucho menos usted. Me parecía terriblemente injusto que alguien que ama a los caballos no pudiera disponer de uno para su disfrute personal. Me he asegurado de encontrar un ejemplar tranquilo, de buen temperamento y en absoluto brioso. Uno que jamás tiraría a su bella amazona de la montura.
Pequitas está a su disposición...
PD. La próxima vez le haré llegar alguno de esos pajarillos amigos, leales testigos de nuestros paseos por el bosque, para que le hagan compañía.

Interrumpió la lectura para encontrarse con la mirada del ama, que la observaba con gesto interrogante. En respuesta, la obsequió una nueva sonrisa, antes de inclinar la mirada sobre el papel y seguir con la lectura. Más que leer, devoraba con los ojos aquellos renglones perfectamente derechos.

Me gustaría mucho verla esta tarde, señorita Guzmán, en nuestro mirador, allí desde donde el mundo parece más pequeño y más nues-

tro. ¿Cree que sería posible? Allí la esperaré contando los minutos hasta verla aparecer, que, en su ausencia, seguro se harán eternos. Haga el favor de no venir sola esta vez, no me gusta que se pasee sola por el bosque.

Siempre suyo,
Alberto M.

No supo qué le causaba mayor felicidad: si el hecho de que Alberto pensara en ella y se tomara la molestia de hacerle un regalo tan valioso, lo que significaba que la escuchaba, que tenía en cuenta sus gustos y se afanaba por complacerlos; o tal vez, que se refiriera al mirador del bosque como «nuestro mirador», creando de repente un maravilloso vínculo entre los dos, algo que de algún modo pertenecía solo a ambos, algo que los unía de forma maravillosa; o quizás el hecho de que se preocupara por su seguridad, ¡una vez más!, hasta el punto de atreverse a regañarla de nuevo... ¡ay, querido Alberto, ay, soñado Alberto! O puede que se tratara de la visión de esa misteriosa «M» que daba forma a su apellido y que porfiaba por mantener su esencia de héroe misterioso.

Se llevó la carta al pecho, haciéndola reposar justo encima del agitado corazón, y continuó sonriendo al mundo. En realidad, se sentía incapaz de parar, aun a sabiendas de que se encontraba en presencia de dos almas que la miraban con curiosidad. Sobre todo el mozo, que no entendía qué podía hacer tan feliz a la señorita de una carta dirigida a su ama de cría.

—¡Oh, nana, es una yegua adorable! ¡*Pequitas*, ese es su nombre! ¡Y es tan apropiado! Es pecosa como una dulce criatura besada por el sol, como un duendecillo travieso o un hada —exclamó, mirando a la yegua con embeleso—. Imagina qué sensación de libertad a su lado y lo maravilloso que debe ser galopar con ella por los bosques, con el cabello suelto y el viento acariciándote el rostro.

Doña Angustias cruzó los brazos sobre su generoso pecho y cabeceó impaciente, haciendo bailotear los volantes de su cofia.

—Galopar por los bosques... —refunfuñó, poniendo los ojos en blanco—. ¿Y bien? ¿Qué más dice?

—¡Si no la quieres, yo puedo hacerme cargo de ella! ¡Sabemos que tú no vas a cabalgar, así que...! —atajó, guiñándole un ojo con disimulo—. La cuidaré como si fuera mía, lo prometo. *Pequitas* será mi tesoro. ¿Puedo? ¿Puedo?

Doña Angustias exhaló con impotencia.

—Tu padre no lo consentiría, y lo sabes. Nunca ha permitido que tuvieras un caballo, ni siquiera un inofensivo palafrén, así que mucho menos dejará que tengas uno como este.

—Esta se ve muy tranquila y buena —intervino el mozo, saliendo en auxilio de la condesa, que agradeció el gesto con una amable sonrisa.

—Además, tampoco tiene por qué saberlo, ¿verdad? —añadió Ana con picardía, apoyando la mejilla contra la frente del animal—. Será nuestro secreto. Nuestro y de José. ¿Verdad, José, que nos guardarás el secreto? ¿Verdad que *Pequitas* se queda en el Pazo?

El mozo inclinó la cabeza, ruborizándose al momento. El ama resopló, sabiéndose a merced de aquellos dos embaucadores.

—¿A quién debo agradecer tan generoso regalo, pues? —suspiró resignada.

Ana ahogó una risita y, entre saltitos pueriles, se acercó al ama, se alzó ligeramente de puntillas y le susurró al oído, tapando sus labios con una mano para privatizar sus palabras. No hizo falta sin embargo tanta precaución, puesto que José, a un cabeceo del ama, se retiró a los establos para acomodar a la recién llegada.

Doña Angustias, al conocer el emisor del obsequio, abrió unos ojos como platos y se dirigió a ella en un tono suave y condescendiente.

—¿Crees que es correcto aceptar un regalo de alguien que conocemos tan poco?

Ana jadeó.

—¿¡Tan poco!? ¡Oh, nana, creo que es la persona que más conozco en el mundo, después de ti, por supuesto! ¡Y todo lo que conozco de él me agrada!

—¡Y no ha de agradarte!

Ante las palabras escépticas de la mujer, Ana continuó con mayor énfasis.

—¡No me mires así! Puede que no sepa mucho de él, de su procedencia o de su familia, tampoco de ese dichoso apellido que tanto te preocupa, pero al menos es la única persona que se ha acercado a mí sin importarle quien soy en realidad —bufó—. ¡La simple hija de un ama de cría, piensa él, y le da lo mismo! —Inclinó la mirada, su énfasis se debilitó, la tristeza acudió a su rostro y sus labios se expresaron apenas en un susurro—. Si quieres que rechace el regalo, lo haré, por supuesto. Sabes que jamás haría nada que conllevara tu censura —frunció el ceño y su rostro se ensombreció—, pero no me digas que no es propio, que le conozco poco o que no es nadie para mí, porque mi corazón me dice que es lo mejor que podía pasarme en esta vida. Desde luego, mucho mejor que lo que el señor conde tiene en perspectiva para mí. —Alzó la mirada para encontrarse con las pupilas condescendientes del ama—. Y estoy segura de que lo quiero, nana...

Doña Angustias no supo a ciencia cierta si se refería al regalo o al emisor de dicha ofrenda. Muy seguramente, a ambos. En respuesta, suspiró.

Ana lo descubrió de inmediato. Su figura destacaba sobre el paisaje como destacaría la silueta de una hermosa golondrina sobre un tapiz verde. Lo observó y lo admiró en la distancia, consciente de que el caballero no se había apercibido aún de su presencia.

Alberto, el misterioso Alberto de apellido desconocido, aparecía realmente apuesto, como cada vez que se atrevía a recrear la imagen de él en su cabeza, lo que sucedía cuando se encontraba a solas en la intimidad de su alcoba durante las largas noches, y su pensamiento se derretía en pos de aquel hombre, como se derrite la manteca en verano.

Vestía un sobrio y sencillo redingote verde oscuro, de calce perfecto e ideal para complementar el conjunto de pantalón marrón, botas de montar, chaleco oscuro pulcramente abrochado y cuello alto de camisa con pañuelo en crema. No llevaba sombrero, por lo que su abundante cabello rizado permanecía a la vista, adornando un rostro hermoso, maduro y circunspecto.

A Ana el corazón se le colapsó en el acto. Ni siquiera fue consciente del prolongado suspiro que huyó de sus labios hasta que escuchó las palabras del ama a su espalda, tan burlonas como inofensivas.

—Ahí está el caballero andante, donador de hermosas yeguas blancas, propietario de galante sonrisa y hermosos rizos...

Ana volvió la mirada hacia ella para observarla con ceño.

—¡Oh, nana! —riñó entristecida—. ¿Te burlas acaso de mi pobre corazón?

Doña Angustias suspiró con condescendencia.

—Tu corazón es lo más importante para mí, querida niña, al igual que tu cordura y tu reputación. —Acarició el brazo de la joven, que todavía reposaba sobre el suyo, y continuó—. Anda, ve, yo me quedaré aquí, fingiéndome debidamente ciega y sorda mientras hago que me entretengo contando los trebolillos del suelo y que, por momentos, incluso descuido la vigilancia de mi pupila.

Ana estiró los labios en una sonrisa agradecida. Sus verdes ojos brillaban de puro contento.

—Gracias, nana. Sabes que te quiero, ¿verdad?

La anciana cabeceó en asentimiento y le soltó el brazo, instándola a avanzar.

—¡Y no has de quererme, truhana! Ve, no hagas esperar a tu corazón. Ni a tu héroe, por supuesto.

Cuando Ana llegó a su altura, Alberto se apresuró a guardar en el bolsillo del chaleco el reloj que acababa de consultar por enésima vez en los últimos quince minutos.

Sus miradas se entrecruzaron, tan profundas y apretadas que resultaba impensable el separarlas. Ana sonrió y sus mejillas se vistieron de escarlata. Alberto continuó mirándola y en su interior sintió que ya estaba irremediablemente perdido.

—Muchas gracias por *Pequitas*. Es... preciosa —habló Ana tras una rápida flexión de rodillas, adornando sus palabras con una sonrisa trémula. Sus pupilas, inseparables de las de él, vibraban de dicha—. Pero no creo que deba aceptarla.

—¿Por qué no? —inquirió de forma lacónica. Extrañamente serio. Ana no podía saber que en esos momentos se moría por dentro. Moría de deseo, moría de afecto—. ¿Teme que la condesa desapruebe el regalo?

Ella exhaló por la nariz, perpetuando su sonrisa y negando con vehemencia.

—Sé que no lo desaprueba —rio, jadeante—. La condesa de Rebolada es una buena muchacha, ya se lo he dicho.

—¿Acaso su madre ha dicho algo al respecto?

—Lo que la prudencia y el recato le obligan a decir, nada menos.

—Entonces acéptela, no tiene nada de malo recibir un regalo de una reciente amistad. Además, estoy seguro de que en ningún otro lugar la recibirían con su mismo entusiasmo. —La mirada penetrante de Alberto conseguía desestabilizarla—. *Pequitas* será muy feliz a su lado.

Ana no podía dejar de sonreír, por los nervios y por la felicidad que sentía.

—Y yo al suyo. Gracias de todo corazón. Será mi mayor tesoro, mi único tesoro.

Se produjo un momentáneo silencio, lleno de sonrojos y sonrisas, miradas penetrantes y pasiones contenidas. Silencio que Alberto se encargó de romper.

—He oído que va a casarse muy pronto.

Ana se tensó. El corazón empezó a zumbar como un loco en su pecho. Su mirada se enturbió y, por un momento, sintió un avasallante deseo de huir despavorida, de desfallecer o de dejarse morir.

—¿Quién? —balbuceó.

—La condesa, por supuesto —rio él—. La hemos mentado antes.

Ana fue consciente del suspiro de alivio que huyó de sus labios en ese instante. Miró rápidamente a doña Angustias, intentando recuperar la presencia de ánimo, pero la anciana parecía, tal y como había prometido, encontrarse a años luz de allí.

Alberto siguió la dirección de sus ojos y se encontró con la figura sedente de la vieja matrona, que fingía entretenerse sin demasiada credibilidad organizando un pequeño ramillete de flores silvestres sobre el halda. Esbozó una sonrisa, satisfecho y enternecido. Al menos Ana le había hecho caso y no se había aventurado a salir a caminar sola esta vez. Buena muchacha.

Visto que la joven no iba a soltar prenda sobre el asunto, continuó indagando.

—Su prometido, según tengo entendido, es un anciano empresario de la comarca, bastante reputado, por lo que dicen.

Ana esbozó una sonrisa sarcástica, paseando la mirada con nerviosismo por todas partes sin ser capaz de fijarla en un punto concreto, tal era la repulsa que le provocaba la simple mención de aquel individuo. De no haber sido tomado como un gesto de escasa educación, hubiera puesto los ojos en blanco antes de resoplar.

¿Anciano? Yo diría más bien que es más viejo que los caminos.

Pero se obligó a no decir nada y a disimular su desagrado.

—Jenaro Monterrey —insistió él.

Los ojos de ambos se encontraron de nuevo. Alberto acababa de poner nombre y apellidos a su peor pesadilla. ¿Por qué ensuciaba sus bellos labios mentándolo?

—¿Le conoce usted?

—Sí, da la casualidad de que sí —suspiró él, descolgando ligeramente los hombros mientras desviaba la mirada al suelo.

¡Y no sabe usted hasta qué punto me avergüenzo de ello!

¿Qué pensaría de él si supiera que era hijo de Monterrey? Seguramente la mancha que empañaba la reputación del viejo alcanzaría por extensión a su único vástago. Y Ana pensaría lo peor de él.

—¡Pues yo también le conozco! —habló Ana de pronto con inusitada vehemencia, alzando la barbilla y acalorándose, de pura indignación—. ¡Y no me gusta nada ese hombre, lo lamento si es un conocido de usted!

Alberto esbozó una sonrisa amplia, divertido ante el mohín de disgusto que asomó a aquellos labios fruncidos y sonrosados. Era obvio que ella había sabido ver qué tipo de persona era su padre, y el descubrimiento de un nuevo punto en común le reportó una gran satisfacción. Pero no estaba allí para hablar de la condesa, aunque se muriera de curiosidad, y mucho menos de su despótico e insufrible padre, sino para permanecer cerca de Ana y disfrutar de cada instante en su compañía.

Suspiró, levantó la mirada y sus ojos se encontraron de nuevo con los de ella. La magia volvió a restablecerse. Aquella era Ana, su Ana, la misma criatura con la que llevaba soñando todas las noches desde que se conocieron.

—No se preocupe, tampoco a mí me gusta en realidad.

—Pues ya tenemos algo en común. —Sonrió nerviosa.

Alberto fijó en ella su penetrante mirada del color de la brea.

—Yo diría que tenemos muchas más cosas en común que ese triste personaje. —Alzó lentamente su brazo derecho para ofrecérselo a la joven, al tiempo que levantaba una ceja en ademán interrogante. Ana aceptó el ofrecimiento de inmediato, sin desviar los ojos un solo segundo de la mirada profunda e insondable de él. Como si toda su vida hubiera sido ideada para desembocar en ese fin: pasear por siempre del brazo de Alberto—. Seguramente le habrá visto usted pasearse mucho últimamente por el Pazo.

—¡Oh, más de lo que hubiera deseado! —gruñó, sin poder evitar que el pensamiento cobrara forma en sus labios.

—Pero no hablemos de la condesa, ni de sus bobos pretendientes —dijo Alberto, sonriendo ante la respuesta de la joven—. Creo que en este momento, en tan bello entorno y en tan maravillosa compañía, podremos encontrar temas de conversación mucho más interesantes.

—Y menos desagradables.

Empezaron a caminar muy despacio por el trillado sendero de cabras.

Doña Angustias, percatándose del movimiento de los jóvenes, se levantó a regañadientes, con el consiguiente crujir de todos y cada uno de los huesos de su cuerpo, para seguirlos a una distancia prudencial, concediéndoles así un poco de intimidad. Confiaba en aquel agradable muchacho de buenos modales y mirada serena y, por supuesto, confiaba en su niña y en sus inclinaciones románticas. Seguramente fueran acertadas. Desde luego, no existía comparación entre el aura que despedía la muchacha en presencia de Monterrey y la que lucía cuando estaba con aquel muchacho apuesto y bien formado.

Ana estaba enamorada de él y, muy posiblemente, era correspondida. No había más que vigilarlos durante un rato, aun a cierta distancia, para percibir las miradas engoladas que él le dirigía o para percatarse de cómo el cuerpo del caballero actuaba por cuenta propia, inclinándose hacia ella como si buscara, por inercia, su compañía y su calor. Rubores, poses contenidas, risitas nerviosas, párpados inclinados, labios humedecidos constantemente, también la evidente tensión y distensión de las manos del caballero, el fruncimiento de su ceño, el intercambio de peso de un pie a otro, las palabras que se quieren decir y que la moralidad obliga a silenciar... ¡Ah, divina juventud y divinos amores que se desperezan como una flor al primer sol de la mañana! ¡Qué lástima que aquel afecto fuera un imposible, qué pena que su destino fuera otro! ¡Qué triste que el pobre Alberto, el apuesto Alberto, hubiera llegado tarde a la vida de la niña!

—Espero que la presencia de *Pequitas* no suponga un nuevo enfrentamiento entre su padre y usted —empezó a hablar Alberto—. He preguntado por la opinión de la condesa y por la de su madre, pero no he tocado el punto más crucial. Desde luego, no deseo que la ofrenda sea motivo de conflicto entre él y usted.

Ana caminaba perfectamente sujeta de su brazo. Tan feliz y orgullosa como si caminara del brazo de un príncipe. *Su* príncipe.

—No se preocupe, mi padre no lo sabrá. —Las comisuras de sus labios temblaron de nerviosismo. ¿Sería Alberto consciente del ejército de mariposas que mortificaban su estómago?—. He conseguido que sea un secreto. Afortunadamente, cuento con algunos cómplices dentro del Pazo.

—Me siento orgulloso de formar parte de su secreto, o de ser el artífice de él, en este caso, si mi humilde ofrenda va a permitirme apreciar esta chispa de ilusión en sus hermosos ojos. —Su voz, de tan grave, sonó fascinante y seductora. Pura seda o terciopelo. Su mirada se mantuvo firme e inamovible.

—*Pequitas* es lo más hermoso que me ha pasado en la vida. Nunca he tenido nada que pudiera sentir mío en realidad. —Alzó los ojos con timidez, arrobada y temblorosa, para encontrarse con su mirada.

Alberto dejó de andar y se perdió en sus ojos. Las rodillas de Ana se entrechocaron y su estómago bailoteó de nervios. Había hablado —¡no sabía ni cómo había logrado hacerlo!— posiblemente más de la cuenta, y sus palabras habían provocado aquella maravillosa mirada en Alberto. Por un momento, deseó desvanecerse entre sus brazos y que aquella mirada fuera su último recuerdo terrenal.

Con sutileza, casi como por descuido, Alberto dejó caer su mano sobre la mano de la muchacha, que reposaba en su antebrazo. Fue un gesto protector, anhelante y contenido.

Ana se forzó a tragar saliva cuando sintió aquella mano enorme y caliente descender sobre la suya, aquel contacto suave, posesivo, acariciante, amoroso y dulce, aquellos dedos que cubrían con ternura los suyos.

—¿Qué sucedería si yo pensara en usted en los mismos términos? —dijo él al fin.— ¿Si la considerara a usted lo más hermoso que podría acontecer en la vida de este triste mortal?

Ana jadeó, sintiéndose ahogar por la oleada de calor que ascendió por su cuello.

—Que moriría de felicidad, de ser cierto.

La escena duró solo unos segundos, el tiempo de un parpadeo tal vez, puesto que, de inmediato, el caballero retiró su mano para evitar ser descubierto por la amable carabina. Sin embargo, fue tiempo suficiente para que todas las terminaciones nerviosas de la joven se encresparan y el corazón abandonara su habitual trote ligero para entregarse a un galope brutal.

—Y cierto es, mi dulce Ana. Llevaba muerto toda mi vida y desperté el día que la conocí.

Ana tragó saliva, sintiendo el corazón en la garganta. Vio como el hombre acercaba lentamente la misma mano acariciante de antes a su rostro. Cerró los ojos y se dejó llevar por las sensaciones. Notó cómo los dedos de él se entrelazaban con los caracolillos que pendían de su sien, deslizándose como suave peine para recogerlos con mimo por detrás de la oreja. Cuando abrió los ojos, muy despacio, como despertando de un sueño, se encontró con la mirada de él, inamovible, profunda, cargada de emoción.

—¿De verdad podría atreverme a pensar de este modo? ¿Me estaría permitido, o debo resignarme a que se trate solo de un desvarío romántico digno de un hombre soñador?

—¿A qué modo se refiere? —La intensidad de su pregunta, a pesar de la obligada contención, era obvia.

—¿No lo sabe, Ana?

Fue ella la que alzó ahora, en respuesta, la mano contraria para deslizarla entre ambos y rozar apenas con la yema de los dedos la mano del caballero, encajándose perfectamente. Sus mejillas ardían, la vergüenza la consumía, pero ello no mermó la dulzura de su caricia.

Cerró los dedos alrededor de los de él, apretando suavemente, atreviéndose a expresar sus anhelos. El roce fue sutil, pero consiguió producir en ambos una violenta sacudida capaz de despertar sus sentidos. Y de hacerles comprender que ambos compartían un mismo y cálido sentimiento.

—Sabiendo con certeza que no se trata tan solo de un sueño o de un secreto, sino de la realidad, de una maravillosa e inesperada realidad, una realidad alcanzable... —Alberto retuvo su mano más tiempo del permitido, apretando con delicadeza aquellos dedos enguantados entre los suyos. La miró en profundidad y durante unos segundos no hicieron falta palabras.

—Un maravilloso sueño...

—No es ningún sueño y, en ese caso, ambos soñamos lo mismo. Ana, mi dulce Ana, ¿me permite que le llame así? Esto es nuestra realidad, o, en su defecto, un sueño compartido del que no deberíamos despertar jamás.

Ana entreabrió los labios, secos y temblorosos, dejando escapar un aliento entrecortado. Alberto se lamió los suyos en un gesto lento y sensual. Porque las almas que saben expresarse en silencio a través de los ojos, también saben besar y acariciarse a través de la mirada.

—Ojalá siempre me llame y me mire así.

Un leve carraspeo a su espalda los obligó a deshacer la magia del momento, separar las manos y devolverse a la realidad. Realidad que los acogió con una gran sonrisa en los labios y un destello de ilusión en sus miradas. También con dos enormes rosetones de puro fuego en las mejillas de ella.

Ana cerró los dedos con fuerza sobre el brazo de su acompañante y ambos continuaron su paseo. Después de aquel mudo intercambio, sus corazones galopaban con fuerza.

Doña Angustias miró a la pareja y se sintió enternecida y llena de gozo. Lo cierto era que formaban un buen dúo, un precioso dúo.

Él hablaba de forma fluida a través de la voz de la experiencia, con pose circunspecta y ademanes de hombre seguro de sí mismo, y ella le miraba fascinada sin dejar de reír. Pocas veces había visto reír el ama de forma tan abierta y despreocupada a su muy querida niña. Pocas veces había apreciado ese brillo en sus pupilas y esas redondeces en sus mejillas, producto de una sonrisa amplia y sin reservas.

No sabía de qué hablaban, cierto era. En determinado momento, había creído escuchar retazos de poesía en sus labios, lo que, tratándose de dos jóvenes, solo podía referir algo muy concreto; otros, estaba segura de que sus palabras rozaban un inocente coqueteo, a juzgar por los rubores de ella y las miradas intensas de él. También en un momento dado percibió cómo él apartaba con sumo cuidado un mechón de cabello que se le habría soltado a la joven de sus horquillas, reteniéndolo entre los dedos como quien atrapa un retazo de bruma o un rayo de sol. No estaba segura, no podría asegurarlo, pero le pareció distinguir que se lo llevaba a los labios en tenue caricia mientras sus miradas permanecían firmemente entrelazadas. Fue testigo también de cómo, en un alto del paseo, él se había inclinado solícito para recoger, en la orilla del camino, una campanilla azul que le entregó a su acompañante con la mayor de las ceremonias. Y, ciertamente, si se hubiera tratado de una orquídea ornamental, Ana no la hubiera recibido con mayor arrobo o agradecimiento.

Se gustaban, estaba claro, y también estaba claro que Alberto era incapaz de apartar la mirada de Ana ni un solo segundo. Aquello que el ama presenciaba entre los dos, aquello que estaba fraguándose de forma suave, elegante y sutil, obedecía a un cortejo en toda regla. Y ni el caballero podría negar sus inclinaciones hacia la joven, ni Ana podría mostrarse más complacida con las atenciones recibidas. ¿Qué hubiera pasado si en vez del viejo verde hubiera sido aquel joven el que se hubiera cruzado en el camino del conde?

La tragedia personal de Ana de Altamira no tendría cabida. Aquel compromiso vergonzoso e injusto nunca habría acontecido.

Aunque, a decir verdad, y cada vez estaba más convencida de ello, Alberto jamás habría sucumbido a las artimañas del astuto zorro. Jamás le habría seguido el juego, aceptando la inocencia de una jovencita noble y buena a cambio de un fajo de billetes.

Alberto sentía algo puro y bonito por Ana, que nada tenía que ver con el dinero y el enriquecimiento.

—Nunca me he llevado bien con mi padre —confesó en un momento dado, abriendo su alma a aquella joven que le escuchaba con atención. Con ella parecía tan fácil... Era como pensar en voz alta o hablar consigo mismo. Sin pliegues, sin vueltas de hoja, sin prejuicios, gestos de espanto o miradas censoras. Solo ellos dos y un afán inmenso por adentrarse en el otro—. Ni él me entiende a mí ni yo he tratado de entenderle jamás.

—Lamento oírlo.

Alberto esbozó una sonrisa queda.

—Las relaciones idílicas, me temo, no están al alcance de todo el mundo, Ana. Y mucho menos en lo que a la relación entre un padre y este hijo se refiere.

Y golpeó las hierbas altas de su lado con la varita de fresno que sostenía en la mano desde hacía un rato.

—Lo sé —suspiró Ana—. Por alguna extraña razón, mi padre jamás me ha querido. Ni a mí, ni a mi pobre madre, me atrevería a decir. Ha procurado siempre mantenerme al margen, prudentemente alejada, como si mi sola presencia le recordase que solo soy un error en su vida. Algo que nunca debió existir.

Alberto se detuvo para mirarla con intensidad.

—No imagino qué clase de hombre sería capaz de no quererla o de mantenerla alejada después de haberla conocido.

Ana, encarnada como una amapola, entornó los párpados y asimiló el halago con gran dicha de su corazón. Los momentos furtivos en compañía de Alberto eran lo único que la instaba a continuar, lo único que le concedía fuerzas para capear las negras sombras que se cernían sobre ella.

Pero Alberto no deseaba turbarla o incomodarla con sus adulaciones, máxime encontrándose doña Angustias tan cerca. Cierto que le gustaría estrecharla entre sus brazos, besarla con dulzura y hablarle de ese tornado de sentimientos que habían surgido de pronto y de manera tan inesperada. Sentimientos que le volvían loco y que le hacían sentirse como un tonto adolescente experimentando en propias carnes las sacudidas del primer amor. Pero nada de eso era posible, no aún, por lo que desvió el tema para continuar hablando de algo que le agradaba igualmente: ella.

—Y, dígame, ¿ha vivido usted siempre en San Julián?

—No —una sonrisa tímida asomó a sus labios de fresa—, la mayor parte de mi vida he estado fuera de Galicia. Mi padre me envió con cinco años a un colegio de señoritas a Madrid, y salvo las contadas ocasiones en que se me permitía volver por Pascua o Navidad, he vivido fuera del condado toda mi vida. Hasta ahora.

Alberto la miró con ternura y compasión. Sin duda, la de aquella pobre muchacha no había sido una infancia feliz. Debió de ser más bien triste, melancólica y solitaria; la infancia de una niña alejada de sus seres queridos para formarse sola, lejos de todo su mundo, aislada de todos. No entendía como su madre, la amable doña Angustias, había consentido la separación, aunque sabía por propia experiencia que una mujer poco puede hacer contra los deseos de su esposo.

—¿Y usted? —terció ella, interrumpiendo sus pensamientos—. Me debe información.

Alberto carraspeó, obligándose a reaccionar.

—En realidad, nací en Galicia —Ana elevó las cejas en señal de asombro—, en la villa de Orense. Mi primera infancia transcurrió en tierras gallegas, por tanto. Mi padre poseía una empresa familiar bastante próspera de la que estaba muy orgulloso —jadeó en tono burlón—. Creo que todavía sigue sintiéndose orgulloso de ella y de sus logros.

—¡Vaya, es usted hijo de un empresario próspero!

Él cabeceó en señal de asentimiento, sintiéndose apenado por la chispa de admiración que apreció en sus ojos. Seguramente, si supiera quién era su padre, esa admiración se tornaría en repulsa.

—Así es. Pero, por alguna razón, nunca me interesó seguir su camino ni el engañoso brillo de su prosperidad. Quizás porque desapruebo sus métodos y quizás porque me parece que su éxito se debe, no a su habilidad para regentar el negocio, sino a que se ha dedicado a explotar a sus trabajadores para beneficio propio. Mi padre no es una buena persona, Ana.

—Lamento que piense de ese modo. Por mi parte, considero que la explotación es otra forma de esclavitud.

—Muy cierto. En verdad creo que a él solo le falta blandir un látigo para imitar la conducta de los auténticos tiranos —comentó, sintiéndose orgulloso del punto de vista de Ana. La mayoría de las mujeres que había conocido en Madrid solo se preocupaba de los aderezos de sus sombreros, de encontrar la seda perfecta para confeccionar sus sombrillas de paseo o del número apropiado de abanicos con que debían contar en su guardarropa. Ninguna osaría gastar su tiempo pensando en temas tan *banales* como la explotación de los trabajadores o la tiranía de los empresarios—. Quise marcharme para formarme lejos de aquí y, con ayuda de mi madre, llegué a Madrid. Terminé la carrera de Derecho y desde entonces soy socio de un pequeño bufete de la calle Real.

—Abogado. Un hombre de ley y justicia. No sé por qué, pero no me sorprende. —Ana le miró con admiración. Porque, sin duda, le admiraba. Alberto, más allá de todo lo que a esas alturas representaba para ella, era un hombre valiente que se había hecho a sí mismo y que había luchado por alcanzar sus metas. Un ejemplo de superación y tesón—. No solo ha conseguido formarse en la disciplina que deseaba, sino que además es usted dueño de su propio negocio.

—Uno de los socios... —corrigió.

—¡Haga el favor de no quitarse méritos! —regañó, golpeándole ligeramente en el antebrazo—. Ha perseguido un sueño y lo ha alcanzado. La mayor parte de los mortales no puede presumir de ello. Dueño de su destino... Admirable.

Alberto suspiró.

—Habla usted como mi madre... —Ante el gesto interrogante de Ana, se apresuró a añadir—: Falleció poco después de que yo me hubiera marchado. Me temo que nunca gozó de una buena vida al lado de mi padre. En realidad —mirándola con una ternura infinita —, mi padre siempre ha sido un hombre poco o nada merecedor de los privilegios de los que goza hoy en día.

—Lo lamento...

—Y yo lamento tener que hablar de él en estos términos delante de usted. Detestaría que me tomara por una mala persona o, tal vez, por una carente de sentimientos filiales.

Ana meneó la cabeza, restándole importancia.

—Jamás podría pensar mal de usted —y sus pupilas vibraron, clavadas en las de él, para expresarse apenas en un susurro—, ni basándome en ese ni en cualquier otro argumento.

Animado por esa declaración de sentimientos, Alberto continuó.

—Mi relación con él nunca ha sido buena, quizás porque somos muy distintos. Como agua y aceite.

—Usted sin duda es mucho mejor que él —concedió, y sus mejillas se encendieron con viveza—. ¿Su padre vive aún en Orense?

Ciertamente, la curiosidad la carcomía desde el mismo momento en que le conoció, aunque era consciente de que aquel dato no podía resultar demasiado relevante.

—Va y viene. Posee también una casita en la costa —comentó con indiferencia, ocultando que dicha casita se encontraba en el propio San Julián—. Yo le visito de vez en cuando, ni siquiera sé por qué —suspiró, inclinando la mirada—. O tal vez sí lo sepa: quizás en el fondo albergo la esperanza de que, durante alguna de mis visitas, pueda encontrarle cambiado, percibir algún rasgo humano en él, algo que me permita sentirlo más humilde y cercano. Un padre en realidad.

Ana cabeceó despacio, porque no podía negar que albergaba también tales esperanzas en lo referente a su propio padre.

—Sueño con encontrarme con un hombre sensato y juicioso, como correspondería en alguien de su edad y situación, en vez de con un crápula. Puede que, un día, el monstruo derive en el humilde mortal que en verdad debería ser y que él se niega a aceptar, aunque por el momento mis esperanzas naufragan cada vez que le veo.

Ana, ceño fruncido y corazón en un puño, sintió el vacío de un agujero enorme en su pecho.

—Espero que su padre recapacite a tiempo para poder disfrutar de la valía de su hijo.

Alberto esbozó una sonrisa irónica.

—No confío en ello, Ana. Él nunca ha encontrado nada meritorio en lo que hago. La abogacía es para él un trabajo digno de lechuguinos, jamás una profesión digna de un hombre de los pies a la cabeza. Creo que lo que ocurre es que nunca me ha perdonado que no quisiera perpetuar la tradición familiar.

Ana se encontró de pronto odiando a aquel hombre desconocido que tan poco apreciaba las virtudes de su vástago. Alberto era un luchador, un hombre noble y de ley, y aquel individuo egoísta no era capaz de verlo. Solo por ello ya se había ganado su desprecio y su condena para toda la eternidad. No quería conocerle, le daba miedo el momento en el que un encuentro casual entre los tres tuviera lugar.

—¡Y ahora ya ni siquiera importa! —exclamó Alberto de pronto, con una dolorosa sonrisa asomando a sus labios—. El viejo zorro va a casarse de nuevo —Ana le miró con incredulidad—, ¡y con una muchacha de la que podría ser su abuelo! —Elevó las manos al cielo en muda e impotente plegaria—. ¿Acaso esa pobre incauta no sabe lo que le espera? Mejor le hubiera sido meterse a monja, o abrazar la soltería, antes que condenarse a pasar la vida al lado de un viejo zorro, egoísta, frío e insensible como él.

Ana cabeceó en asentimiento, muy despacio. ¡Pobre muchacha! Al instante, su corazón dio un quiebro. Casi sintió ganas de reír de amargura, de reír por no llorar, de reír por no llevarse las manos al pecho y tratar de desgarrarse el alma y arrancarse el corazón para alejarlo de sí. ¿Pobre de aquella desconocida que iba a casarse con un anciano? ¡Pobre de ella misma, por el amor de Dios, que tenía por delante un destino similar y con un hombre espantoso! ¿Realmente ninguna joven iba a poder mantenerse a salvo de los matrimonios de conveniencia, cuanto más disparatados mejor?

—¡Qué infames son los matrimonios carentes de amor! —murmuró, casi para sí misma, como si el pensamiento huyera de sus labios sin su consentimiento.

—Los matrimonios de conveniencia son el cementerio de miles de sueños. Son puro negocio, y nadie debería negociar con los sentimientos. —Ana parpadeó, devolviéndose al presente. A un presente en el que Alberto la miraba fascinado.

—Siempre he creído que me casaría por amor, como muchas de las grandes heroínas de la literatura. Sin embargo... —se silenció, meneando la cabeza para tratar de alejar de sí sus negros pensamientos.

Sin embargo, voy a tener que hipotecar mi futuro al lado de un viejo horrendo para saldar los errores de mi padre.

—¿Y quién se lo impide? —Ana le miró con ceño—. Por fortuna, está usted exenta de pertenecer a esa clase social que se rige por falsas apariencias y convencionalismos. No creo que sus padres la empujen a un matrimonio amañado —cabeceó, señalando con la barbilla la presencia no demasiado lejana de doña Angustias, que en esos momentos olisqueaba un pequeño jaramago al pie del camino—. No lo creo, al menos en doña Angustias.

El agujero en su pecho se hizo mayor; de seguir así, acabaría ocupando también el corazón y los pulmones. Quizá llegara un punto en el que le fallara la presencia de ánimo y se desplomara allí mismo. No resultaba tan descabellado, después de todo.

¡Ay, pobre querido Alberto, si tú conocieras los pesares que tienen lugar en el corazón de esta infeliz condesa! ¡Si supieras las negras sombras que mi padre ha vertido sobre mí!

—A menudo, las cosas no son tan fáciles como parecen —se limitó a afirmar con aire distraído, como quien observa el vuelo de las aves de paso sabiendo que quizás no volverán—. A veces no somos dueños de nuestras propias vidas, especialmente en el caso de una mujer.

—Lo sé, y es injusto. Pero, hace un momento, usted misma me hablaba de lo heroico de perseguir un sueño, ¿verdad? —Su voz sonaba firme e incontestable, la tonalidad perfecta e inequívoca de un hombre seguro de sí mismo con las ideas muy claras—. Si ese es su propósito en la vida, alcanzar el verdadero amor, no debería rendirse. No, al menos, sin luchar. Es probable que, muy cerca de usted, los ecos de su corazón sean correspondidos con idéntico brío.

Aquellas palabras se incrustaron en su alma como un necesario baluarte para la lucha que le esperaba.

—¿Y usted? —se aventuró a indagar—. ¿Cree en el amor?

Alberto estiró los labios en una sonrisa dulce.

—No creo en *para siempre*, ni en *eternamente* pronunciados con ligereza, mi bella dama. Prefiero quedarme con los pequeños momentos que se van fraguando a fuego lento, con cariño y respeto, y se prolongan toda la vida. —Levantó una mano con delicadeza para acariciar el redondeado pómulo con el dorso de los dedos.

12

Don Alejandro Covas se levantó de su asiento tras el escritorio como impulsado por un resorte invisible y se dirigió a la chimenea con diabólica determinación aunque evidente zozobra; una vez allí, relajó el peso de su tambaleante cuerpo sobre la repisa de mármol blanco. Por el camino derribó un par de esculturas de loza, que tuvieron mal fin al encontrarse en la trayectoria del conde después de que este tropezara con una arruga de la alfombra, que le hizo trastabillar y casi perder el equilibrio. Poco faltó, de hecho, para que el noble se metiera de bruces en el hogar encendido; por suerte, pudo frenar a tiempo contra la repisa de mármol, usando sus manos como parapeto. El golpe, no obstante, no le devolvió la lucidez.

Permanecía en mangas de camisa, arremangadas por descuido una hasta el codo y otra hasta el antebrazo; el chaleco se mostraba mal abrochado, sin corresponderse cada botonadura con su ojal correspondiente, y las dobles lazadas de su pañuelo colgaban con dejadez a ambos lados del cuello, suspendidas sobre un pecho que no dejaba de ascender y descender en violento vaivén, y una nuez que subía y bajaba sin parar. En sus labios perduraba aún el aliento acre y amargo del alcohol, perceptible también en su expresión por los ojos achicados, vidriosos e inyectados en sangre.

Llevaba ya muchas horas bebiendo y la evidencia descansaba en forma de botellas de bohemia tiradas vacías sobre la alfombra, derramando sobre el tapiz los últimos restos ambarinos de su contenido, como cadáveres agónicos a medio desangrar.

Quedaba patente también su elevado estado de ebriedad a través de la escasa verticalidad y del precario equilibrio que mostraba a cada paso, o aun permaneciendo quieto. Y ni las elegantes ropas que vestía, ni el hecho de que aquello no fuera una taberna, sino el despacho de un viejo conde viudo, tenían la menor trascendencia.

Cerró la mano que descansaba sobre la repisa y ahogó un gruñido. Dentro del puño, dos octavillas de papel agonizaban, víctimas del despiadado estrujamiento de aquellos dedos largos y huesudos.

Contra la casa Monterrey había contraído una deuda infame, sin duda la madre de todas sus deudas, pero, al menos, aquel viejo y su pestilente olorcillo a pescado jamás habían incurrido en amenazas. ¡Jamás! No como aquellos perros rastreros que no dejaban de acecharlo por las esquinas, de salir al paso de su carruaje con el único afán de meterle miedo en el cuerpo, y que todas las semanas daban en la flor de hacer llegar al Pazo notas con claros visos de amenaza. Como vulgares bandoleros. Como viles alimañas.

Era consciente de la falta de blasones en su abolengo, pero jamás llegó a pensar que acabarían actuando como vulgares cuatreros.

Un medicucho del tres al cuarto, un terrateniente con más vacas que honorabilidad y el segundo hijo de un vizconde venido a menos que se pasaba todo el mes con el mismo traje de paño. Amenazas, amenazas y más amenazas. Sus cartas contenían descripciones detalladas de lo que tenían en mente hacer con su augusto sayo en cuanto pudieran echarle el guante. Y se lo echarían en cualquier momento, según decían en sus notas: mientras dormía apaciblemente en su alcoba, mientras acudía a algún club a esparcirse o, simplemente, cuando menos lo esperase. Porque siempre, y así rezaban aquellas lúgubres cuartillas, siempre estarían al acecho hasta hacerle pagar, aunque fuera con sangre, las deudas contraídas.

El conde prorrumpió en una blasfemia mientras arrojaba las cuartillas al fuego, tal y como hacía siempre con todas ellas, y las veía retorcerse hasta acabar convertidas en gurruños negros. En su fuero interno, recreaba esa misma escena con las figuras de sus enemigos y se regocijaba al imaginar cómo se retorcerían entre las mismísimas llamas del averno. Cómo suplicarían clemencia y cómo él no solo se la negaría, sino que azuzaría el fuego hasta que los consumiera por completo. ¡Ni un atisbo de piedad para los que se atrevían a poner en apuros a Alejandro Covas!

Jadeó desolado y descargó un puñetazo sobre la implacable repisa, con el consiguiente dolor que ascendió por su brazo. Gruñó, blasfemó, gritó y pateó los leños humeantes con la bota hasta que un montón de partículas de ceniza se esparcieron por el ambiente.

Aquel escrupuloso Monterrey se negaba a liquidar las deudas de su futuro suegro hasta no ver algún indicio de accesibilidad por parte de la condesita.

Creyó, ingenuo de él, que el anuncio de la fiesta del sábado, donde se haría público el compromiso, calmaría los temores y el ansia del empresario, pero hasta el momento, el viejo verde se negaba a soltar un solo real más. ¡Diantres! ¿Qué más quería aquel estúpido anciano? ¡Ya le había ofrecido a su hija, una perita en dulce, y por ende el título de conde consorte! ¡Más de lo que nunca podría atreverse a soñar el apestoso carcamal!

Se llevó las manos a las quijadas y clavó los dedos con saña en la carne, simulando arrancárselas de cuajo, mientras exhalaba un grito gutural. ¿Qué iba a hacer?

Con aquellos perros sedientos de venganza acechando, su vida corría serio peligro, y a esas alturas no podía permitirse aumentar la escolta. Tampoco se fiaba de nadie. Contratar nuevo personal implicaba arriesgarse a meter en el Pazo un posible infiltrado de aquellos crápulas. El enemigo a las puertas. Y no, su vida valía demasiado para exponerla de forma tan obvia.

En aquellos momentos, su rabia hacia los infelices que se atrevían a acecharlo y, para mayor escarnio, a hacer públicas sus amenazas, se incrementó hasta el punto de desbordarlo por completo. Rojo de ira e indignación, espumajeando por la boca como un animal contenido, giró sobre sí mismo con precaria estabilidad para dirigir su ofuscación a la persona que tenía más a mano: la infeliz que, pese a su mojigatería y sus aires de niña rica, no conseguiría engañarle ni reblandecerle el corazón. ¡Estúpida beata! ¡Maldita inútil! ¡Debiera obedecer, debiera comportarse como una niña sumisa y leal a su padre, y lo único que hacía era ponerle cada día las cosas más difíciles!

—Decías que le conocía muy poco, nana, y sin embargo siento que le conozco mejor que a nadie en el mundo. Le siento tan cercano y parecido a mí en todo que es como si le conociera de toda la vida. —Ana, tumbada boca arriba sobre la colcha, hablaba en tono soñador, adornando sus palabras con una sonrisa radiante mientras miraba con fijeza los artesones del techo, como si en ellos viera representadas las más memorables escenas de aquella tarde.

Doña Angustias, sentada a su lado, alisaba con la mano los plegados encajes de la colcha mientras esbozaba una sonrisa tímida, haciendo suya la alegría de la niña, aunque tratando de no manifestarlo, por prudencia.

—Está bien, admito que es posible que me haya equivocado.

—¿Es posible? —Ana rio escéptica—. ¡Nana, hoy me ha confiado muchos detalles de su vida! ¡Asuntos personales que un hombre jamás compartiría con una mujer si no se sintiera cómodo en su compañía! —Y levantó una mano para empezar a enumerar con los dedos—. Hemos hablado de la relación con su padre, de sus sueños, de su profesión... —suspiró con teatralidad—. ¿No es maravilloso que me haya elegido para ser partícipe de sus anhelos? ¿No es maravilloso que confíe en mí? ¡Oh, nana, le quiero, le quiero!

Doña Angustias pareció divertida de pronto ante la ocurrencia que acababa de cruzar por su mente como una centella, y así se lo hizo ver:

—Bien, mi querida niña, lo reconozco: parece un hombre correcto y un excelente conversador. Has hablado con él más que con cualquier otra persona en el mundo, descartándome a mí misma, por supuesto. Pero tanta transparencia, tanta cercanía, tanta familiaridad y conversación de pronto, no pueden resultar beneficiosas en modo alguno. ¿De qué vais a conversar en la próxima ocasión? ¿Acaso habéis dejado algo en el tintero? No, creo que no —bufó, riendo—. La próxima vez que os veáis toda vuestra bonita nube rosa de flores y corazones se desvanecerá por completo.

—Eso no va a suceder —jadeó risueña y, apoyándose sobre los codos, se incorporó para encontrarse con la mirada del ama—. Creo que siempre tendría algo que decirle, y que él encontraría el modo de dirigirse a mí. Aunque fuera para hablar de los caminos o del tiempo, de la amortiguación de los carruajes o de los botes que duermen en el puerto. Siempre habrá nubes rosas y corazones.

El ama inclinó la mirada, concentrándose en estirar los pliegues de la colcha.

—¿Me desapruebas, nana? —preguntó ceñuda, sinceramente deseosa de no decepcionar a su querida nana—. Sé que he sido imprudente y arriesgada, que debería haberme mostrado más tímida en su presencia, hablar menos y escuchar más, lo sé —se inclinó hacia adelante para atrapar una de las arrugadas manos del ama entre las suyas—, pero creo que mi cabeza no entiende de prudencia a estas alturas ni podría cortarle las alas a mi corazón. Mi corazón siente, nana, y se siente absolutamente inclinado hacia él. ¡No te imaginas de qué modo le quiero!

—Es obvio. A estas alturas, a tu querido caballero andante, de nombre Alberto —arqueó una ceja con intención— y de apellido sin descifrar, no debe de quedarle ninguna duda del estado de tus afectos. —Doña Angustias se inclinó para acariciarle la mejilla con el pulgar—. ¿Y él? ¿Te ha hablado de sus sentimientos?

—¡Nana! —exclamó, fingiéndose indignada. ¡Resultaba tan tierno ese pequeño viso de inocencia!

—Sería importante que lo hiciera, así tendrías a qué atenerte, querida mía. Así, al menos, contaríamos con una oportunidad.

Ana inclinó la mirada para pasearla por todas partes: por la superficie fina y rosada de su falda, por los elaborados encajes de la colcha, por los torneados pilares del dosel de la cama, por el trenzado de la alfombra e incluso por las filigranas del papel pintado de la pared.

—Pues no, no lo ha hecho, nana. —El ceño fruncido ensombreció su mirada—. Nada ha dicho directamente, no con esas palabras... pero sus miradas, sus gestos, su tono de voz, indican que no le soy indiferente. Creo que siente lo mismo.

El ama suspiró y se llevó la mano a los párpados, tratando, con ese sencillo movimiento, de alejar de sí todo el cansancio acumulado.

—Pero nada ha dicho, y sabes que el sábado es la fiesta de tu padre —señaló—, en la que se hará público tu compromiso con Jenaro Monterrey.

Ana, impulsada por un resorte invisible, se levantó de la cama de un salto. Alisó y recompuso las faldas a su alrededor y se dirigió al centro de la habitación con la brusquedad de un demente para, con la misma vehemencia, quedarse completamente quieta, como si la hubiera ensartado un rayo.

—¿Y qué quieres que haga? —replicó sin volverse—. ¿Forzarle a declararse? ¿Proponerle que nos fuguemos? ¿Casarnos a escondidas? Padre me buscaría hasta debajo de las piedras y me traería de vuelta.

Como si el mentar al diablo implicase su aparición, la puerta de la alcoba se abrió con inusitada violencia y el pomo de cerámica impactó contra la pared. Un fuerte olor a alcohol, a sudor y a miseria humana saturó el ambiente, al tiempo que una figura torva y encorvada asomaba bajo el umbral como un espectro del inframundo.

Ana ahogó un grito, llevándose las manos a los labios, y trató de huir, pero el animal airado que acababa de irrumpir en la alcoba se lo impidió, sujetándola con crueldad por el brazo y retorciéndoselo con saña hasta inmovilizarla por completo.

—¡Aquí te escondes, mala pécora desagradecida! —bramó fuera de sí. Sus ojos desorbitados, su cabello despeinado, sus ropas descompuestas y la lividez de su rostro indicaban que no era dueño de sí mismo—. ¡Aquí, recluida entre gasas y oropeles, te consideras a salvo de tus responsabilidades! ¿Verdad? ¿De eso se trata? ¿De tirar la piedra y esconder la mano?

—¡Padre, suélteme! —chilló asustada. En esos momentos, el hombre la zarandeaba sin piedad, como si se tratara de un muñeco de trapo—. ¡Me hace daño! ¡Me está lastimando!

—¡Señor, recapacite, suelte a la señorita condesa! —Doña Angustias se puso en pie de un salto, lo que resultaba admirable teniendo en cuenta sus dimensiones, para acudir en auxilio de su niña. Pero el señor la repelió con un brusco empellón, provocando que la mujer cayera al suelo entre el airoso revoloteo de sus faldas. O más bien, derramándose como un cesto roto sin posibilidad alguna de enmienda, agitando entre las capas de ropa unas canillas nerviosas.

—¡Apártate de mi vista, vieja alcahueta! —rugió, contemplando los inútiles aspavientos del ama para tratar de levantarse—. ¡Y tú, pequeña hija del demonio! —bramó, centrando su atención en Ana, que forcejeaba para intentar liberarse—. ¿Crees que vas a reírte de mí? ¿Crees que vas a salirte con la tuya? —Cruzó la habitación a grandes zancadas, llevándola a rastras tras de sí, gimiendo y llorando. Una vez frente a la cama, la liberó para arrojarla con desprecio sobre la colcha. Tan brusca fue la caída que su cuerpo rebotó sobre el colchón—. ¡Te aplastaré como la sabandija que eres! ¡Maldita seas, hija del demonio!

Ana se aovilló en el lecho, acariciándose el brazo magullado, juntando las rodillas con el pecho en una pose que procuraba resultar defensiva y que, en lugar de eso, le confería el aspecto de absoluta indefensión. Por vez primera, su padre había dejado de inspirarle respeto para inspirarle miedo, un miedo atroz. Aquel hombre que, allí de pie, traspasándola con la mirada, jadeando y resollando como un animal salvaje, parecía un auténtico trastornado.

—¡Te dije que debías ser condescendiente con el viejo! —bramó, espumando por la boca, con los ojos inyectados en sangre y las manos en garras—. ¡Te advertí que debías obedecerme!

Ana apretó los dientes hasta que un dolor agudo traspasó sus sienes. ¿Así que de eso trataba semejante exabrupto? ¿De Monterrey y su complacencia? Se obligó a contener un jadeo escéptico. ¡Por supuesto! Lo único que le interesaba de ella a aquel villano era su valía como moneda de cambio. Y para que el viejo se encontrara debidamente satisfecho con su monedita, ella tenía que hacer lo que fuera necesario para agradarle, aunque en el intento arrojara los hígados.

—¡Ese hombre es un réprobo y un sátiro! —siseó entre dientes, arrastrando las palabras e intentando insuflar a su tono todo el desprecio que sentía.

—¡Y tú, una hija desobediente y desleal a su padre y a sus obligaciones! —Gruesos espumarajos huían de su boca, entremezclados con el olor acre del alcohol. Estaba claro que se encontraba ebrio, aunque de haber estado sobrio, no habría sido más amable ni menos pérfido.

—¡Entre mis obligaciones, no se encuentra sufrir las consecuencias de que mi padre sea un mal perdedor!

—¡Maldita! —Fuera de sí, alzó una mano en claro ademán de golpearla. Solo el hecho de que Ana rodara sobre sí misma encima de la colcha hacia el lado contrario la salvó de sufrir su ira pues, de hecho, la mano impactó en forma de puño sobre el colchón—. ¡Obedecerás, así sea lo último que hagas en esta vida! ¡Complacerás a Monterrey y serás leal a tu padre!

Ana, que había alcanzado el borde, bajó de la cama, manteniéndola como obstáculo entre los dos.

—¡Jamás! —desafió, intercambiando el peso de un pie a otro, preparada para escapar en caso de ser necesario—. ¡Ya se lo dije una vez y se lo repito ahora: intentaré desagradar a ese hombre con todas mis fuerzas! ¡Solo encontrará en mí desprecio e indiferencia! ¡Le detesto, le detesto! ¡Y a usted también!

Un gruñido gutural brotó del conde, que se revolvió como un demonio tratando de rodear la cama para alcanzar a su hija. Sus movimientos, torpes y violentos, le llevaron a derribar el palanganero que había al lado de la cama. El sonido metálico de la jofaina rodando por el suelo resonó por toda la estancia, y la alfombra adquirió un tono más oscuro allí donde el agua se derramó.

Por fortuna, Ana pudo escapar a tiempo y ponerse a salvo. Avanzó hasta donde doña Angustias se mantenía aún acuclillada y la ayudó a levantarse, aprovechando la confusión de trastos y la precaria estabilidad de su padre.

Haciendo gala de una agilidad de la que no disponía el conde, Ana se movió con rapidez hasta la chimenea para apropiarse del atizador. Con él en su poder, se sintió de pronto más segura. Lo enarboló como si de una espada se tratara para apuntar con él a su padre, que frenó en seco al darse cuenta de lo que sucedía.

—Ahora dé media vuelta y váyase por donde ha venido, padre —ordenó sin bajar el hierro, que apuntaba directamente entre los ojos del conde.

El hombre esbozó una sonrisa torcida.

—No te atreverías a hacerme daño. Eres como tu madre, débil y cobarde. Siempre has sido como ella, una ridícula pusilánime.

Aquella dolorosa mención a su madre ausente le mordió las entrañas.

—Esta noche ha golpeado al ama y ha intentado hacerme daño a mí —su voz sonaba firme e incontestable—, así que no le quepa la menor duda de que sí me atrevería, ¡oh, sí, se lo aseguro! —Trazó un círculo en el aire con su improvisada arma—. ¡Váyase ahora mismo y no vuelva a molestarnos! ¡Y complazca usted a ese viejo sátiro si así lo desea!

Don Alejandro mostró las palmas en señal de rendición, aunque sin dejar de sonreír con falsedad. Retrocedió sin dar la espalda a su hija, pasando al lado de la anciana magullada.

—Sé amable con el viejo —advirtió apenas en un susurro—. En unos días se hará el anuncio oficial y más te vale que seas agradable con él o, de lo contrario, una vez casados, puede que Monterrey no muestre tanta paciencia como en el presente. —Bajo su emperifollado bigote asomaron dos comisuras erguidas en mueca burlona—. Aunque, a decir verdad, lo que suceda después me importa un bledo.

Y desapareció bajo el umbral, dando tumbos por el pasillo en penumbra.

Ana se abalanzó contra la puerta, apoyando en ella todo el peso de su cuerpo, y la cerró con llave. Una vez a salvo, jadeó y dejó resbalar la espalda contra la madera. De repente, se sentía tan cansada como si todo el peso del mundo hubiera recaído sobre sus hombros. Doña Angustias caminó hacia ella para abrazarla con fuerza, tratando de confortarse ambas.

—Ya ha pasado, mi niña, ya ha pasado...

—Jamás pasará, nana. ¿No te das cuenta? ¡Está loco! —murmuró entre los brazos del ama, con los ojos prendidos en el vacío—. Jamás va a dejarme vivir en paz.

Alberto suspiró en profundidad y siguió paseándose por la habitación, inquieto y meditabundo, alternando pensamientos con suspiros y sonrisas con expresiones serias y reflexivas. A cada paso, con cada respiración agitada y cada firme zapateado por la estancia, se paraba, meneaba la cabeza, sonreía y perdía la mirada en un punto distante e invisible. Luego, volvía a retomar su paseo regular, sus suspiros, sus sonrisas y sus muecas contritas con idéntico brío.

No había sido algo premeditado; lo que menos esperaba al realizar una de sus ocasionales visitas a Galicia era terminar absolutamente rendido y enamorado de una joven provinciana. Aunque, en verdad, los orígenes de la joven eran lo de menos: provinciana o capitalina, lo cierto era que jamás había esperado que su corazón se entregara tan presto a una agitación febril de naturaleza romántica. ¡Y cuán febril y agitado bombeaba su corazón, hasta el punto de parecer salirse de su sitio con cada ágil golpeteo!

La amaba. Y que Dios le perdonara por su debilidad, por su poca cabeza o por su comportamiento soñador, tan solo digno de un zagal o de un poeta, pero a esas alturas era muy consciente de que la amaba. ¿Cuándo lo había sabido con certeza? Quizás en el momento en el que se dio cuenta de que no podía dejar de pensar en ella a todas horas, recordando constantemente su imagen y evocando las diferentes escenas de sus encuentros, las conversaciones, cada gesto, cada mirada, cada sonrisa cómplice. Quizás cuando descubrió que, desde su llegada a San Julián, salía de casa de su padre con un único fin, y que sus pies parecían actuar por cuenta propia, conduciéndolo sin remedio hasta cierta parte del bosque donde era más probable encontrarse con ella. La buscaba a todas horas, tanto en la realidad como en sus pensamientos, y siempre la veía hermosa, suave y blanca como una azucena, dulce y pura como un copo de nieve recién caído del cielo. Cuanto más la conocía, más la admiraba. Era una muchacha sensata a pesar de su juventud, una criatura que había sufrido en la vida y que, a pesar de contar con el apoyo de una amorosa madre como doña Angustias, había conocido la soledad y el abandono por parte de un padre que la repudiaba. Un padre que, a esas alturas, y sin ni siquiera haberlo conocido, él ya detestaba con toda su alma.

Y, si de algo estaba seguro, era de que Ana no merecía conocer ningún tipo de sufrimiento. Ningún alma noble debería conocerlo. Y mucho menos ella.

Trataría de hacerla feliz a como diera lugar; haría lo que fuera para impedir que los recuerdos del pasado, de una existencia sin el afecto de un padre amoroso y digno, volvieran a entristecer sus hermosos ojos. Nunca más aquella mirada de jade debería ensombrecerse, y mucho menos soltar perlas de tristeza.

Incluso ya no deseaba irse de San Julián. Por ella, y por vez primera, estaba dispuesto a permanecer en aquella casa todo el tiempo que fuera necesario con tal de prolongar su estancia en el pueblo.

Aunque sabía que algo así resultaba tan impropio como indeseable. Aparte de las correspondientes obligaciones derivadas de su profesión, que le mantendrían alejado de aquella remota y apacible parte del mundo, compartir techo —o siquiera provincia— con su padre le resultaba insoportable. ¡Maldita fuera su suerte! ¡Su padre, siempre su padre!

Sintiéndose ahogar entre aquellas cuatro paredes, salió al pasillo, decidido a aligerar la carga de sus pensamientos de cualquier forma. Necesitaba airearse y no pensar más o, de lo contrario, sabía que iría al Pazo en ese mismo instante para pedir la mano de la señorita Guzmán. Y no, no sería prudente. Al menos, todavía no. Debía cortejarla durante un tiempo prudencial, profundizar en su conocimiento, aprender a llegar a su corazón y ganárselo con todas las de la ley. Actuar con sensatez. Seguramente no le negaran su mano. Él era un abogado con futuro y ella, la hija de dos empleados del Pazo. El enlace sería justo, no tenían por qué desmerecerlo en modo alguno. Pero debía prepararse mentalmente para enfrentarse al terrible señor Guzmán y a sus posibles alegatos.

Se llevó las manos a la frente, peinando hacia atrás los rizos del cabello, aplastándolos en el proceso, y resopló. No era tiempo aún de correr al Pazo a declarar sus afectos. No todavía, de forma atropellada y sin un discurso correcto. Por lo tanto, debía ocuparse en algo con urgencia, antes de que sus impulsos tiraran por tierra su sensatez.

Tal vez podía salir y respirar el olor a salitre y algas descomponiéndose en la playa que llegaba a la casa desde la costa. Quizás pasear por el litoral, donde con marea baja podían apreciarse los restos de antiguas construcciones *castrexas* brotando del acantilado, descalzarse y sentir bajo los pies la textura de aquella arena finísima y clara. Sí, puede que hiciera eso.

Animado, encaminó sus pasos por el pasillo, aunque su ímpetu y su entusiasmo fueron igual de breves esta vez. La presencia cercana de la fábrica de salazones y conservera, con su peculiar e intenso olor acre, impediría cualquier esperanza de disfrute odorífero, pues estropearía las fragancias marinas, estaba seguro de ello.

Al llegar al vestíbulo, se encontró con su padre que, bastón en mano y sombrero sobre la testa, parecía dispuesto a salir.

A Alberto se le agrió el humor en el acto. La presencia de aquel hombre de orondas dimensiones siempre conseguía ensombrecer sus perspectivas de felicidad.

—¡Ah, estás aquí! —comentó el anciano con dejadez, ajustándose el sombrero. Lo que resultaba inútil: su cabeza era demasiado grande para encajar en ella cualquier prenda corriente.

Alberto le contempló de soslayo. Viejo, encorvado, cargado de años y de kilos, flácido en sus carnes, escaso en su cabello, abundante en incisivos y excesivo en lo disoluto, aquel hombre debería dedicarse a gastar sus últimos años en casa, al amor de una buena lumbre, calzando unas cómodas alpargatas y leyendo la prensa local en lugar de andar cortejando a jovencitas. Bien podría ser digno de lástima si no fuera porque su actitud mordaz impedía que nadie albergase tales sentimientos hacia su persona.

—Y usted sale, por lo que veo. —El sarcasmo en el tono de Alberto era más que obvio.

—Me esperan en el Pazo —expresó lacónico.

—Si ni siquiera son las diez de la mañana... —protestó, deseando que el anciano percibiera lo inapropiado de su visita tempranera. Desconocía las peculiaridades de las costumbres rurales, pero estaba convencido de que pasar a visitar a alguien antes de las tres de la tarde podía considerarse una absoluta y completa falta de distinción. Lo que, procediendo de un personaje absoluta y completamente carente de ella, tampoco resultaba tan extravagante.

—Soy bien recibido en el Pazo sea la hora que sea, muy al contrario de lo que sucede en mi propia casa, me temo, y entre los miembros de mi familia —declaró con intención—. Además, nada hay de extraño o imprudente en el hecho de que un hombre visite a su prometida, aunque el día no haya alcanzado su meridiano. —Ahora esbozó una sonrisa cruel, a juego con el achique malicioso de sus ojos—. Pero ¿qué sabrás tú de eso, si no eres más que una rata de despacho que nada sabe de mujeres ni de la vida?

Alberto encajó la puñalada con entereza. Seguramente fuera cierto que no sabía de asuntos de faldas ni de amoríos, pero, al menos, se sentía agradecido de no ser un carroñero profanador de damiselas como él.

—Visitar a su prometida... —Torció el gesto, burlón—. Debería dejarse de absurdeces y centrarse en asuntos más apropiados para un hombre de su edad.

Jenaro se revolvió como si le hubiera mordido una serpiente en las canillas, pero no dijo nada. Alberto continuó, pues, desenrollando su carrete. Apenas había podido coincidir con su padre en todo ese tiempo y al fin tenía la oportunidad de darle su opinión.

—¿Casarse? ¿A estas alturas de su vida? —jadeó, escéptico y asqueado—. ¿Y con una pobre niña? ¡Padre, por el amor de Dios! ¡Desista de tal despropósito y no se ponga más en ridículo!

—¿Qué sabrás tú, necio? ¿Pobre niña? ¡Ja! ¡De pobre nada! ¡Condesa, por más señas! —exclamó airado, lo que provocó que la papada y las alforjas sobrecargadas que tenía por mejillas bailaran como gelatinas.

—Era lo único que le faltaba al arrogante ánimo de Jenaro Monterrey, ¿verdad? Un título nobiliario que añadir a su tarjeta de presentación. Conde y salazonero... Tiene gracia. ¿Cuál aparecerá primero en sus esquelas?

—¡Mal que te pese, desgraciado! —rugió él, asiendo la manecilla de la puerta con toda la dignidad que su porte y su respiración aflautada le permitían—. ¡Voy a casarme con la señorita condesa, contando con su beneplácito y con el de su padre! ¡Una muchacha joven y hermosa, algo a lo que tú jamás podrás aspirar!

Alberto meneó la cabeza, frustrado. Dudaba mucho que una debutante, de sangre noble y rancio abolengo, aceptara por propia iniciativa a un anciano decrépito. No le entraba en la cabeza. Aquello tenía que ser, por fuerza, un acuerdo entre varones. Pero ¿por qué diantres un conde iba a querer emparentar con un empresario del pescado, de mala fama y peores costumbres? ¿Solo por dinero? ¿Un dinero sucio y desleal?

—¿Tendré que llamarle *señor conde*, o acaso *su ilustrísima*, a partir de ahora?

—Ríete, tú ríete... —rugió, fulminándolo con la mirada—. Seguramente todavía no crees en la buena fortuna de tu padre, desagradecido infame, y en sus posibilidades para encontrar una esposa joven y sumisa. —Con un movimiento innecesariamente brusco, abrió la puerta para apostarse bajo el umbral y volverse de nuevo hacia él—. Pues te comunico que este sábado se hará el anuncio oficial en el Pazo y entonces tendrás que morderte la lengua. ¡Y yo disfrutaré viendo cómo te la muerdes y te atragantas con el veneno! —Alzó la barbilla con decisión provocando que la papada se bambolease—. Por cierto —sus labios se replegaron en una mueca de desagrado—, ¿no te esperan en la Villa? ¿No tienes pelagatos a los que asesorar?

—¿Acaso mi presencia le incomoda? —encaró—. ¡Si es así, recogeré mis cosas y me alojaré en una pensión, por mí no se sienta desasosegado!

—No puede incomodarte aquello que no tienes en consideración. Haz con tu vida lo que te plazca.

—Usted ya hace lo propio con la suya.

—La envidia te corroe, muchacho. —El viejo sonrió con malignidad—. Pensaré en ti y en tu cara de amargado mientras me encuentre gozando entre los muslos de la jovencita. Una madrastra joven y hermosa, noble y dulce como una flor. No me extraña que estés rabioso.

Y dicho esto cerró tras de sí con un sonoro portazo que obligó a Alberto a cerrar los ojos un segundo.

Por un instante, trató de olvidarse de la brusca reacción de su padre, de la arrogancia y la altivez que acababa de mostrar, trató de ignorar sus miradas de desdén y la suficiencia de su postura, crecido al saberse muy pronto casado con una hidalga. ¡Él, un vulgar tratante de pescado! ¡Un anciano que debería estar unido a una pipa de opio y pendiente de sus ataques de gota en lugar de deambulando por clubes, casinos y salones de jóvenes debutantes!

Trató de no pensar en condesitas bobaliconas dispuestas a hipotecar su futuro y en condes tan necios como para obviar ese detalle. Desde que tuviera conocimiento del futuro enlace de su padre con la muchacha, había deseado poder entrevistarse con ella para advertirla de la encrucijada en la que iba a meterse. Aunque era cierto que no había puesto demasiado empeño en tal asunto y que con gusto se había dejado distraer por el camino por un hada de ojos verdes y piel de nácar. Al fin y al cabo, no era asunto suyo. Su padre era mayorcito y él hacía mucho tiempo que había dejado de formar parte de su vida.

Trató de obviar todo ello y pensó tan solo en el evento que tendría lugar en el Pazo en unos días, y en la posibilidad de volver a ver a Ana.

No había sido invitado, y seguramente su padre se encargaría de mantenerlo al margen. Pero entre el batiburrillo de gente, de idas y venidas, de lacayos deambulando de un lado a otro... ¿quién le impediría colarse dentro?

Ante la idea, una sonrisa radiante ensanchó su rostro. Ya no tenía el menor interés en conocer a su futura madrastra, tampoco en contemplar la boba expresión de satisfacción en el rostro de su padre. Solo tenía un único objetivo en mente: volver a ver a Ana.

13

—Señorita de Altamira, le estoy hablando. ¿Acaso no me ha oído?

Ana parpadeó, regresando a la odiosa realidad. ¿Cómo no oírlo? ¡Por fuerza! Si el conejo dentudo no hacía otra cosa más que parlotear al lado de su oreja como si fuera dura de oído. Y, por si eso fuera poca tortura, tenía la generosidad de rociarla con gruesos perdigonazos de saliva que huían de su boca acompañando cada palabra. Hablaba y hablaba, saturándole la cabeza con un molesto runrún capaz de arrebatarle toda la paz del momento.

—Lo lamento, señor, estaba distraída. —Se concentró en acariciar con mayor tesón y los dedos en garras la frente de la amorosa y preciosa *Pequitas*, que recibía los mimos con paciencia y cariño, para no pensar en aquel detestable truhan que se había pegado a ella como una lapa y que amenazaba con no apartarse y ser su sombra hasta la hora del almuerzo.

Aprovechando que su padre se encontraba ausente, había pensado en salir a pasear con la hermosa yegua, pero estaba claro que aquel hombrecillo, que había tenido la genial idea de visitarla a media mañana, iba a impedírselo.

—¡Distraída! —bufó el hombre. Y a continuación se esforzó en sonreír con condescendencia, lo que provocó en su rostro la aparición de una mueca extraña—. No puedo reprochárselo, mi querida señorita: queda muy poco para el anuncio oficial y comprendo que su cabeza se encuentre en las nubes. No obstante, debería usted darle descanso a su mente... y a su corazón. —Alzó una mano para dejarla caer como un peso muerto sobre el hombro de Ana. Ella acusó el contacto como si una losa cayera sobre ella, y por eso dio un respingo—. Muy pronto estaremos casados y sus tribulaciones habrán pasado.

Ana frunció el ceño y ladeó el rostro para contemplar aquellos dedos cortos y rechonchos cerrándose con demasiada fuerza alrededor de su hombro. Vio también las uñas cortas y anchas adornadas con una fina línea de mugre bajo cubierta, y una náusea la sacudió por dentro.

—¡Señor! —cortó, y esta vez era obvia la vehemencia de su tono—. ¡No considero apropiado hablar de ese tema! ¡Sea usted respetuoso, le ruego que se abstenga de mencionarlo siquiera!

Y con un brusco movimiento, liberó su hombro del indeseado contacto. La rudeza de su quite provocó que el animal se asustara y cabeceara inquieto, golpeando con el hocico el brazo del caballero. Monterrey hizo un aspaviento, limpiándose con enfado la manga de las supuestas babas de la yegua. Nadie diría que el golpe recibido procediera del inofensivo morro de un caballo; a juzgar por su exaltación, parecía que acabara de embestirlo un buey.

—¡Maldito caballo, alguien debería amaestrarte mejor! —bramó, haciendo ademán de levantar la mano para descargarla en forma de puño sobre el húmedo belfo. Pero Ana, indignada, se interpuso, encarándolo con ceño.

—¡*Pequitas* es una yegua excelente, no se le ocurra ponerle la mano encima o lo lamentará! —repuso con firmeza y los dientes apretados.

Jenaro Monterrey la calibró durante un tiempo y acabó por bajar la mano que, durante unos segundos, permaneció en puño a un costado. Luego fingió serenarse, sonrió con exagerada amplitud y se centró en sacudirse las mangas, casi se podría decir que con rabia, antes de volver a hablar. Su rostro permanecía encarnado como una cereza madura. Sin duda, no le agradaba doblegarse ante una mocosa, por más hidalga que fuese. Máxime cuando en breve se convertiría en su esposa y ella debería someterse a él.

—A veces uno se encuentra ejemplares que, por bellos que parezcan a simple vista, resultan difíciles de amansar. Son tercos, orgullosos y altivos, se creen superiores a los demás. —Hablaba con los dientes apretados y los labios fruncidos, siguiendo el ejemplo de su ceño oscuro y frondoso. Y era obvio que no se refería al animal—. Pero le aseguro que el secreto para conseguirlo radica en la paciencia y en la mano dura, cualidades de las que me siento perfectamente dotado, se lo aseguro.

Ana no dijo nada. Se limitó a permanecer entre *Pequitas* y aquel ogro despiadado, mirándolo con desprecio, como quien observa al más indeseable de los seres y debe resignarse a su contemplación. Sus puños, cerrados a los costados, y el vaivén de su pecho, evidenciaban su estado alterado de nervios.

—Una vez tuve una joven yegua en mis establos que no dejaba que la montara. Era caprichosa y altiva, poseía unos aires que había que bajarle a todas luces, aunque fuera a base de palos —continuó, traspasándola con la mirada mientras se expresaba apenas en un susurro, como la cobra que sisea ante su presa—. Con el tiempo descubrí que ni los palos ni los castigos surtían efecto en ella. Era joven y testaruda, creía sin duda que podía vencerme. ¡A mí, su amo y señor! ¿Sabe cómo conseguí doblegarla? —Sus enormes dientes color crema centellearon en siniestra sonrisa—. Se la ofrecí a mi semental más salvaje, una semana entera —siseó— y se doblegó.

Ana tragó saliva horrorizada. La sonrisa de aquel bruto evidenciaba que sin duda él mismo disfrutaría doblegándola del mismo modo. Agarró las riendas de *Pequitas* y se dio media vuelta, sin una palabra, sin una reverencia, sin ni siquiera una mirada. Dispuesta a alejarse de aquel odioso *semental* —en realidad, todo un cabestro—, antes de que fuera demasiado tarde y no pudiera evitar la tentación de cruzarle la cara de un bofetón. ¡Por su vida que cualquier cosa sería preferible antes que entregar su futuro y su destino a aquel ser mezquino!

En el aire flotaba la esencia amarga y picante del tabaco y el opio, mezclada con los vapores ingentes del alcohol y un pútrido olor a humedad, sudor y a espacio cerrado. Una densa humareda, procedente de los cigarros de los presentes, se desplazaba por el local a media altura, en lento impulso invisible, como una peculiar legión aérea y etérea que empañaba todo y, a su vez, pretendía ocultar la perfidia de los allí reunidos. En vano, pues muy seguramente las almas de los presentes eran tan negras como el humo o el moho que culebreaba en ambiciosa ascensión por aquellas paredes encaladas.

No se trataba de ningún club de caballeros, tampoco de la residencia particular de alguno de ellos, si no de la parte de atrás de una vulgar cantina portuaria, el lugar más digno, si cabe, de aquel cuchitril, para que los individuos de cierta categoría pudieran entregarse a sus disipaciones inconfesables manteniéndose perfectamente al margen de la chusma del pueblo, campesinos y marineros.

Una mesa octogonal con pedestal presidía la estancia, adornados sus laterales con cajones y recubierta por un tapete verde sobre el que descendían y se desplegaban los naipes —y los puños— con inusitada rapidez y una cierta violencia.

Alrededor de la mesa se reunían cuatro hombres de aspecto sombrío y endemoniado, siempre acompañados por sus respectivos vasos de licor y sus cigarros colgando entre los labios; entre ellos, don Alejandro Covas.

El brillo pérfido y enfermizo de la avaricia asomaba en las pupilas achicadas por el humo y la penumbra.

A la estancia no llegaba el seguro alboroto de la taberna, ni las miradas curiosas de los simplones reunidos del otro lado, solo el vago rumor de aquellas almas negras entregadas a sus pasiones enfermizas y los breves sonidos carentes de humanidad que derramaban.

—Le toca robar del mazo, señor conde —anunció uno de los jugadores con tono mecánico.

Don Alejandro observó el abanico de tres cartas desplegadas ante sus narices y apretó los labios. Sudaba. A pesar del cuello desabrochado, de las mangas arremangadas de su camisa y del torso parcialmente descubierto gracias a que se había desabotonado la pechera, una fina capa de sudor perlaba la piel a la vista. Sus manos temblaban mientras sostenían las cartas. Como siempre, iba perdiendo, y ya no le quedaba efectivo sobre la mesa... ni en los bolsillos, ni apenas en las arcas del Pazo. Había tenido que apostar varios caballos de los establos e incluso una petaca de plata con el escudo de los Altamira bruñido en su superficie. Y los había perdido también. Si hubiera apostado su propia alma, seguramente a esas alturas tampoco le pertenecería; si bien era cierto que, desde hacía tiempo, incluso su alma había cambiado de propietario para pasar a ser pertenencia del mismísimo demonio.

Sus contrincantes ya le conocían, todos los perros de la misma calaña acaban conociéndose en un mundo tan pequeño, y a pesar de que recientemente no había contraído grandes deudas con ellos, sí eran las suficientes para que, sumadas a las de esa noche, fueran motivo de verdadero enfado.

Robó del mazo y la nueva adquisición fue un auténtico fiasco. Trató de disimular su apuro, pero los regueros de sudor que descendían por su cara y humedecían el cuello de su camisa, el temblor de sus manos y de su labio inferior, los continuos resoplidos que huían de su boca, y su mirada errática lo delataban.

—¿Una mala noche, señor conde? —azuzó un segundo jugador, divertido ante su evidente apuro.

El aludido chasqueó la lengua y desvió la mirada a su abanico de naipes. El desánimo afloró a su semblante.

—Me pregunto si tiene algo que apostar o estamos perdiendo el tiempo con usted.

El conde carraspeó antes de hablar. No podía ablandarse ante el enemigo, o al menos no podía mostrarse medroso ni abatido, aunque por dentro se encontrara desolado.

—Les extenderé un pagaré, pierdan cuidado...

Los hombres reunidos alrededor de la mesa bufaron al unísono y cambiaron de postura, apoyando sus espaldas contra el respaldo de sus asientos con un movimiento brusco. Uno de ellos, el que parecía más enfadado de todos y se sentaba frente al conde, arrojó su abanico de naipes sobre la mesa justo antes de descargar su puño contra el tablero.

—¡Me temo que ya no es tiempo de pagarés, señor mío! —rugió. Y a continuación, habló con siniestra amabilidad—. Mi esposa es una mujer muy estricta en lo que a la administración de nuestros bienes se refiere. No deja de decirme: «Raimundo, necesitamos dinero para unas cortinas nuevas» o «Raimundo, necesito confeccionarme un vestido con esa tela tan bonita que está de moda en Madrid, todas mis amigas tienen uno», «Raimundo, me gustaría una capota de lona para el coche nuevo»...

Un tercer hombre rio la gracia con retranca.

—Las mujeres... una dulce tortura, me temo —continuó el primero—. La mía lleva toda la semana diciéndome: «Pídele al conde el dinero que nos debe, querido, quiero ir a La Coruña al teatro a ver esa nueva obra que tanto anuncian en las gacetas. Al fin y al cabo, nuestro es. ¡Recupéralo! ¡No vuelvas a casa sin él o dormirás en los establos!». —Suspiró con fingido fastidio—. Y como comprenderá, un esposo devoto no puede ni debe llevarle nunca la contraria a su mujer, y mucho menos dormir en los establos. —Fue el momento de achicar los ojos para traspasar al conde con la mirada—. Exijo cobrar mi deuda esta noche —miró en derredor y sonrió—, y me temo que no soy el único en pensar de este modo.

El conde se llevó la mano a la nuca y apretó. El cuello se le había contracturado desde hacía un buen rato y apenas podía moverlo. De su presencia de ánimo, mejor no hablar. Las tripas no dejaban de rugir y retorcerse en su vientre como si se hubiera tragado una boa constrictora. Era el miedo, la anticipación que previene a la rata del momento justo en el que está a punto de caer en la ratonera.

—No puedo pagarles —confesó apenas en un murmullo, sin levantar la mirada de las cartas.

Los otros se miraron entre sí y los ánimos se caldearon. No era la primera vez que escuchaban tan socorrida excusa. Tampoco la primera que el conde, escudándose en ella, salía indemne de la situación. Y esta vez no estaban dispuestos a claudicar.

—¿Cómo ha dicho? —jadeó incrédulo el cabecilla—. He creído entender que...

—¡Que no puedo pagarles! —cortó, nervioso. A continuación se apresuró a añadir—. Hoy no, al menos. Pero muy pronto me encontraré en condición de hacerlo.

El que hablaba se cruzó de brazos y exhaló una ingente cantidad de aire para mirarle después atentamente.

—Ah, sí. He oído que se ha buscado un escudero. Ese salazonero aficionado a las rameras... ¿Monterrey, verdad? ¿Es él quien solventa ahora sus deudas?

El conde se mordió el interior de las mejillas hasta que paladeó el sabor de la sangre.

¡La culpa es del viejo, que se niega a soltar un mísero real más!

—Y para conseguirlo solo ha tenido que sacrificar a su única hija. —La ironía era evidente en las palabras del hombre, la burla aparecía implícita en su sonrisa torcida—. ¡Pero, hombre de Dios, desperdiciar tan dulce manjar en la boca mellada de ese viejo! ¿Y total para qué? ¿No se da cuenta de que, a pesar del sacrificio, sigue usted en deuda con nosotros?

El conde soportó las chanzas de los jugadores apretando las mandíbulas hasta que le restallaron las sienes. Tenía que tragar, al menos esa noche o, de lo contrario, aquellos tres podían volverse contra él de un momento a otro, sacar sus trabucos y ponerlo mirando al cielo.

—Saldaré la deuda —cortó, y su altivez habitual se había esfumado por completo, a pesar de sus vanos intentos por no desmoronarse—. Solo necesito unos días y podré pagarles. —Deslizó una mirada nerviosa por los presentes, apretando a la vez la mandíbula con tanta fuerza que los músculos faciales palpitaron—. ¡A todos!

El que ejercía de líder continuó en su pose altiva, observándolo con displicencia.

—¿Unos días? —Chasqueó la lengua—. Mi esposa quiere ir a La Coruña al teatro, señor...

Temblando, nervioso y enfadado por la burla y la indignidad a la que le estaban sometiendo, ¡a él, un noble del reino!, don Alejandro desplazó la silla para levantarse como impulsado por invisible resorte, como si un millón de pulgas le hubieran mordido el trasero. Aunque en realidad no fueran pulgas, sino sanguijuelas voraces que anhelaban chuparle la sangre.

Pensó en la fiesta del sábado, donde se haría el anuncio oficial del compromiso de su hija con el viejo; pensó en que ese día él habría cumplido su parte y el otro debería cumplir la suya. Y entonces tendría que aflojar su saquete.

—Solo unos días. El domingo tendrán su dinero, caballeros.

—Más le vale, o saldrá usted de su Pazo con los pies por delante.

Doña Angustias entró en la alcoba ocultando algo entre las manos.

Hacía un buen rato que Ana se había retirado a sus aposentos después de una cena en la que no se había visto obligada, por fortuna, a soportar la ruindad de su padre ni la lascivia de Monterrey. Una cena agradable y tranquila, para variar; una cena libre de griteríos, incomodidades, miradas soeces o comportamientos mezquinos. La primera en mucho tiempo. Y seguramente el ama agradeciera tal gentileza tanto o más que su apocada niña.

Como sus manos eran cortas y regordetas, y más imitaban la forma de dos pies que la de dos manos, Ana no fue capaz de adivinar lo que el ama escondía entre los dedos. Pequeño debía de ser, para poder camuflarse entre sus cortos apéndices con semejante facilidad.

Tan solo cuando estuvo a su vera y ocupó la silla vacía al lado del tocador en el que la niña, ataviada con un rico camisón de lazos, encajes y finas puntillas, se cepillaba la larga melena, extendió hacia ella un recorte cuadrado y compacto de papel. Ana lo cogió sorprendida, girándolo entre los dedos para observar la caligrafía que asomaba en la cara frontal de la carta. Por supuesto, la reconoció en el acto.

—Un mensajero acaba de traerlo para la *señorita Guzmán* —dijo, recalcando la identidad de la joven con retintín.

Ana rasgó el sobre con vehemencia y desplegó ante sí un papel doblado en dos. Leyó para sus adentros, esbozando al hacerlo una sonrisa brillante que hizo refulgir también sus verdes pupilas. Cuando terminó la lectura privada y su corazón se regocijó, compartió con su querida nana el mensaje, leyendo en voz alta para hacerla partícipe de sus propios gozos.

Se dice que cuando se mira a una estrella y se pide un deseo, todos los sueños se hacen realidad. ¿Es posible que esta noche, bajo el mismo cielo, los dos miremos a la misma estrella para hacer de nuestro deseo, uno?
Felices crepúsculos, mi bella dama.

Alberto.

El ama jadeó escéptica.

—¿Una nota tan solo para desearte buenas noches y hablar de las estrellas? —Meneó la cabeza con fingida desaprobación. Y aunque pretendía sonar escandalizada, la sonrisa que asomaba a sus labios la delataba—. ¿Y para eso desperdicia media cuartilla de papel vitela y hace venir un mensajero al Pazo? ¡Qué insensato!

—¡Qué romántico! —contradijo ella, con los labios estirados en una radiante sonrisa.

—En mis tiempos, un comportamiento así no se consideraba romántico, querida, sino una tontuna. ¿Quién es, el poeta Larra? ¿O acaso Espronceda? ¡Qué despilfarro de dinero y tiempo!

Ana se llevó la carta al pecho y suspiró de forma prolongada, mientras entornaba los ojos y se entregaba a los efluvios del romance. Besó una y otra vez el papel, colmándolo de esos afectos que no podía entregarle al hacedor de tan maravillosas letras. Su corazón ardía de amor, sus sentidos se deleitaban con este sentimiento que la embargaba por dentro, llenando su mundo de rosas, deseos y estrellas. Puede que no fuera un poeta, pero sus letras, adornadas con el romanticismo que ella les otorgaba, sonaban en su cabeza como la poesía más maravillosa del mundo.

—Pues ojalá esta tontuna dure toda la vida...

El ama suspiró también, pero su suspiro fue de absoluta impotencia. ¿Toda la vida? ¿Cómo iba a durarle toda la vida si en breve iba a anunciarse su compromiso con Monterrey? ¿Cómo, si el noble héroe todavía no le había hablado de sentimientos? ¿Tan difícil era para los hombres de esa generación hincar su rodilla en el suelo y declararse después de haber tonteado con una muchacha? ¿A qué esperaba? ¿Durarle toda la vida? ¡Ah, infeliz! ¿Acaso la desdichada condesa iba a pedirle a su galán que se convirtiera en su amante, una vez casada con Monterrey?

—Está bien, *señorita Guzmán* —su tono, tan condescendiente como rendido, llamó la atención de la joven, que se devolvió de inmediato a la realidad—, ¿cuánto tiempo más ha de durar esta mentira? ¿Hasta cuándo vas a tenerlo engañado?

Ana miró ceñuda la carta que dormía ahora en su regazo, sintiendo la calidez de las lágrimas amenazando detrás de los párpados.

—Bien sabe Dios que no es mi deseo engañarle, nana, bien sabe que quisiera gritar al viento, bien alto, mis afectos y esta inclinación devota que siento, porque le amo, nana, le amo con toda el alma. —Sus hombros se descolgaron hacia adelante, decayendo a la vez que el entusiasmo de su tono—. Pero ya no sé cómo hacerlo. Él cree que soy Ana Guzmán; tal vez si supiera que soy la condesa, esa pobrecita a la que dice compadecer por su falta de voluntad y por los grilletes que le impiden avanzar, me despreciaría.

—¿Y crees que no va a enterarse jamás? —replicó doña Angustias—. Muy ingenua demuestras ser si eso piensas.

Ana se llevó dos dedos al puente de la nariz y suspiró, apretando los párpados y frunciendo el ceño. El ama, compadecida por la dureza de sus palabras, trató de sonar más amable esta vez.

—Salta a la vista que no puede quitarte los ojos de encima, que bebe los vientos por ti y que incluso besaría el suelo que pisas si tal cosa no resultara demasiado comprometida. Es imposible que te desprecie.

Las verdes pupilas refulgieron de nuevo.

—¿Tú crees?

—Esta vieja tonta apostaría su alma cual Fausto y no la perdería. —Su tono a continuación fue el propio de una reprimenda—. ¿Permitirás que se enamore de una persona que no existe? ¿De alguien que te has inventado?

—¡Pero sí existo, nana! ¡Aquí me tiene si así lo desea: alma, cabeza y corazón! Los tres, propiedad de una misma persona, los tres, perfectamente afectos y devotos a él, dispuestos para amarle... —Miró el papel y sonrió con ternura—. Soy lo que ha visto, es mi corazón el que ha escuchado y mis sentimientos los que ya sospecha. La Ana que soy es la Ana que él conoce.

—Pero no sabe, sin duda, que la dama a la que ronda es la condesa de Rebolada y señorita de Covas. Una joven hidalga prometida a otro hombre. Él se ha prendado de Ana Guzmán, no de Ana de Altamira. No es lo mismo cortejar a una joven sencilla y libre de cargas que a alguien como tú, mal que nos pese.

Ana apretó los párpados tratando de aplastar las primeras lágrimas.

—¿Y tengo yo la culpa de eso? ¿Tengo yo la culpa de haber nacido en este Pazo en lugar de en una casita de marineros o campesinos? —se lamentó—. ¡En lo tocante a mi compromiso... son enredos de padre y de ese hombre despreciable: un matrimonio concertado por conveniencia! ¡Y no por la mía, precisamente! Bien sabes tú que nada tiene que ver en ello mi corazón, que ha sido una cruel emboscada... ¡y por mi alma que mientras viva y disponga de arrojos y cordura, no aceptaré esta imposición!

Pues no sé yo cómo vamos a librarnos de ella, mi dulce niña.

—Deberías decírselo, Ana. Dile la verdad, tiene derecho a saberlo. Tiene derecho a saber a quién ha entregado su corazón.

Ana suspiró con tal dolor que pareció que se le acabara de quebrar el espíritu.

—No me aceptará, me odiará por esta mentira. —Un breve sollozo huyó de sus labios—. Es un hombre de ley, repudia las falsedades, está acostumbrado a censurarlas. Lucha contra ellas... Para él no seré otra cosa que una mentirosa.

—Si te ama, te aceptará con todas las consecuencias. Pero no puedes seguir con esta farsa, acabarán pillándonos. Las mentiras no son buena base para levantar ninguna relación que merezca la pena. —Suspiró, agotada tal vez por la dureza de su argumento—. Esto ya ha llegado demasiado lejos, niña, el tiempo se te acaba... —Levantó una mano para dirigirla a la joven y colocarle con afecto un mechón de cabello por detrás de la oreja—. Debes ponerle fin y decirle la verdad.

Ana inclinó la cabeza para atrapar la mano del ama entre su mejilla y el hombro, forzando así una caricia confortante. Cerró los ojos unos segundos, sosteniendo aún la carta en el regazo, para hablar después con suavidad y rendición.

—Lo haré. Lo prometo. Pero necesito tiempo, necesito encontrar el momento adecuado.

—Tiempo, mi niña, es precisamente de lo que careces.

—¿Qué sucede, Ana? La encuentro especialmente melancólica y taciturna hoy —preguntó Alberto, mientras paseaban ambos por el sitio de siempre, en el bosque, mudo testigo, junto con la condescendiente doña Angustias, de sus encuentros.

Ana inhaló despacio por la nariz. ¿Cómo hacerle partícipe, así de pronto, de todo cuanto la torturaba? ¿Cómo decirle que le amaba, pero que le había engañado? ¿Cómo confesarle que estaba a punto de ser prometida a un hombre que le repugnaba, y al que había sido entregada directamente por su propio padre? ¿Cómo, sin perder el candor y la dulzura que representaba ella ahora ante sus ojos?

—¿Qué le preocupa? —insistió él—. Cuénteme sus penas, mi querida Ana.

—Me preocupa el futuro —confesó, abrazándose a causa de un repentino escalofrío—. Y me asusta pensar en todo lo que el destino, el porvenir o la vida puedan deparar a cada uno de nosotros. Tengo mucho miedo de todo ello.

Alberto frunció el ceño y deseó abrazarla para confortarla pero, cuando alzó la mirada con disimulo por encima del hombro, comprobó que doña Angustias se encontraba demasiado cerca como para arriesgarse a ello.

A menudo, cuando la buena mujer se despistaba, disfrutaban con un poco más de libertad e intimidad de la presencia del otro. Con movimientos disimulados, como al descuido y tratando de no ser vistos, se cogían las manos, las primeras veces con timidez, después con ardor, pasión y corazón. Luego se soltaban con rapidez, entre risas, cuando el ama carraspeaba al descubrirlos, o cuando los pasos lentos y pesados de la mujer sonaban demasiado cercanos a sus espaldas. Las caricias inocentes se sucedían a cada paso, suaves y fugaces como pétalos al viento; él le recogía mechones dispersos por detrás de la oreja, ella deslizaba un dedo distraído por el antebrazo de Alberto, a veces recorriendo su mano, sus dedos, los nudillos, hasta cerrarse una mano sobre la otra en un gesto de amorosa pertenencia. Una vez, incluso, se había atrevido a acariciarle de forma fugaz el pelo mientras él la miraba arrobado, deslizando sus dedos de nieve entre aquellos gruesos y oscuros mechones rizados.

Pero en aquella ocasión, ningún gesto cómplice e íntimo había tenido lugar. En parte, por la cercanía de la señora Guzmán, en parte, porque Ana parecía abstraída en sus propias cavilaciones. Apenas hablaba, suspiraba mucho y perdía la mirada con frecuencia entre el follaje o los trebolillos del suelo.

—No tema al futuro ni a lo desconocido —la tranquilizó Alberto—. La vida depara cosas buenas a las almas buenas.

Ana no respondió, porque estaba convencida de que no era así. El querido Alberto se equivocaba esta vez. A veces, la vida podía ser muy cruel y se ensañaba especialmente con las almas buenas. Daba fe de ello.

Tan distraída estaba en sus pensamientos, plagados de bruma y decepción, que no vio la raíz sobresaliente que cruzaba el camino, por lo que se enganchó la botina sin remedio. Trastabilló un par de pasos antes de que Alberto pudiera rescatarla de una caída inminente, sosteniéndola entre sus brazos, levantándola ligeramente en el aire.

Ana sintió aquel repentino contacto como una oleada de fuego líquido abrasándola por dentro, lamiendo su piel desde lo más profundo de sus entrañas, como si su corazón, su alma y su cuerpo al completo hubieran sucumbido de pronto ante la tibieza del roce de Alberto, del cuerpo de Alberto. Su profundo y varonil olor, la respiración entrecortada que ambos compartían y la profunda mirada obsidiana del caballero traspasándola por completo la llevaron a un punto sin retorno. A sentirse etérea, bruma, rayo de sol o partícula de luz entre sus brazos.

—Estoy seguro de que le espera un futuro lleno de dicha —susurró él contra sus labios.

—No, si usted se va... —jadeó, atrapada en las emociones que le provocaba la cercanía de Alberto, su aliento contra los labios, su olor invadiendo sus fosas nasales, su imagen dominando su raciocinio.

—¿A dónde voy a irme?

—A Madrid.

—Mi vida está en Madrid, pero mi corazón hace tiempo que pertenece a otro lugar.

—¿A cuál?

No hubo respuesta. En cambio, Alberto se acercó a ella hasta que sus labios se rozaron.

No hubo beso, porque en ese mismo instante doña Angustias carraspeó con rudeza deshaciendo la magia del momento. Todavía temblando, ambos recuperaron sus posiciones y el precario dominio de sus personas. Sus miradas permanecían firmemente enlazadas, sus rostros estaban sonrojados, el aliento escaseaba en ambos cuerpos.

Algo había cambiado, ambos lo sabían, dando paso a un sentimiento imparable y fuerte que ya no admitía ser disimulado.

A pesar de que entre las dos procuraran no hacer mención a tal asunto, lo cierto era que los preparativos para el evento del sábado no dejaron de sucederse discretamente durante aquellos cuatro días.

Las arcas de los Altamira no gozaban de su próspera salud de antaño, ni el conde pensaba derrochar en aquel maldito acontecimiento más de lo estrictamente necesario. Su único deseo era complacer a Monterrey para que el viejo soltara la gallina de los huevos de oro, y si podía hacerlo con menos en lugar de con más, mejor. Al fin y al cabo, los escrúpulos del salazonero, amén de sus desconfianzas y anhelos de afirmación, iban a costarle caro al señor de Covas, y eso era algo que no estaba dispuesto a pasar por alto. Acabaría sacándoselo de los bolsillos con creces.

Al final, tras modificar un par de listas, consultar los invitados con el anciano, añadir a unos a regañadientes y excluir a otros por necesidad, el número de invitados ascendió a veinte, un generoso número teniendo en cuenta la cantidad de enemigos que tenía el anfitrión. Eran muchas las personalidades de la flor y nata, y de las que no pertenecían a esta pomposa categoría, a las que el conde debía dinero, pero algunos de ellos tenían trato directo con Monterrey y el anciano se empeñaba en incluirlos en un acontecimiento que era de vital importancia para él. Finalmente, tras una serie de conversaciones, copa va y copa viene, y del chantaje implícito que asomaba en la mirada ratonil del salazonero, el conde se vio en la obligación de enviar veinte invitaciones.

Doña Angustias trató de serenarse y alternar sus atenciones a Ana con la labor impuesta por su padre. Durante esos cuatro días, evitó hacer comentarios sobre cómo avanzaban los preparativos, a sabiendas de que romperían el corazón de su niña. Bastante sacrificio suponía ya para la pobre infeliz el tener que soportar a Monterrey, que parecía no tener casa propia y haber decidido, para su propia felicidad, en realidad, instalarse en el Pazo de forma indefinida. O tolerar los gestos del señor conde, que cada vez que coincidía con su hija en el comedor o se encontraban por infortunio por los corredores de la casa, esbozaba una sonrisa maliciosa, como si en su fuero interno se regocijara ante su supremacía y, sobre todo, ante la injusticia que estaba a punto de cometer. Seguramente así fuera.

De todas formas, el conde parecía cambiado en los últimos días. Más exaltado, sombrío y taciturno que de costumbre. También más malhumorado, si algo así era concebible.

Cada vez que sonaba la aldaba del portón principal, daba un salto y paseaba la mirada con nerviosismo por todas partes, mirando sin ver, como el alma medrosa a la que atormenta la presencia de un ánima impía que solo ella es capaz de percibir entre los claroscuros. Cada vez que aparecía el mozo del correo, se ponía lívido como un muerto, como si esperara correspondencia directamente desde el infierno. Las llamadas al portón a deshora le sobresaltaban hasta el punto de enardecerlo de forma incomprensible, y aunque las doncellas le confirmaran después que se trataba solo de inofensivos pedigüeños, él ponía el grito en el cielo y los hacía correr de la propiedad a patadas o con cubos de agua fría. Husmeaba por detrás de las cortinas y ya no abandonaba el Pazo si no era bien pertrechado de un trabuco en su cinto. Incluso el ayuda de cámara había llegado a afirmar en las cocinas, siempre *sotto voce,* por supuesto, que el señor había adquirido la extraña y pueril costumbre de hacer mirar bajo la cama y dentro del guardarropa antes de acostarse. Estaba claro que el patrón tenía miedo, pero ¿de qué? ¿De quién? ¿Por qué?

La mayoría de los sirvientes afirmaban que lo que el señor temía era que los demonios del infierno vinieran a reclamar su negra alma como tributo a sus pecados. Y que él mismo sabía que no estaba a salvo en ningún escondite del mundo mortal.

De forma discreta, cuando Ana no precisaba de la compañía de su nana y ella disponía de cierta intimidad, en realidad a base de restarse horas de sueño, doña Angustias se dedicó con paciencia y esmero a sacar de su confinamiento la hermosa vajilla cartujana, de esmalte colorado, que no se había usado desde tiempos de la difunta condesa y que llevaba años durmiendo en lo más profundo de una cristalera; mandó pulir la antigua cubertería de plata; airear la mantelería de hilo con encajes de Camariñas, revisando que no estuviera picada; sacudir las pesadas alfombras de lana merina que, encaramadas sobre las ramas de los árboles, ocuparon gran parte de la arboleda del jardín trasero y llenaron de colorido y pelusas aquel rincón; ordenó ventilar todas las estancias, y no se olvidó tampoco de comprobar que las chimeneas contaran con suficiente suministro. No tenía mucha experiencia en organizar fiestas pues, desde su llegada al Pazo, jamás se había celebrado ninguna entre sus muros, pero tampoco era tonta y sabía lo que cualquier invitado de cierta alcurnia esperaría por parte de su anfitrión, por muy crápula y arrogante, por muy Alejandro Covas que fuera.

Después de conocer las preferencias del conde y su deseo de gastar cuanto menos mejor, respiró tranquila sabiendo que no se le exigirían *delicattesen*; en realidad, con que hubiera buenos tajos de carne en los platos, vino abundante en las copas, y puros y naipes para la sobremesa, el conde se daría por satisfecho. Además, Monterrey se había ofrecido a colaborar aportando pescado de su propia factoría, por lo que el gasto se recortaba considerablemente. Pensando así, libre de presiones en ese aspecto, se reunió con la cocinera y con las jóvenes mozas de la cocina y, entre todas, diseñaron un menú sencillo, de estilo bufé, en el que predominaría la pesca y la caza típicas de la zona.

No podía imaginar el ama que el sábado por la mañana, Ana bajaría a las cocinas, silenciosa y discreta como una sombra o un ratoncito buscado amparo.

La sorprendió desayunando y, lejos de abandonar la estancia o impacientarse por la lentitud del ama, apartó una silla para sentarse a la mesa, callada, a su lado.

Doña Angustias la observó con tristeza. A pesar de su semblante alicaído y de las comisuras inclinadas de sus labios, seguía siendo la rosa más bella... y la más triste de aquel jardín.

—¿Has terminado ya con los preparativos? —preguntó con tono distraído, sin levantar la mirada de la mesa, desplazando la uña del pulgar por el sencillo bordado del mantel. Al hablar así, a la anciana le hizo pensar en un reo que pregunta al carcelero por el estado de su cadalso.

Cabeceó en asentimiento y siguió masticando muy despacio su leche con avena.

—Alberto no está invitado, ¿verdad? —Y alzó hacia ella unos ojos preñados de esperanza—. Dime que no lo está y me permitiré respirar tranquila.

¡Pobre niña! ¡Pobre corazón doliente!

—No figuraba ningún Alberto en las invitaciones que se enviaron. Silencio.

—Pero puede que asista acompañando a su padre, que al fin y al cabo es un empresario notable de Orense. ¿Has visto...?

—El único empresario que figura en la lista es el señor Monterrey —cortó, para aliviar cuanto antes el sufrimiento de la joven.

Ana tragó saliva y pareció sentirse mejor.

—¡Oh, bien! —Y jadeó nerviosa. Su pecho ascendía y descendía en violento vaivén bajo la suave muselina—. Sería como obligarle a asistir a mi ajusticiamiento —una sonrisa torpe escapó de sus labios—, y no quiero que me mire a la cara mientras me enroscan la soga al cuello.

—Ana, santo Dios...

—¡Pero así es como me sentiré! —Se llevó la mano a la frente y trató de no llorar.

Doña Angustias no fue capaz de comer más. Apartó con la mano el cuenco de leche y apoyó los brazos sobre la mesa.

—Quizás todo se arregle, niña.

Ana jadeó y volvió la cara hacia el ama. Sus ojos enrojecidos y extraviados de dolor evidenciaban su tormento.

—¿Cómo? ¿En qué modo, por Dios? ¿Monterrey desistirá de su porfía, aquejado de una colitis? ¿O tal vez de un ataque de gota? —Se encogió de hombros mientras una lágrima descendía en soledad por su mejilla—. Es mayor, puede que incluso tenga la decencia de morirse antes de la boda.

—¡Ana, no digas semejantes barbaridades!

Las lágrimas descendían ahora por su rostro como si brotaran directamente de un surtidor. No obstante, su expresión permaneció inalterable en una perfecta máscara de desolación.

—Sé que es un deseo cruel y despiadado, nana, y que no debería siquiera considerar esa posibilidad. Yo no soy así, ¿verdad? —murmuró con los ojos cosidos al vacío—. Pero a estas alturas, mi corazón ya no es capaz de pensar más que en la muerte como único escape a este infortunio. Pienso en la muerte, nana, como en una grata liberación. —Se silenció un segundo antes de continuar con mayor énfasis mientras el ama negaba con la cabeza—. Si no en la suya, tal vez en la mía propia.

—No soporto oírte hablar así, como si no hubiera un mañana para ti...

—¿Y lo hay? Quiero huir de mi destino y no puedo, ¡no puedo, nana! ¡Porque mi maldito destino me persigue y está ahí fuera cada día, a cada hora, esperándome con sus dientes de conejo y su mirada sucia!

Apretó los puños e hizo ademán de estrellarlos contra la mesa, pero se contuvo. Se limitó a mantener las manos en puños, tan oprimidas que los nudillos se tornaron blancos de inmediato, y a apretar las mandíbulas para tratar de tragarse su frustración.

—Y es triste, nana, muy triste, que la única persona a la que quiero sea precisamente la que nunca pueda tener, y que la más me repugne sea la que me persiga con incansable tenacidad.

14

Los típicos engordabuches que se apuntan a cualquier evento destacable: el sacerdote del lugar —tragaldabas donde los hubiera—, la máxima autoridad del consistorio municipal, terratenientes poco escrupulosos acompañados de sus esposas y polluelos y, en definitiva, cuatro caras más o menos destacables, por uno u otro motivo, entre la sociedad de San Julián, paseaban su languidez y su ridícula pompa por los jardines del Pazo, llenando sus estómagos con las bebidas que les eran ofrecidas y los suculentos manjares que ocupaban las mesas del bufé.

Se habían formado inevitables corrillos, y en unos y en otros, dependiendo del sexo de sus integrantes o de la afinidad surgida entre ellos, se hablaba de política, religión, de atavíos a la última moda o de vastas propiedades de las que enorgullecerse, a la vez que sotanas, tules, muselinas y terciopelos, tocados imposibles y moños apretados se paseaban con insolencia por el empedrado exterior, cotilleando sin recato cada rincón, y adulando y criticando a conveniencia. En todos los corrillos, sin excepción, se murmuraba acerca de la naturaleza de aquel evento y de la extraña coalición formada por el conde y el gerente de salazones y conservas Monterrey. Muchos sospechaban la verdad, pero ninguno se atrevía a dar crédito a sus sospechas. Resultaba ridículo darles forma en la cabeza de cada cual.

La suave brisa nocturna de principios de mayo trasladaba en volandas las dulces fragancias que desprendían el dondiego de noche, los jazmines y los alhelíes en flor, y camuflaba las frívolas e interesadas conversaciones de los visitantes.

Ana deambulaba por los jardines como alma en pena, esquivando los diferentes corrillos de comadres deseosas de echarle el guante con la sola intención de arrancarle confesiones de índole privada. Y, seguramente, para mofarse con disimulo, y aun sin él, del *perfecto* prometido que se había buscado. La condesa de Rebolada se encontraba perfectamente a salvo de que otra candidata se interpusiera entre la pareja: ninguna mujer querría para sí misma a aquel viejo verde.

Ataviada con un vestido de raso brillante en tonos dorados, de amplio escote, mangas abullonadas, guantes del mismo tono a la altura del codo y amplia falda, la joven condesa se escabullía entre las sombras tratando de escapar de su fatalidad, escuchando de lejos conversaciones ajenas de gente que a todas luces parecía mucho más feliz que ella. Seguramente, en ese instante cualquier mortal bajo las estrellas fuera infinitamente más feliz que ella.

No lució ni una sonrisa, ni un solo gesto que denotara un mínimo de alegría. Tan solo un exterior alicaído y resignado, unos hombros hundidos y unos ojos que apenas se levantaban del suelo, no siendo para alzarse hasta el cielo y suplicar en silencio al recuerdo de su madre un poco de presencia de ánimo. Ni siquiera la música que llegaba al exterior procedente de la orquestina que entretenía a los invitados en el salón principal era capaz de tentarla.

¿Qué expectativas albergaba para esa noche? ¡Ninguna! Salvo hundirse inevitablemente en el cenagal sobre el que la habían obligado a caminar. Iba a prometerse a Monterrey. ¡Iban a prometerla a Monterrey! Y todo San Julián lo sabría, todo San Julián sería consciente de ello. Al día siguiente sería la comidilla de todos los corrillos de comadres del lugar. Eso... al día siguiente. Pero hoy la mirarían con ojos llenos de burla, incredulidad y compasión. Y no era de extrañar. Si fuera otra la que ocupara su lugar, ella sentiría lo mismo.

Todos hablarían del asunto. De ella. Del anciano. De los dos. ¡De los dos! ¡Qué doloroso y repugnante pensar en ambos como en un conjunto, cuando en realidad se sentía como una res emparejada a otra a la fuerza, bajo un mismo yugo!

Suspiró mientras bordeaba los setos perfectamente recortados para crear un pequeño muro vegetal. Al menos debía dar las gracias, aunque sonara patético debido al alcance de su infortunio, porque el padre de Alberto, empresario de prestigio sea quien fuere, y por extensión el propio Alberto, no hubieran sido invitados al doloroso evento. Sería el fin de todo su mundo y de sus ilusiones, y también la mayor de sus vergüenzas, si Alberto llegara a ser testigo de su tragedia personal.

Caminando con paso distraído, retrasó la mano para acariciar bajo el delicado tacto de sus guantes las diminutas hojas que formaban la superficie compacta de boj. Miró de nuevo al cielo y buscó en el terciopelo negro de la bóveda celestial una estrella, tal y como le había sugerido Alberto, aunque fuera una sola, para pedir su deseo: verse a salvo de sus circunstancias presentes.

Había conseguido evitar a Jenaro Monterrey desde que la fiesta diera inicio. Seguramente, porque el muy necio se habría quedado enganchado en la primera mesa del bufé, perfectamente entregado a las codornices rellenas y los cachelos asados, y allí permanecería hasta que su buche se sintiera plenamente satisfecho. Teniendo en cuenta la prominencia del mismo y su notable empuje horizontal, Ana dispondría de cierto margen para verse libre de su presencia.

Tampoco su padre había dado señales de vida. Se encontraría, quiso pensar, alternando con sus invitados predilectos, alardeando de la fastuosidad de los condes de Rebolada en tanto trataba de ocultar su innegable decadencia. ¿Sabrían aquellas gentes que el conde era un miserable ludópata endeudado hasta la médula, uno tan poco escrupuloso y tan desapegado como para usar a su propia hija como pagaré? Sí, seguramente lo supieran. Si los sirvientes estaban al tanto, era más que probable que a oídos de sus patrones hubiera llegado

257

también el rumor. Y tal certeza la hizo morirse de vergüenza. Porque, entre otras razones, los asistentes a la velada serían conscientes del rol que jugaba ella en aquella transacción y de la poca valía que, por tanto, tenía su opinión.

Alberto la vio deslizarse entre las sombras del jardín. Ni siquiera sabía cómo había sido capaz de distinguirla entre todo el barullo de gente que saturaba los exteriores del Pazo. Tal vez fuera cosa del destino, o tal vez un sexto sentido le llevaba a *sentir* la presencia de Ana mucho antes de verla con sus propios ojos.

El caso es que la había visto de lejos... y estaba preciosa.

Alzando el cuello por encima de aquella marea humana en movimiento, se las ingenió para seguirla con la mirada, sin apartar los ojos de su figura ni el anhelo de sus pasos. Ana destacaba de forma espectacular entre aquellos corrillos de gruesas comadres que no hacían más que rumiar los entrantes con los carrillos llenos, hablar lanzando groseros perdigonazos y reírse a carcajadas, mostrando sus muelas cariadas y hasta la campanilla, sin importarles en absoluto si sus gorgoritos imitaban el barruntar de un elefante o la quejicosa risotada de una hiena. Elefantes y hienas ataviados de gasas, perlas y terciopelo, en todo caso.

Y en medio de aquel tumulto, como si tratara de algún modo de escapar de él, al igual que el salmón que nada contracorriente, Ana se deslizaba entre las sombras como se deslizaría un ángel que pisara nubes. Bella entre las flores, etérea bajo los arcos de glicinias, dulcemente envuelta por los aromas del dondiego y la madreselva. Adorablemente hermosa.

Se había colado en el Pazo como una sombra furtiva, algo que no resultó demasiado complicado entre el ir y venir de carruajes y el trasiego de lacayos, propios y ajenos, con la única esperanza de verla. Necesitaba verla y confesarle sus sentimientos de una vez por todas.

Ya no podía ocultarlos por más tiempo. ¡La amaba, la deseaba y necesitaba saber si ella respondía a su corazón con idéntica reciprocidad!

Pero lo que no había esperado era encontrarla con ese aspecto desangelado, vagando por el jardín como un hada que hubiera perdido sus alas. Su rostro era una auténtica máscara de desolación. Taciturno, macilento, apagado. Ni una sonrisa, ni siquiera cuando se cruzaba con algún grupo y la cortesía la obligaba a mostrarse sociable, ni un brillo de vida en sus pupilas. ¿Por qué? Semejaba, a pesar de su belleza o quizás precisamente debido a ella, una rosa marchitándose poco a poco, sin que nadie a su alrededor se percatara de ello.

La vio doblar un recodo, desfilando con andares lánguidos bajo un arco de pasifloras, camuflándose bajo las hojas estrelladas y las exóticas flores, para refugiarse en un ángulo oscuro y apartado del jardín. Se las arregló para seguirla a cierta distancia ocultándose entre los arbustos, los jarrones de piedra vestidos de musgo y los ángeles de granito, mohosos y oscurecidos a causa de la humedad del clima. Tenía que guardar precauciones; no podía arriesgarse a ser descubierto y que le arrebataran la oportunidad de abrirle su corazón. Debía actuar como un furtivo. Y, en cierto modo, lo era. Como tal, se había colado en propiedad privada, vulnerando con sus actos sus propios principios y la ley, exponiéndose a ser detenido y a echar a perder su reputación por una imprudencia romántica. Pero no se arrepentía. Era lo que le había pedido su corazón, y en esos momentos, la cabeza nada tenía que opinar.

Allí donde estaban, apenas llegaba el vago rumor de las conversaciones, ni siquiera se percibía el armónico son de la orquestina interpretando sus piezas. Tan solo se escuchaba el sonido de los grillos tomando las pulsaciones a la noche con sus vibrantes *cri cri,* o el cadencioso rumor del viento entre el follaje, desplazando maravillosas oleadas de aroma por la apacible atmósfera nocturna.

Avanzó un par de pasos hasta que la estrecha espalda de la joven, bajo el raso brillante de su vestido dorado y el ornamento de un enorme lazo de terciopelo verde que caía en cascada sobre la parte posterior de la falda, quedaron perfectamente al alcance de su mano. Era ahora o nunca. Y tenía que ser *ahora*.

Ana permanecía con la mirada perdida al frente, sin ver nada en realidad. Ante ella, una vasta e intrincada rosaleda se extendía en todo su esplendor alternando especies y colores. Un intenso y delicioso popurrí de fragancias se desplazaba por la atmósfera en lento impulso invisible, convirtiendo aquel rinconcito en el más bucólico y apacible de todo el jardín. También en su particular Monte de los Olivos.

Apenas fue consciente del ligero movimiento que percibió por el rabillo del ojo hasta que una sombra sinuosa se situó a su lado. No le hizo falta volver el rostro para descubrir su identidad. Su corazón, aleteando vigoroso en su pecho, no podía equivocarse: aunque su presencia allí fuera inesperada, sabía que se trataba de la persona más querida, pero también de la última a la que deseaba ver ese día.

Inhaló en profundidad y trató de ignorar el intenso picor detrás de los párpados. No había llorado en toda la noche, y aquel sin duda era el peor momento para empezar a hacerlo.

—¿Por qué no me ha invitado? Hubiera deseado que me pidiera que viniera —Alberto permanecía impasible mirando al frente, tal y como hacía ella, con las manos recogidas a su espalda y un tono de ligero reproche en su voz —. ¿Acaso no deseaba verme tanto como yo a usted?

De algún modo, ella supo que había llegado el momento crucial. El momento de volver boca arriba las cartas que permanecían sobre la mesa. Aunque perdiera. Y estaba claro que iba a perder.

—¿Qué sentido hubiera tenido invitarle? —Su voz sonaba lejana, como si surgiera desde lo más profundo de un pozo—. No tiene razón de ser alargar ciertos asuntos, darles alas y alimentarlos con falsas esperanzas... cuando usted se irá en unos días y todo habrá terminado.

Alberto alzó una ceja y volvió raudo el rostro para mirarla fijamente. ¿Ese era el problema? ¿Su pronta partida?

Ella continuaba impasible mirando al frente, pero esta vez su barbilla temblaba ante la ardua tarea de contener el llanto. Sus pupilas brillaban a causa de las lágrimas no derramadas. Aquella implícita demostración de sentimientos dio alas y arrojo al corazón del hombre.

—¿Y si no me fuera?

Ahora fue ella la que volvió el rostro para mirarlo a los ojos, bajo un ceño profundamente fruncido. ¿Se estaba burlando de ella y de su pobre corazón? ¿Cómo podía ser tan cruel como para jugar de ese modo con sus esperanzas?

—¿Y si no me fuera? —repitió—. ¿Y si me quedara?

Al punto, Alberto atrapó la mano de la muchacha bajo la suya y tiró de ella para ocultarse ambos bajo la sombra de un intrincado arco entretejido de rosales. En esos momentos, bajo un pecho varonil y curtido, su corazón golpeaba como un ejército de tambores en plena avanzadilla, y casi se sintió ridículo. Era un hombre hecho y derecho y, sin embargo, en aquel preciso instante temblaba como un mozalbete.

—Ana, no soy un hombre rico, no tengo dinero, título ni propiedades; tampoco grandes relaciones sociales y mucho menos un lugar como este para ofrecérselo a usted... —Empezó a hablar con prisa, casi con desesperación, como si temiera que, por algún infortunio del destino, aquel instante, y su consiguiente oportunidad de confesar sus sentimientos, fuera a desvanecerse de un momento a otro como arena entre los dedos—. Solo soy un pobre letrado que vive de su trabajo en un modesto apartamento alquilado de la capital. No vivo mal, pero tampoco puedo permitirme grandes lujos.

Sujetó con firmeza la mano de Ana entre las suyas, fijándose con excesiva porfía en las costuras del guante y en las arruguitas que formaba la tela entre los dedos. Solo precisaba insuflarse ánimos antes de continuar, ordenar sus pensamientos, ahora atropellados, y dejar que fuera su corazón el que se expresara a través de los labios. Elevó las oscuras pupilas para fijarlas en aquellos dos jades temblorosos.

—Nada soy y poco tengo. En realidad, no puedo responder por nada más que lo que guardo dentro de mí, lo único de lo que soy consciente y plenamente responsable: mis sentimientos.

Ana, con la espalda ligeramente apoyada contra el arco, escuchaba sin parpadear las palabras de Alberto, sin poder evitar que una sonrisa temblorosa curvara sus labios. Él le soltó la mano para reposar las suyas con suavidad sobre su talle en posesiva caricia, y continuó, agitado y nervioso:

—¡La amo, Ana! ¡Nada existe para mí más que usted: su presencia, su recuerdo, su fragancia, su voz...! Desde el mismo instante en que la conocí, todo lo demás ha dejado de tener importancia, ¡incluso yo mismo! ¡Tan solo usted, usted y siempre usted!

Unas pisadas cercanas sobre el sendero de grava les pusieron en alerta y Alberto, sujetándola aún por el talle, la desplazó hasta un ángulo más oculto de la rosaleda. Las pisadas, sumadas a unas risitas juveniles, pasaron de largo, y sus respiraciones, que hasta el momento habían permanecido en suspenso, se normalizaron.

—¡Ana, mi dicha o mi desgracia están en su mano! —continuó él, profundamente agitado. Levantó una mano deseando tocarla, su rostro, su pelo... pero temblaba tanto y era tal el respeto y la adoración que ella le inspiraba, que no pudo más que descenderla de nuevo al fino talle—. Aliénteme con sus palabras o fréneme en seco. ¡O si no, ni siquiera hace falta que hable, si es el recato el que la vence! Soy muy poco caballeroso al solicitarle que sus palabras me concedan dicha, cuando de sus labios no podría salir jamás nada que perturbe el decoro y la cautela. No hable, no hace falta, solo míreme y que sean sus ojos los que dicten sentencia.

El silencio se hizo más denso y las fragancias que los envolvían, más intensas. Por toda respuesta, Ana se inclinó hacia delante, temblando; sus ojos se encontraron y en verdad no hizo falta más que la intensidad de los sentimientos de ambos para que los labios se rozaran hasta dar lugar a un beso. Un beso suave, dulce y sensual que actuó como fiel reflejo de todas las emociones que flotaban en el aire y permanecían a flor de piel. Un beso a través del cual las almas se entrelazaron y las pasiones, junto con los labios, se fundieron.

Alberto bebió de su aliento con avidez, enmarcando el rostro de Ana con sus manos trémulas mientras le acariciaba los labios con los suyos y jugueteaba con su nariz.

Cuando sus ojos y sus labios se separaron, con la lentitud propia del alma que actúa en contra de su voluntad, Alberto descubrió una lágrima descendiendo en soledad por la mejilla sonrosada de Ana. De manera involuntaria, ella volvió el rostro para ocultarla, pero él la sujetó por la barbilla para obligarla a mirarlo a los ojos.

—¿Qué sucede?

Ella jadeó y forzó una sonrisa, pero nuevas lágrimas siguieron a la primera. Tenía que confesarle que le había mentido, que no era una simple doncella de compañía ni la hija de un ama de cría. No podía seguir adelante con aquel embuste. Tenía que confesar que era algo completamente distinto de lo que él creía, que su destino y su futuro estaban condenados sin remedio, pero no tenía fuerzas para hacerlo. No ahora, después del beso. No ahora, que bebía de su aliento y respiraba tan de cerca su masculino aroma a cuero y esencias. No ahora, cuando él había abierto su corazón y ella lo había encontrado tan acogedor.

—Nada.

—¿Llora por nada? —acarició con los pulgares las humedecidas mejillas.

—Es que jamás imaginé que mi primer beso fuera a ser un beso de despedida...

Él la miró con ceño, sin entender nada.

—¿Cómo de despedida?

Ana alzó la mirada y sus pupilas vidriadas por el llanto se fijaron en las suyas. Abrió y cerró la boca un par de veces sin llegar a emitir sonido alguno antes de que las palabras abandonaran por fin los labios.

—Lo será, en cuanto confiese todo lo que tengo que decirle.

Alberto meneó la cabeza en un gesto que reflejaba su ignorancia.

—¿Qué podría ser tan grave como para forzar una despedida entre nosotros? —Y sonrió, dando a entender que ningún asunto lograría separarlos jamás.

—Muchas cosas pueden interponerse, me temo —sollozó—. Alberto, necesito decirle la verdad...

—No hay mayor verdad que la fuerza de mis sentimientos en este instante —cortó él.

Ella inclinó la mirada y meneó la cabeza en negación, mientras las lágrimas seguían recorriendo su rostro. Alberto le arrebató ambas manos para asirlas con firmeza y besar uno a uno los nudillos recubiertos de tela. De pronto, se paró y la miró fijamente. Una chispa de intuición acababa de prender en su cabeza.

—La he interrumpido cuando quería confesarme algo. ¿Acaso es incapaz de corresponder y recibir los sentimientos que le ofrezco con absoluta sinceridad? ¿Es esa su verdad? —Cuadró los hombros al barajar dicha posibilidad—. Si es así, necesito saberlo, aunque me rompa el corazón y me desgarre el alma. Hable, Ana. ¿Acaso sus ojos y sus labios me han mentido hace un rato?

Ana jadeó, desesperada.

—¡Es usted mi vida entera! —confesó entre sollozos, y liberó una mano para acariciar con dolorosa ternura la mejilla, perfectamente rasurada, de aquel hombre que tanto amaba—. El aire que respiro y la luz en la que vuelco todas mis esperanzas... —retiró la mano e inclinó la mirada—, pero me temo que yo no soy lo que espera. No soy lo que cree ver en mí.

—Deje que eso lo decida yo, ¿quiere?

Ana negó con la cabeza y las lágrimas siguieron descendiendo en desbandada por sus mejillas. Justo en ese instante, en el momento de mayor intensidad e intimidad entre los dos, se escuchó un repique extraño en las cercanías, parecido al que provoca el golpeteo rítmico de un cubierto al chocarse contra el cristal de una copa. Y seguramente se tratara de eso. También en ese instante se escuchó la voz firme del conde, reclamando lo que era suyo con absoluta rotundidad y un ligero timbre de ebriedad en su voz.

—¡Ana, Ana de Altamira y Covas, sal de tu escondite y acude a deleitarnos con tu presencia, chiquilla desconsiderada! ¡Tu padre y tu futuro prometido te reclaman a su lado! ¡Tus invitados te esperan!

Alberto no fue consciente de cómo el corazón de Ana daba un vuelco, ni de cómo la sencilla tarea de tragar saliva se volvía imposible para ella. Él continuó mirándola embelesado, como si aquel reclamo no fuera con ellos. Al fin y al cabo, ¿qué podía importarle a él nada referente a los señores del Pazo, ni siquiera la joven condesa, cuando su corazón ardía de pasión por Ana Guzmán? ¿Qué más daba que ese futuro prometido que mencionaba el conde fuera su propio padre, o que muy en el fondo sintiera una punzante curiosidad por ponerle cara a aquella incauta con la que iba a desposarse? Su futura madrastra...

Lo único que le importaba estaba allí, ante él, con los labios entreabiertos y el aliento agitado, con los ojos brillantes y empañados a causa de la emoción y el rostro bañado en lágrimas. Lágrimas de felicidad, supuso.

Lo único que le importaba estaba allí... y un instante después se deslizó de su lado, sin apartar sus ojos de los suyos, para abandonar el idílico remanso en el que habían abierto el uno al otro sus corazones.

La miró confuso, como si acabaran de propinarle una patada en el estómago, como si le hubieran arrancado la mitad de su alma y ahora le dejaran desangrándose y roto, con el pecho abierto, el costillar al aire y el corazón completamente expuesto.

Frunció el ceño y separó los labios para tratar de formular una pregunta. En vano, pues su incomprensión era tanta que parecía haber olvidado el habitual y necesario uso de la palabra. Ni siquiera en su cabeza fue capaz de componer una frase con sentido.

Los labios de ella solo pronunciaron dos sencillas palabras apenas susurradas:

—Lo siento... —Y el profuso descenso de las lágrimas silenció cualquier nuevo intento de justificación verbal.

Alargó una mano para tratar de retenerla, pero sus dedos tan solo alcanzaron a rozar la lazada verde que caía por su espalda. La vio alejarse de la rosaleda muy despacio y sin mirar atrás, caminando entre las sombras como el ángel o la ninfa o el hada que siempre había creído que era. Su cabeza se llenó con mil interrogantes.

¿Qué sucede? ¿Por qué se va? ¿Qué es lo que escapa a mi entendimiento?

No sabía qué pensar, tal vez porque ya intuía la respuesta y no quería creerla. En el aire, había sonado rotundo el eco de un nombre: «Ana de Altamira y Covas», y ella se había soltado de su mano, desvaneciéndose de pronto, como tanto había temido que fuera a suceder.

Apretó su dentadura tan fuerte que temió por un segundo que la mandíbula se le desencajara. Las lágrimas acudieron a empañar sus ojos, unas lágrimas desconocidas que no había sentido brotar desde hacía muchos años, azuzadas esta vez por un dolor para el que no estaba preparado.

Cuando, segundos después, asomó su contraído rostro entre los arbustos para contemplar la repentina concentración de gente en el atrio, y distinguió bajo el arco porticado aquel trío, sus ojos, ahora más negros e insondables a causa del tremendo dolor, se vidriaron por completo.

Un caballero enjuto, de mejillas descarnadas y bigote quijotesco, que identificó como el conde de Rebolada, depositaba la mano de Ana, ¡de su Ana!, sobre el brazo de aquel anciano en un claro signo de ofrecimiento.

Vio cómo Jenaro Monterrey se llevaba a los labios el dorso de aquella mano enguantada que minutos antes él había besado, para besarla ahora con hiriente lujuria, y cómo ella torcía el rostro en sentido contrario, escondiendo al resto del mundo su expresión. ¿Así de fácil le resultaba ocultar sus emociones?

—¡Oh, vamos... vamos! —rugió entre dientes—. Cielo santo, ¿de verdad se trata de esto? ¿De verdad?

En un momento dado, los ojos de Ana se deslizaron sobre la multitud de cabezas, rodetes y tocados, y sus miradas se encontraron en medio del bullicio y de la dicha de otros. Se miraron en silencio, ¿cuánto tiempo? ¿Unos segundos? ¿Un tortuoso minuto, tal vez? La negrura que asoló sus almas fue tan densa e inescrutable; la fuerza de sus sentimientos, tan violenta; el dolor que los traspasó, tan lacerante, y la certeza que traía la realidad, tan devastadora, que ambos apartaron los ojos al punto, a riesgo de acabar por destruirse o romperse en mil pedacitos por dentro. Fue tan solo una fracción de segundo, lo que dura un parpadeo tal vez. Cuando Ana volvió la vista a las sombras, al punto distante más allá de los rostros desconocidos que la miraban expectantes, necesitada de un último consuelo visual, el rostro de Alberto ya había desaparecido.

Y fue en aquel preciso instante cuando supo que acababa de rompérsele el corazón y que nada más importaba. Que había jugado y que, al igual que su padre, había sido una mala jugadora, había apostado todo y lo había perdido. Y lo peor de todo: al hacerlo, había lastimado a quien más le importaba.

También fue ese el preciso instante en el que a Alberto le quedó claro que el destino se había burlado descaradamente de él. Y junto con el destino, también aquella chiquilla y toda la cohorte de titiriteros que la rodeaban.

Dio media vuelta antes de seguir obligándose a presenciar aquella blasfemia, para abandonar el Pazo a grandes zancadas. Por el camino, tropezó con un lacayo que portaba una bandeja repleta de copas; todo el contenido acabó estrellándose en el suelo de piedra y convirtiéndose en mil millones de fragmentos de cristal. Ni siquiera se detuvo para disculparse o tratar de enmendar las consecuencias de su precipitación, si no que se deshizo del infeliz incordio con feroces aspavientos y blasfemias. Nada importaba ya. Las lágrimas descendían ahora por sus mejillas y tampoco le importaba. ¡Era un hombre, sí! ¿Y qué? ¿Acaso ese hombre no acababa de recibir la mayor decepción de su vida? ¿Acaso no le habían apuñalado el corazón? ¿Acaso no le habían abierto los ojos, a la fuerza, a una horrible realidad?

Acababa de abrir su corazón, lo había ofrecido con sinceridad, y se lo habían tomado directamente del pecho tan solo para arrojarlo bruscamente al suelo y pisotearlo después delante de sus narices. ¿Ni siquiera en tales circunstancias le estaba permitido llorar? ¡Y que el universo se diera por satisfecho si esa era, por el momento, la única forma de desahogo escogida, porque bien podría decantarse por otras más perniciosas! ¡Ansias homicidas no le faltaban!

Una vez traspasados los muros del Pazo, se detuvo un instante, ocultándose entre los claroscuros del camino, jadeante y ofuscado como una bestia ensartada por el enemigo en lo más profundo de su alma. Allí, lejos de los sonidos dolorosamente alegres que brotaban del Pazo, de las risas, los aplausos, los insultantes vítores y la música de la orquestina, liberó su dolor rugiendo como un animal herido, gritando al cielo mil y un improperios, mil y un reproches, mientras descargaba su rabia contra los impasibles troncos de los pinos y permitía que el dolor físico tomara ventaja al dolor del alma. Ya nunca más volvería a ser consciente de su alma…, o tal vez sí: solo que ahora sería negra como la boca del Averno. El corazón, por más señas, lo había perdido en el camino, en aquella olorosa rosaleda del jardín.

15

—¿Y bien? Yo ya he cumplido, Monterrey, ahora le toca a usted. —Don Alejandro se expresaba con nerviosismo y una inseguridad impropia de un hombre de su condición.

Para más inri, se encontraba en su despacho, jugando en su propio terreno, y parecía tan inquieto como si lo hiciera en campo contrario. Sudaba y temblaba a partes iguales, y esto último era evidente cada vez que sostenía el vaso de brandy para llevárselo a los labios y apurar un trago. El agitado tintineo de los hielos le delataba, y también el jadeo que soltaba ante la agresividad del líquido ambarino al descender por su garganta, gestos ambos que ya no sorprendían a su contertulio. Desde la pasada noche, desde hacía tiempo en realidad, era consciente de que el conde había tocado fondo. Su pulso no era el de una persona saludable, su equilibrio dejaba mucho que desear y su mirada, extraviada a todas horas, le delataba. El conde estaba enfermo. Y no solo en sentido físico.

Sentado del otro lado de la vasta mesa de escritorio, Monterrey le observaba bajo la salvaje generosidad de sus espesas cejas y las grotescas hendiduras que surcaban su frente. Si sus muslos no hubieran sido tan rollizos, seguramente se hubiera dado el gusto de cruzar las piernas a la altura de las rodillas para concederse una postura más digna y señorial, pero la prominencia de sus carnes le obligaba y le condenaba a sentarse con las piernas separadas o, a lo sumo, cruzadas a la altura de los tobillos. Su vientre tampoco concedía libertad para posturas más variadas.

—Cierto que me ha complacido mucho al anunciar el compromiso, señor Covas. Me congratulo por ello y confieso sentirme satisfecho con su proceder —concedió—. Creí sinceramente que marearía usted la perdiz hasta obtener de mí lo que necesitaba y que luego me mandaría al cuerno.

Don Alejandro carraspeó mientras se servía otra copa de brandy. Había barajado, efectivamente, tal posibilidad, pero en cuanto vio que el viejo era un trozo de pan duro, supo que debía cumplir su parte del trato si quería obtener algo más de él.

La licorera tembló en sus manos, entrechocándose sonoramente con la copa. Varias gotas de sudor descendieron por su frente y por sus descarnadas mejillas.

—¡Soy un hombre de palabra —rugió— y esperaba de usted otro tanto!

Monterrey cabeceó en asentimiento. Puede que el conde fuera astuto, pero también él era zorro viejo. Un zorro mucho más viejo y astuto que aquel que tenía delante, de hecho. No iba a consentir que unos cuantos blasones le intimidaran, cuando en realidad el conde hacía tiempo que había perdido toda credibilidad. No hacía falta ser muy listo para saber que lo único que quedaba de notable en aquella casa era el apellido y el título nobiliario, amén de las regias paredes de un Pazo que muy pronto caería en sus manos.

—Le proporcionaré la suma que necesite una vez me despose con la señorita de Altamira, ni un solo minuto antes. —Su voz firme no admitía réplica—. Será mi modo de asegurarme de que no se vuelven, usted o su hija, atrás en el trato. Tómelo como mi regalo de bodas. El regalo de un yerno agradecido a su suegro.

—¡Un caballero nunca se vuelve atrás en la palabra dada, señor! ¡Es cuestión de honor!

Monterrey chasqueó la lengua.

—Un verdadero caballero no, no me cabe la menor duda de ello. —Los ojos del conde, inyectados en sangre a causa de la ira mal contenida y de la cantidad de alcohol que ya había ingerido a esas horas, fulminaron al empresario—. Pero su hija sigue sin mostrarse muy por la labor. Durante la fiesta de compromiso me rehuyó continuamente, y debo admitir que me sentí un tanto desairado en público. He oído comentarios entre los invitados. Comentarios que aseguraban que la joven no consentía a este matrimonio, sino que había sido empujada a él por la fuerza.

—¡Maldita sea! —rugió el conde—. ¡Maldita sea, esto no es lo acordado! ¿Ahora se deja influenciar por comentarios malintencionados de comadres del buen tono? ¡Creí que era usted un hombre maduro y libre de prejuicios!

—Eso mismo opino yo, que esto no es lo acordado —terció el anciano—. Usted me dijo que su hija consentía y que se mostraría complacida con este compromiso. Pero no encuentro yo ni una brizna de sumisión o agrado en la condesa, si me permite la apreciación.

—¡Seguramente se da cuenta de que su prometido no está siendo leal a su padre! —Y dio un largo trago a su bebida—. ¡Usted, señor mío, está faltando a su palabra! ¡Está tomándolo todo sin dar nada a cambio!

—¿Nada a cambio? —Monterrey chistó con la lengua, a modo de negación—. Yo creo que lo que le he concedido hasta el momento es más de lo que ningún morador de esta casa se merece.

—¿Cómo se atreve? ¡Tenemos un acuerdo!

—Nunca pusimos fecha a dicho acuerdo, creo recordar. He perdonado un gran adeudo y no he obtenido beneficio alguno a cambio.

—¡Tenemos un papel firmado ante notario, maldita sea! —El conde observó el vaso vacío y, sintiéndose impotente, lo estrelló contra la pared.

Monterrey esbozó una sonrisa, cuyos protagonistas indiscutibles fueron sus enormes paletas color crema.

—Una nota informativa que reza que usted ha saldado su deuda para conmigo, nada más. Y no es poco. —Alzó las cejas, burlón—. Pretendía tenerme atado y bien atado, ¿verdad? Pero le recuerdo, señor conde, que no hay nada que me obligue a entregarle ni un solo real, salvo nuestro acuerdo verbal. Y las palabras, caballero, me temo que se las lleva el viento a conveniencia. —Se palmeó los muslos antes de levantarse, renqueante—. Cuando nos casemos, tendrá el resto. Es mi última palabra. —Y barrió el aire con su mano, dando por zanjada la conversación—. Procure que la boda se celebre cuanto antes, por su bien, si es que acaso esas deudas contraídas le importan. Dinero por hija. —Cabeceó en hipócrita despedida—. Buenas tardes, señor conde.

Ana ya no tenía fuerzas, ni espíritu, ni motivación alguna para seguir con vida. Solo se dejaba llevar, como una hoja a merced del viento, como un títere en manos del destino, y que fuera precisamente ese destino —o la vida o quien quiera que tuviera potestad sobre su alma— el que decidiera por ella y la forzara a continuar. Ella ya no se sentía capaz. Llegado ese punto, estaba convencida de que ni siquiera había vida dentro de ella. Simplemente estaba allí, atrapada dentro de su cuerpo, y, para su completa desgracia, la de fúnebre crespón no parecía dispuesta a concederle la venia de ir a por su pobre alma de una maldita vez. Así que allí seguía ella. O lo que quedaba de ella. Atrapada. Condenada. Prisionera de un cuerpo del que desearía huir y que tan solo actuaba como la más asfixiante de las mortajas.

Permaneció sentada frente al ventanal de su habitación durante muchos días, aparentemente impasible, como una estatua de alabastro, con las manos enlazadas sobre el regazo y la mirada prendida en algún punto más allá del mundo terrenal. Rehusando comer, rehusando dormir, rehusando incluso vivir... pero condenada a ello.

Pasaron muchos días, y lo único que cambiaba en aquella penosa estampa era el decorado exterior. Las ramas de los árboles bamboleándose por el viento, los pajarillos acercándose al alféizar de la ventana en mudo saludo, las altas copas de los cipreses doblegándose a merced de la brisa y las olas del mar encrespándose hasta lanzar al aire cientos de miles de besos de espuma. Todo ello sucedía ante la mirada ciega de una espectadora inanimada.

Doña Angustias la observaba con desolación y el ánimo contrito pero, al mismo tiempo, procurando concederle distancia para que pudiera liberar sus aflicciones sin ningún reparo o vergüenza. Aunque en realidad la niña no liberaba gran cosa, puesto que permanecía todo el día frente a la ventana sin parpadear siquiera, mirando al exterior, seguramente sin ver nada en realidad.

Doña Angustias rezaba en silencio porque la niña estallara de una buena vez, porque se arrancara en llanto, soltara al aire su sufrimiento y gritara hasta que se le desgarrara la garganta, pues de este modo la anciana sabría que el dolor había alcanzado el siguiente nivel, que avanzaba, en lugar de permanecer estancado. Si avanzaba, había posibilidad de cura; si permanecía estático, las cosas podían mantenerse en ese punto por un tiempo indefinido.

Pero el dolor no avanzó ni la joven mostró indicios de mejora. Ana de Altamira era como una muñeca vencida, completamente inerte, una muñeca que se limitaba a dejarse asear y vestir cada mañana para luego permanecer allí sentada durante todo el día, quieta, sin apenas respirar, marchitándose lentamente como una flor arrancada de la tierra. La anciana solamente tenía conciencia de que la joven seguía viva cuando veía alzarse, muy levemente, la tela que cubría su escote o cuando, a la caída de la tarde, su aliento pintaba de un vaho blanquecino el cristal de la ventana. Luego, al anochecer, entre ella misma y Silvana, se las ingeniaban para llevar aquel peso muerto al lecho, desvestirlo y tumbarlo entre las mantas. Y así cada día, la misma melancólica rutina.

Mientras el cuerpo de Ana se encontraba en ese estado catatónico, su cabeza seguía funcionando con dolorosa lucidez, facultad que, sin duda, concede el demonio a las almas torturadas. Pensaba en Alberto y en la posibilidad de una vida sin él, tratando de asumir algo que ya estaba sentenciado, pero, más pronto que tarde, se dio cuenta de que no había posibilidad de vida sin él.

Alberto se había erigido como su luz en la oscuridad, como su único hilo de esperanza en la negrura. Ahora, sin ese faro imperturbable para guiarla en medio de la noche eterna que era su vida, todo era oscuridad y caos. Y desolación y desesperanza. Y Jenaro Monterrey.

Un día, de repente, a la hora pensativa del atardecer, un hipido sonoro brotó de lo más hondo de aquel pecho yermo, el mismo sonido que produce un ahogado cuando es extraído de las aguas y devuelto a la vida, una asfixia abrupta que desgarró su pecho en dos y la obligó a jadear sin aire... y aparecieron las lágrimas. Fue probablemente igual la sorpresa para la joven que para el ama. Ana ni siquiera intentó contenerlas. Dejó que descendieran por sus mejillas libremente, entre sollozos e hipidos, hasta estrellarse con el elegante cuello de encajes de su vestido. Y aquel estallido sonoro, aquella primera muestra de vida en muchos días, fue lo mejor que podía sucederle a la niña, al menos así pensaba doña Angustias, pues el hecho de que Ana reaccionara a su dolor de algún modo, era buena señal.

Finalmente, los ahogados sollozos fueron diluyéndose poco a poco, con el correr de las horas, en gimoteos bajitos y monocordes, apenas audibles hasta que el agotamiento acabó por cerrar aquellos ojos hinchados y enrojecidos, y el letargo, fruto del cansancio y de un intenso dolor para el que no había ya salida, acabó por amodorrar sus sentidos, pasando factura a tantos días de sufrimiento silencioso.

Doña Angustias la llevó al lecho como pudo y veló su sueño. Acunada por las amables palabras del ama, por sus dedos acariciándole el cabello y por la perspectiva de un futuro sin ninguna luz, Ana de Altamira y Covas se dejó engullir por el negro abismo del sueño, sintiendo la montaraz lengua del sufrimiento envolverla por completo. Cuando ya tenía los ojos cerrados, pero aún era consciente del limbo en el que se encontraba, deseó no despertar jamás.

Por fortuna, en todo ese tiempo, su padre no la importunó obligándola a abandonar su habitación y ni siquiera prestó atención cuando, tres veces al día, veía bajar intacta la bandeja con el servicio. Si Ana hubiera tenido la suficiente presencia de ánimo como para abandonar sus aposentos e ir a ver a su progenitor, se hubiera dado cuenta de que el conde bastante tenía con intentar mantener a raya sus propios fantasmas. El hombre vivía atemorizado y es que, después de la última sarta de amenazas en el club y de haber prometido saldar las deudas de sus acreedores el domingo siguiente al anuncio de compromiso, se veía incapaz de mantener la palabra dada, y el miedo atroz que alimentaba en sus entrañas hacía que la camisa no le llegara al cuerpo.

Monterrey, por contra, no tuvo la delicadeza de espaciar sus visitas al Pazo. Por lo visto, al haberse hecho público su compromiso con la condesita, parecía sentirse en su derecho de reclamar con descaro e insistencia lo *suyo*.

Después de una primera visita frustrada en la que la vieja con cara de perro le anunció que la muchacha se encontraba indispuesta a causa de una jaqueca, ¡otra vez!, el incansable prometido se retiró airado, decidido a no tolerar tanta ridícula dolencia y tantos mimos pueriles una vez estuvieran casados. Pero tras la primera negativa a ser recibido, vino otra y otra más; así hasta cuatro negativas en un mismo día, día tras día, hasta que el anciano, más rabioso que un perro atacado de pulgas, se dijo así mismo que aquello debía terminar. No podía obligarla a recibirle, pero pensaba resarcirse de tanta tontería una vez el anillo sobre el dedo de la muchacha le concediera la potestad para hacerlo.

Si la delicada flor quería un tiempo a solas para despedirse de sus muñecas, de su vida pasada, del estúpido celo con el que era tratada y de los esmeros con que todos la mimaban, siempre ocultándose bajo las faldas de su ama de cría y esgrimiendo su inocencia como mejor defensa, él estaba obligado a concedérselo. No le quedaba otra. Era eso o subir a su habitación, donde permanecía ridículamente atrincherada, y obligarla a bajar. Lo que no era de recibo.

Claudicaría, al menos por el momento. Una vez se hubiera convertido en su esposa, él se encargaría de arrancar de sus entrañas tanta tontería para convertirla en una mujer y exigirle que cumpliera con sus obligaciones al respecto. Se resarciría, ¡oh, por Dios que sí!, de tanto desplante acumulado, y le haría saber quién mandaba allí. ¡Maldita niña malcriada!

¡Y por su vida que, después, una estúpida jaqueca no iba a mantenerla a salvo!

Alberto abandonó la casa de su padre la misma noche de la velada. Regresó a caballo, tal y como había acudido al Pazo, y se deslizó en el interior de la residencia Monterrey usando su propia llave y cuidándose de no despertar a ningún sirviente. Teniendo en cuenta su apariencia y su estado emocional, si alguien saliera a recibirle, seguramente pensaría que se trataba de un energúmeno con los cables cruzados en lugar de un hombre de bien. Aquel no era el sensato y juicioso Alberto Monterrey que todos conocían. Ni su aspecto físico ni su proceder mental tenían nada que ver con el serio y medido letrado. No, no era prudente despertar a los criados y convertirse en pasto para murmuraciones. O, seguramente, en objeto de burla para todos. Aparte de eso, no le apetecía encontrarse con ningún ser vivo. No quería ver a nadie, no deseaba responder a preguntas. No deseaba tener que responder con los puños, y esa era la única forma en la que le apetecía responder.

Cuanto menos se supiera en aquella maldita casa y en aquel pueblo, de sus desgracias personales, mejor.

Resultaba imperativo abandonar la vivienda de su padre antes de que éste regresara o, de lo contrario, temía no ser capaz de responder de sus actos.

Porque si hasta el momento le repugnaba la idea de que su padre se desposara en segundas nupcias con una muchachita, ahora tal enlace le enfurecía hasta el delirio y le desgarraba el alma. Ya no se trataba de una pobre condesita condenada a una vida al lado de un ogro lujurioso como Monterrey, sino que ahora se trataba de la mujer de su vida.

—¡Malditos sean mi suerte y me destino! —siseó entre dientes, en medio de la tempestad que asolaba su alma.

Mientras recogía sus escasas pertenencias, bufando, soltando risotadas sarcásticas y meneando la cabeza al recordar ciertas escenas de su relación con Ana, trató de controlar su rabia y de sentirse tan solo un poco menos estúpido. Una risotada feroz, gutural y demoníaca brotó de lo más hondo de su garganta.

¡Cómo ha jugado con este pobre imbécil, señora, cómo habrá disfrutado riéndose de él!

Y de no ser por el inevitable asomo de las lágrimas en la cuenca de los ojos, bien podría parecer que la ira dominaba por encima de otros sentimientos más profundos.

No habían transcurrido ni diez minutos cuando abandonó la casa sin causar ningún destrozo, lo que podía considerarse todo un éxito, a la vista de cuanto borboteaba en su interior y del ansia homicida que le devoraba. Los que sí afloraron mientras caminaba con paso apretado por las calles del muelle fueron dos sentimientos completamente encontrados, diferentes entre sí, pero ambos totalmente devastadores. Muy seguramente, los únicos sentimientos a los que se sentía capaz de dar cabida y reconocer en medio del tornado que asolaba su alma.

Uno era la sensación de ridículo que le roía por dentro, una emoción que le hacía sentirse vulnerable y absurdo por haberse comportado como un soñador. ¿Quién se creía que era, poeta del tres al cuarto, para idealizar a una muchacha a la que acababa de conocer hasta el punto de ensalzarla como una deidad?

¡Y casi una niña, por más señas, una niña que se había burlado de él y de su absurdo corazón con una habilidad encomiable! ¡Bobo, estúpido, ridículo!

El otro era la ira. Sí, se sentía muy enfadado con ella por haberle mentido.

¡Tan joven, y tan predispuesta a burlarse de los sentimientos entregados! ¡Qué destreza para llevarlo a cabo, qué temple, qué sangre fría y qué vileza de corazón!

Al pensar en ello, la sensación de ridículo y de humillación apareció de nuevo. Y la confluencia de esas dos emociones, cólera y vejación, en una misma alma, fue devastadora.

También él había mentido. O quizás lo suyo no se tratara de una mentira deliberada, sino más bien de una simple ocultación. Y de todas formas, su falta de sinceridad no resultaba tan perniciosa como la de ella.

Al fin y al cabo, ¿qué podría haberle importado a la hija de un ama de cría que él fuera hijo de Jenaro Monterrey?

Pero a la inversa... ¡oh, Dios! ¡A la inversa se trataba de la señorita condesa, la misma joven que desde el primer día supo comprometida con su padre! ¡La misma de la que en su día se burló, la que trató en vano de comprender y la que finalmente compadeció por su indeseable destino!

Él no podía saberlo, ni tampoco la pobre condesa desolada en su Pazo, pero ambos experimentaban en esos momentos dos sentimientos muy diferentes orbitando alrededor de un mismo punto.

El corazón de la condesa solo era capaz de alimentar un profundo sentimiento de culpa que la hacía sufrir de forma horrorosa. Sabía que su insensatez había causado el dolor que ahora empañaba su alma. Y eso que se lo había advertido el ama: que las mentiras tenían las patas muy cortas y no llevaban a ninguna parte. Por ello, se torturaba a sí misma considerándose la única culpable de sus desdichas.

En el corazón de Alberto solo había rabia, enojo y frustración. Se sentía enfadado y se mantenía en la creencia de que Ana se había reído de él, de que su romance simplemente se había tratado del pasatiempo de una niña rica que buscaba entretenerse hasta la hora de su compromiso. ¡Y qué bien lo había hecho, que había conseguido engañarle como a un niñato! No era capaz de ver más allá.

En medio de la noche, detuvo un carruaje de punto y se subió a él dispuesto a poner tierra de por medio. Nada le ataba ya a San Julián más que una rabia inmensa, una profunda decepción y un corazón roto que debía sanar lejos de allí.

Sentado en el carruaje, observando a través de la ventanilla la oronda esfera plateada que se alzaba en todo su esplendor mostrando su ennegrecida orografía por encima de las oscuras copas de los pinos, se obligó a odiar a Ana.

Si quería olvidarla, y tenía que hacerlo a riesgo de volverse loco, debía odiarla.

Decían los malditos entendidos que del amor al odio solo hay un paso y, siendo así, debía encontrar el eslabón necesario para volcar sus sentimientos en sentido contrario. Era la mejor opción para borrarlo todo de un plumazo y seguir adelante con su vida. ¡Debía odiarla por haberle mentido, por haber jugado con él de un modo tan frívolo y cobarde, por haberse silenciado cuando debería haber abierto la boca...! ¡Toda ella había sido una falsa, una embustera y una embaucadora!

Se llevó las manos a las sienes y apretó, al tiempo que emitía un gruñido de frustración.

¿Con qué malicia premeditada la vida, o el demonio, habían dotado de belleza y falso candor a aquella criatura? ¿Con qué intención? ¿Acaso su hermosura era solo un cebo para atraer a incautos como él y luego reírse de ellos en su cara? ¿Era solo una trampa perfecta e infalible para atrapar ingenuos?

¡Pues qué perfecta trampa, señora mía!

Un gruñido animal brotó de lo más profundo de su alma, resonando en el pequeño habitáculo como lo haría si fuese una bestia quien berreara de dolor en su madriguera.

Porque recordar sus impecables facciones le llevó a pensar también en sus labios de fresa, en sus ojos verdes y grandes como dos broches de jade sobre un manto de armiño, en su barbilla afilada, en el cascabeleo de su risa, en sus adorables clavículas asomando en un hermoso escote de alabastro...

¡Dios de los cielos...!

Se llevó la mano en forma de puño a la boca para contener un jadeo y morder los nudillos con desesperación. Recordó todo eso... y lo amó. A pesar de toda la rabia que ardía en su pecho, lo amó con toda la devoción de su corazón.

Estaba perdido. Loco y perdido.

Llevaría cinco o seis kilómetros lejos de San Julián cuando golpeó con brusquedad el techo del carruaje para obligar al chófer a detenerse.

En medio de la nada, sumido en la oscuridad tan solo bañada por el llanto argentado de la luna, Alberto bajó del coche, cogió sus cosas y desanduvo lo andado para volver a pie a aquel maldito pueblo del demonio en el que permanecía anclado su corazón a un infinito abismo de tristeza.

¡Malditos su corazón y su locura! ¡Maldito él, por estar irremediablemente perdido!

Dos semanas después, Ana tuvo la certeza absoluta de que su corazón se había roto y ya sin posibilidad de enmienda.

Pasada la desolación inicial, aquel momento terrible en el que el cuerpo y el alma de la chiquilla permanecieron al borde del abismo, dando muestras hora sí y hora también de su incapacidad para soportar otra mísera cota de dolor, la agonía mortal se transformó en aceptación y resignación. Una etapa diferente en la que el tormento inicial permaneció disimulado por el fino velo del conformismo, un velo irreal, puesto que, en el fondo, el dolor seguía siendo tan terrible y lacerante como al principio. Ya no había lágrimas, cierto era, ni gritos; todo ello había dado paso a un estado mental de completo abandono, pero la herida que atravesaba la víscera romántica seguía abierta y sangraba, secretamente, al menor descuido.

Visiblemente más delgada, con el rostro lívido como el de un muerto en su mortaja, los labios faltos de color y dos surcos azulados bajo los ojos, la condesa decidió que era el momento de abandonar su habitación, convertida durante esas semanas en su perfecto mausoleo, y asomarse al mundo.

La naturaleza había seguido su curso en su ausencia y la primavera ya rezumaba vida en cada ángulo del jardín, supurando colores y fragancias. La lavanda alzaba sus espigas al sol, como si pretendiera arañar con ellas la inalcanzable bóveda libre de nubes. Los pajarillos se esmeraban en hacer sus nidos en los aleros y los carrizos creaban sus diminutos refugios en las riberas, entre las piedras del muro o en los zarzales del lugar. Un océano de hierba ondulante se extendía ante sus ojos, más allá de los límites del Pazo, mostrándole la magnificencia, la vistosidad y la belleza del campo en todo su esplendor. ¡Qué extraña se sintió al verse de nuevo imbuida en aquella inesperada acuarela! Como si la vida, avanzando impasible, como si la naturaleza, germinando impávida, se riera en su cara de las ridículas tribulaciones de una simple alma mortal. ¡Como si al mundo y a la madre Tierra le importaran en lo más mínimo los delirios y necedades de una absurda chiquilla!

La claridad diurna, la fresca brisa del norte, cargada de salitres y aromas boscosos, y la visión alegre de los cormoranes y las gaviotas recorriendo la costa, fueron el ramalazo definitivo para despertarla de su letargo y obligarla a reaccionar.

Si la de fúnebre crespón se decidía a ir a por ella, ¡y ojalá lo hiciera pronto!, la encontraría paseándose entre los macizos en flor o en los cañaverales, con el viento sacudiéndole el cabello y lamiéndole las heridas, y no enjaulada en su celda de oro.

Pasaron los días y Ana no volvió a tener noticias de Alberto. ¡Ninguna! De nada sirvió que le esperara hora tras hora en el sendero del bosque, o que aguardara la corneta del mozo de correo como quien espera escuchar las trompetas del coro celestial anunciando su salvación. Parecía que se lo hubiera tragado la tierra y, de algún modo, supo que, efectivamente, para ella había desaparecido.

Siempre tuvo claro que era un viajero de paso. Sabía que su estancia en san Julián tenía los días contados, y ahora que la vida le había abierto los ojos a la realidad, nada había en aquel lugar capaz de tentarlo o retenerlo. Ni siquiera ella. Mucho menos ella.

Alberto la había visto entre su padre y Monterrey. Seguramente habría contemplado su mano reposando, a la fuerza, en el brazo de él, y muy posiblemente hubiera escuchado los festejos del conde en honor al compromiso de su única hija.

¡Cuánto horror debió de sentir al presenciar semejante escena después de haber abierto su corazón!

¿Seguiría ahora compadeciendo a la condesa de Rebolada como hacía antes? No, muy posiblemente la repudiara y ningún sentimiento amable tuviera cabida ya en su pecho.

En lo alto del mirador, en su monte de siempre, allí donde le conoció y donde se enamoró, inhaló en profundidad, cerrando los ojos y abriendo los brazos en cruz, permitiendo que el viento agitara sus faldas, abofeteara su rostro con ansia y sacudiera su alma. Y no lloró. Sufrió en silencio su pena, pero no lloró.

16

Doña Angustias apareció en aquel rinconcito del jardín donde Ana permanecía sentada, tranquila, escuchando el trinar de los pajarillos y permitiendo que los suaves rayos de la primavera besaran su rostro. Llegó con andares tan presurosos que resultaba gracioso verla corretear renqueante como un ganso, sujetándose las faldas hasta el punto de permitir la visión de sus botinas y de parte de sus pantorrillas. Las faldas, arremolinadas en torno a sus canillas, le conferían un aspecto más grueso y rechoncho del que ya le correspondía por sus dimensiones, y los volantes de su cofia no dejaban de aletear sobre su cabeza como un pajarillo al que sometieran a una carrera indeseada.

Ana no se rio: respetaba demasiado a su nana como para exteriorizar de forma tan poco amable sus impresiones. Además, su alma había olvidado el ejercicio de la risa. No sabría cómo llevarlo a cabo sin sentir que estaba traicionando lo que en verdad bullía en su interior: la culpabilidad, la pena y la resignación ante el abandono.

—¡Niña, niña! —jadeó, deteniéndose a su lado, resollando como un lechón y llevándose la mano al hígado para aliviar un punto doloroso—. ¡Niña, no sabes lo que acabo de descubrir!

Ana se incorporó despacio para situarse a su altura y rodear sus hombros con el brazo, atrayéndola hacia sí.

—Respira, nana, y después cuéntame lo que sea que te ha dejado tan alterada.

Así lo hizo la buena mujer. Exhaló más que inhaló y trató de acompasar la respiración con los agitados latidos de su corazón. Su rostro, completamente color cereza, aparecía perlado por una finísima capa de sudor.

—José, el mozo... —Se silenció con una fuerte inspiración para llenar sus pulmones, que se habían quedado sin aire.

—Nuestro José —ayudó Ana. Doña Angustias asintió e inspiró de nuevo para continuar en un tono más comedido.

—Acaba de llegar del pueblo. No me preguntes cómo, pero ha descubierto algo que te va a dejar, seguro, más trastocada todavía que a mí.

Ana enarcó una ceja. ¿Por qué la gente se empeñaba en retrasar ciertas informaciones con acertijos y pausas innecesarias? En el caso de doña Angustias era inevitable, razonó: el ama corría el riesgo de ahogarse si daba rienda suelta a su lengua después de haber venido corriendo desde el Pazo hasta el jardín.

—Ha descubierto quién es Alberto. *Tu* Alberto.

Puede que no estuviera preparada para escuchar su nombre en voz alta después de tanto tiempo, o quizás fuera el hecho de que el ama precediera aquel nombre de un posesivo, cuando, si algo sabía con certeza, era que lo había perdido para siempre. Tal vez sucediera que se había empeñado en empezar a olvidarlo y su sola mención le traía de nuevo de vuelta a su vida. Si es que acaso, de verdad, se había retirado de ella alguna vez.

Después de la punzada que sintió en el pecho, no supo cómo reaccionar, qué debía pensar ni qué tenía que decir; solo tuvo claro que, a esas alturas, aquel dato daba bastante igual. Y así se lo hizo saber al ama.

—No lo entiendes, mi niña —insistió la mujer—. Alberto, *Alberto M.*, no es otro que Alberto Monterrey.

Si le hubieran abierto el pecho de un tajo y le hubieran extraído el corazón clavado en la punta de un cuchillo, no le habría dolido más. Aunque lo que sintió en realidad no era verdadero dolor; después de tantos días sufriendo de verdad, se sentía lo suficientemente capacitada para dar buena fe de ello. No era dolor. Era incomprensión, sorpresa, incredulidad, pasmo... cualquier sinónimo sería apropiado.

—¿Lo entiendes? ¿Sabes lo que eso significa? ¡Es el hijo de Monterrey! —completó la anciana.

Ana frunció el ceño y enlazó las manos frente al talle, retorciéndolas frenéticamente hasta que los nudillos se tornaron blancos, y los dedos, rojos. Todo empezaba a cuadrar: su curiosidad por la condesa, los datos que le había dado sobre sí mismo, la porfía de su padre por casarse con una jovencita que no consideraba apropiada para él...

Un profundo horror la traspasó. ¿Acaso estaba siendo verdaderamente consciente de la realidad? ¡¡Iba a convertirse en la madrastra de Alberto!! ¡¡La madrastra del único hombre que había amado y que amaría durante lo que le restaba de vida!!

De no ser porque doña Angustias actuó con celeridad, se hubiera desplomado en el sitio, puesto que las rodillas le fallaron en ese mismo instante y la cabeza amagó un vahído.

—¿Cómo...? —Pero no pudo completar la pregunta. Doña Angustias la acompañó bajo la sombra de una higuera y ambas se sentaron en su base nudosa. Una vez al fresco, Ana cerró los ojos durante unos segundos e inhaló la cantidad de oxígeno suficiente para recuperarse.

—No está en casa de su padre. Por lo visto se marchó de allí aquella misma noche.

Ana asimiló la información sin apenas parpadear. No le extrañó; siempre le había dicho que la relación con su padre era casi nula. Al menos en eso no le había mentido. Al punto, se sintió una completa hipócrita. ¿Cómo podía reprocharle una mentira cuando ella había hecho otro tanto?

—Se habrá ido de San Julián —dijo apenas en un susurro—. A estas alturas estará ya en la Villa y Corte, muy lejos de nosotros.

Doña Angustias negó con énfasis.

—José piensa que no. Cree que sigue en el pueblo.

Ana parpadeó un par de veces, presa de un molesto tic nervioso.

—¿En el pueblo? —balbuceó—. ¿Cómo es eso posible? —Meneó la cabeza tratando de ordenar sus atropellados pensamientos—. Quiero decir... ¿qué sentido tiene?

—No sé qué sentido puede tener que permanezca aún en San Julián después de haberse descubierto este tinglado —inclinó la cabeza para expresarse con mayor complicidad—, aunque quizás, en el fondo, ambas sepamos perfectamente lo que significa, ¿verdad? Varios carboneros amigos de José le han asegurado que un señorito ha alquilado una habitación en un hostal de los arrabales en la fecha que nos ocupa. No saben su nombre, pero es muy posible que se trate de nuestro Alberto.

Los dedos de Ana, delgados y pálidos, se cerraron con fuerza alrededor del brazo del ama.

—¡Oh, nana! ¡Oh, nana! ¿Sigue aquí? ¿Tan lejos y a la vez tan cerca?

El ama cabeceó.

—Te dije que quizás no estuviera todo perdido.

Ana no quiso ni siquiera pensar en ello. No podía permitirse soñar despierta y reabrir la herida que llevaba días luchando por curar, no podía exponer de nuevo su corazón, apostarlo todo y perderlo todo.

Ahogó un jadeo. Quizás estaba en sus genes el ser una pésima jugadora, a la vista de los infortunios de su padre, pero no quiso creerlo.

Por el contrario, solo podía pensar en una cosa: buscar papel, pluma, tintero y grandes dosis de arrojo y elocuencia para redactar una carta. Una carta en la que hablaría de todo y que entregaría a José, al que de ahora en adelante tendría como mensajero de su corazón. Sabía que era un hombre de fiar, a juzgar por lo bien que había guardado el secreto de *Pequitas* y, dadas sus circunstancias, resultaba imperativo rodearse de aliados.

Una carta, el salvoconducto de su alma.

Sentada frente al elegante buró de su alcoba, Ana empezó a redactar una extensa carta con pulso febril.

Tanto apretaba la plumilla entre los dedos que parecía que en cualquier momento fuera a quebrarse bajo su firme empeño. El dedo que la sostenía y que la guiaba con violenta rapidez sobre el papel permanecía blanco desde la uña hasta la primera falange. La lengua asomaba sonrosada entre los labios, y una profunda arruga presidía su entrecejo en un gesto de profunda concentración.

La pluma rasgaba la vitela sin detenerse más que para ser humedecida de vez en cuando en el tintero de hueso.

Ana recorría cien veces cada frase recién escrita con ojos ávidos, moviendo los labios en silencio para comprobar cómo sonaba lo escrito una vez salía de su cabeza y se materializaba en presurosa caligrafía sobre la cuartilla. A veces se detenía en seco y clavaba la mirada en el infinito mientras se mordía con gesto distraído el labio inferior para, acto seguido, continuar garabateando de un modo tan metódico como convulso.

Finalmente, alzó el papel en alto, lo releyó mentalmente un par de veces, lo espolvoreó con secante, redujo sus dimensiones a tres dobleces concienzudamente plegadas, lo introdujo en un sobre y lo selló con el lacre del Pazo de Rebolada.

Ya estaba hecho, pensó.

En presencia de doña Angustias, buscó a José y le pidió, ¡le rogó!, que hiciera lo imposible para que la carta llegara cuanto antes a manos de aquel que, suponían, era Alberto. El mozo recogió el encargo y lo guardó en el bolsillo interior de su chaleco con tal celo que, más que una simple misiva, parecía el mapa del tesoro de los Nibelungos. Jamás ninguno de sus antiguos patrones le había suplicado que hiciera algo privado por ellos: siempre se había limitado a acatar sus órdenes en el acto, a riesgo de llevarse un pescozón o acabar de patitas en la calle. Y el conde nunca había sido menos. Por eso, el hecho de que la dulce y bondadosa condesita le hablara ahora como a un igual, asegurándole que confiaba tanto en su pericia como en su discreción, era algo que le hinchaba el pecho y le instaba a complacerla raudo y dispuesto como el rayo. Y de ese modo partió.

—Oh, nana, ¿y si no se trata de Alberto? —preguntó, sin desviar la mirada de la ventana, vigilando cómo el mozo se alejaba del Pazo montado en un pollino blanco y peludo.

—Si no es él, José no le entregará la carta. No te apures, es un buen chico.

—Quizás no debí apresurarme tanto, cabe la posibilidad...

—¿Qué probabilidades hay —interrumpió el ama— de que un forastero bien vestido, apuesto y de oscuro cabello rizado se hospede en ese hostal, no siendo *nuestro* Alberto?

Ana suspiró, dejándose convencer por las amables palabras del ama. Tenía que ser Alberto. *Quería* que fuera Alberto. Ahora solo le quedaba esperar.

En aquella carta había vertido sus sentimientos. Se había sincerado y, sobre todo, se había disculpado. Explicó que no había existido maldad en sus actos y, mucho menos, intención de hacer daño en su corazón. Que solo deseó ser libre por un momento y ese anhelo la superó, dominándola por completo y adueñándose de todos y cada uno de los instantes que pasaron juntos. Y esa sensación de libertad, tan agradable como ficticia, se le fue de las manos.

Aparte de ese punto, no había existido otro obstáculo entre los dos. La Ana que él había conocido era la Ana que moraba en su interior, la de verdad, la única. De hecho, pocas personas, aparte del ama, habían llegado a conocerla tan bien como él. Asimismo, había sido dueña de todas y cada una de sus palabras: tampoco sus sentimientos habían sido fingidos. Así se lo hizo saber en cada línea de aquella misiva de dos cuartillas.

Sus letras no suplicaban amor, sino perdón. No se sentía digna de recuperar los afectos de Alberto, tan solo albergaba la esperanza de ser perdonada. Así, él podría partir en calma, y ella podría morir en paz.

La espera se le hizo eterna y cada hora que pasaba encaramada a aquella ventana resonaba en su cabeza como el segundero de un reloj: hueca, rotunda, lacerante... e infinita.

Por fortuna, los hados estuvieron de su parte y el martirio solo se prolongó hasta el crepúsculo, cuando la silueta oscura de José se recortó en la lejanía, renqueante y tranquila sobre su pollino blanco.

Su corazón, en respuesta a tal visión, dio un brinco en el pecho. Cuando le vio traspasar la cancilla del Pazo fue en su busca, perfectamente escoltada por su inseparable y muy querida ama, y casi se le escapa el alma en un suspiro cuando, bajo el arco porticado de la entrada, José deslizó en su mano un recorte cuadrado de papel.

¡Entonces el forastero era Alberto! ¡No se había ido de San Julián! ¡Quizás doña Angustias tuviera razón y no todo estuviera perdido aún! ¡Quizás su alma aún pudiera alcanzar la paz!

Cuando inclinó la mirada hacia la cuenca de su mano, la ilusión inicial tornó en pronta decepción y la sonrisa que ya curvaba sus labios quedó funestamente truncada, confiriéndole a su semblante una expresión tan pasmada como incrédula.

José le traía de vuelta la misma carta que le había sido entregada horas antes. El sobre había sido abierto, a juzgar por las repetidas dobleces del papel, la carta había sido leída, pero del mismo modo que había llegado al receptor, huía de sus manos.

—¿No hay respuesta, José? —preguntó extrañada, sintiendo el rojo de la vergüenza y la decepción colorear sus mejillas.

—Sin respuesta, señorita —anunció compungido, y en verdad parecía entristecerle el hecho de entregar a su señorita noticias tan poco alentadoras.

Ana no podía creerlo. Sin respuesta, sin reproches, sin acusaciones. Solo silencio.

Miró al ama y las lágrimas asomaron bien dispuestas a sus ojos. Pero no iba a dejarlas escapar. No esta vez. No así, sin palabras, sin una reacción a sus lamentos.

Después de todo lo que habían compartido, después de haberle abierto a ella su corazón, ¿iba a escudarse ahora en el silencio como única respuesta? ¿Iba a ocultarse como un cobarde cuando ella había hecho acto de expiación ante él?

Apretó los labios, inhaló en profundidad y se encaminó a su alcoba con la barbilla en alto y paso apretado, sosteniendo entre sus manos la carta rechazada.

Una vez en su habitación, acompañada por la única alma a la que siempre estaba dispuesta a admitir a su lado, se sentó frente al buró para redactar una segunda misiva, más breve y directa, que José llevó al pueblo pocos minutos después.

Al igual que la primera, la segunda carta vino de vuelta aquella misma noche. Y a esa segunda le siguieron una tercera y una cuarta a lo largo de la mañana y tarde del día siguiente, todas con idéntica respuesta. Ninguna ofrecía otra resolución más allá del silencio.

Al menos habían sido abiertas y leídas, Alberto no las había rechazado de pleno, repudiando tanto el mensaje como a la emisora. Y eso era algo bueno, quiso pensar. Porque de ese modo, por muy ofendido que se encontrase, a esas alturas ya conocería sus motivos y habría recibido sus disculpas.

Pero también era algo que le preocupaba hasta el delirio, puesto que se imaginaba a Alberto leyendo aquellas líneas y devolviéndolas después al sobre que las contenía sin ofrecer mayor expresión que su ceño fruncido y sus labios apretados. Recordó sus ojos del color de la brea, tan profundos como intensos, y un sacudimiento de mal agüero la recorrió de los pies a la cabeza.

Después de haber leído sus cartas, Alberto tuvo claras dos cosas. Primera: aquella joven, fuera condesa o no, fuera Ana de Altamira o Ana Guzmán, no había sido una muchacha feliz. En eso no le había mentido. Su existencia había estado presidida por un celo excesivo y por la obligación, inculcada desde niña, de agradar y complacer a los demás. En especial, a un padre déspota y desapegado. La presencia cariñosa de doña Angustias había ejercido como necesario tablón de salvación, evitando que acabara convertida en una hidalga fría, implacable y despiadada, pero no había sido suficiente para llenar de calor y seguridad en sí misma a un alma que avanzaba por la vida a trompicones, con miedo de tropezar y, por ende, tropezando a cada paso.

No pretendía justificar sus actos ni disculparla, aunque en el fondo fuera precisamente eso lo que estaba haciendo, pero con cada línea perfectamente redactada que leía, con cada carta que rechazaba, con cada fragancia a rosas y jazmines que emanaba del sobre abierto, se daba cuenta de que su enfado inicial, su indignación y sus ganas de darle una buena azotaina por haberle convertido en blanco de sus travesuras, iban desapareciendo para dar paso a la comprensión y la compasión. Y que el cálido sentimiento que se había instalado en su corazón desde hacía tiempo y había cobrado mayor fuerza con aquel primer beso, volvía a surgir y a caldear sus entrañas de forma impetuosa.

Lo segundo que supo al leer sus cartas fue que, a esas alturas, estaba perdida e irremediablemente loco por ella. Lo sabía desde hacía tiempo y le había quedado constancia aquella noche en la que, en su intempestiva fuga de San Julián y de la propia Ana, había detenido el carruaje en plena noche y en mitad del monte para volver sobre sus pasos. Y no le importó caminar durante un buen trecho por un camino de cabras, sin más luz que la proporcionada por la esfera de plata del cielo, con el equipaje al hombro y las emociones a flor de piel.

Suspiró. La quería. Y lo sabía. Cuánto tiempo podría permanecer perfecta y necesariamente indignado antes de condescender, era algo que desconocía. Pero sí tenía clara una cosa, y es que estaba deseando perdonarla. En realidad hacía días, antes incluso de la primera carta, que no necesitaba demasiadas presiones para acceder a los requerimientos de Ana puesto que, ahora más que nunca, estaba deseando verla de nuevo.

Y esta vez no iba a dejarla escapar, aunque tuviera que batirse con un conde despiadado e incluso con un anciano corruptor de jovencitas.

Se llevó dos dedos al puente de la nariz y, al tiempo que apretaba fuerte cerrando los ojos, suspiró de nuevo.

No podía permitir que Ana se casara con Jenaro Monterrey. No porque él fuera su padre, sino porque ella era la mujer de su vida.

17

Había pasado un día desde la última carta sin respuesta y Ana no se había decidido a escribir más. No sabía qué hacer ni cómo proceder, pero estaba claro que tenía que pensar a conciencia el siguiente paso para conseguir tocar alguna fibra sensible de Alberto. Era eso o resignarse a su mutismo y a la consiguiente sensación de impotencia más absoluta.

Necesitaba encontrar *algo* capaz de provocarle alguna reacción y estaba dispuesta a devanarse los sesos para llegar a ello. Si tenía que dejar de lado los formalismos y la mesura, incluso el buen tino, para conseguir algún tipo de reacción en él, estaba más que dispuesta. Cualquier cosa con tal de hacerle salir de su escondite. Aunque ella misma tuviera que ir a buscarle.

Sobre eso meditaba, sentada en la sala de lectura, haciendo como que leía cuando en realidad ni siquiera la excelente prosa de un joven Bécquer haciendo llegar a su cabecita las más misteriosas leyendas, parecía capaz de tentarla en ese momento. Cuando el reloj que descansaba sobre la repisa de la chimenea anunció la hora con tres campanazos unos suaves golpes en la puerta la pusieron en guardia.

Uno de los lacayos de la casa apareció bajo el umbral. Su semblante, por extraño que pareciera en aquellos personajes obligados a la inexpresividad, mostraba un visaje de disgusto. O quizá la boca torcida de aquel hombre obedecía a algún extraño tic.

—Don Jenaro Monterrey, señorita —anunció sin mayor ceremonia, como quien anuncia la llegada de una borrasca o de una fiebre infecciosa.

Ana comprendió: no se trataba de un tic del lacayo, por supuesto, sino de la presencia de alguien capaz de disgustar incluso a quienes no tenían la necesidad de interactuar con él.

El sirviente se hizo de inmediato a un lado para dejar paso a la figura del anciano, que asomó arrollador en su corpulencia, ocupando todo el vano de la puerta.

Ana se enderezó en su asiento y bajó los pies del escabel en un gesto que pretendió constatar su incomodidad y que, a la vez, resultaba defensivo: en esa nueva postura podía levantarse y huir si era necesario. Y estaba convencida de que, tratándose de Jenaro Monterrey, en algún momento lo sería.

Al mirar a su... *prometido* —¡menudo escalofrío la sacudió al pensar así!—, le vino a la mente esta vez la imagen de otro animal distinto al conejo, criatura que, desde el primer momento, le había representado en su cabeza. Vestido con un traje de *tweed* completamente negro, una pechera amplia y absolutamente blanca, teniendo en cuenta sus dimensiones y su escasa estatura, sus brazos pegados al cuerpo y sus andares renqueantes, el señor Monterrey le recordó esta vez a un pingüino, y no precisamente por su elegancia innata.

El anciano cabeceó a modo de saludo y Ana, que ni siquiera se levantó, ladeó la cabeza amagando un gesto de cortesía. «Amagando» era el término correcto pues, a pesar de la forzada cordialidad del gesto y de los labios estirados en cortante sonrisa, su rictus era tan tenso como el del cordero ante la visión del matarife.

—Buenas tardes, señorita de Altamira, ¿me permite acompañarla unos minutos? —El anciano permanecía encorvado, cargando los hombros hacia delante, ladeando la cabeza en su dirección y sonriendo con su habitual expresión desagradable.

—Estoy sola —respondió cortante.

—No creo que nadie nos censure por entrevistarnos a solas durante unos minutos, al fin y al cabo la puerta está abierta y usted y yo ya estamos prometidos de forma oficial.

Ana suspiró, levantó el libro y fingió retomar la lectura. No era un comportamiento muy apropiado ignorar con tanto descaro a un invitado, pero tampoco eran apropiados el invitado en cuestión ni las razones que le traían a aquel lugar, máxime cuando, de entrada, las blandía a modo de estandarte.

—Haga lo que desee —espetó, lacónica—. Lo hará de todos modos.

El empresario esbozó una sonrisa maliciosa y procedió a sentarse en una butaca cercana, demasiado cercana tal vez. Estaba claro que aquel hombre no tenía el menor sentido del recato ni la decencia, a juzgar por la cercanía que imponía a la joven o por su manera de contemplar sus rodillas hundidas entre los pliegues de tela del vestido, como si aquella molesta invasión supusiera un avance en sus propósitos.

Ana se envaró, y no solo a causa del disgusto que sentía, sino por la repulsa que aquel hombre, con su sempiterno rezumar a pescado y sudor, a lascivia y desvergüenza, le provocaba. ¿Qué se había creído? ¿Cómo se atrevía a comportarse con tan poco tiento en la casa de su padre? ¿Cómo podía existir algún parentesco entre el dulce y querido Alberto y aquel hombre de las cavernas?

Para no tener que soportar su cercanía un solo segundo más —¡santo Dios, si hasta sentía su aliento acre abofeteándole el rostro!—, se levantó para dirigirse a la estantería y devolver el tomo a su lugar, demorándose un poco de más en la apreciación de las hermosas letras torneadas que adornaban el lomo.

Una vez finalizada esta tarea, se cuidó de no regresar al asiento. Se dirigió a la ventana, apartó ligeramente el visillo y fingió entretenerse en la contemplación de los jardines. Estaba empezando a considerar seriamente la posibilidad de retirarse sin previo aviso cuando la voz de aquel hombre rasgó el silencio.

—Veo que continúa usted tan esquiva como de costumbre —sentenció, enderezándose en su asiento—. Me pregunto cuánto más durará este comportamiento.

Ana ni siquiera se volvió para contestarle.

—Todo el tiempo que usted insista en importunarme con sus atenciones.

El anciano ahogó una risotada. Ayudándose del repentino empuje que conceden la desvergüenza y la falta de tacto, se levantó de su asiento con el ímpetu de un tentetieso.

—¿Importunarla? ¿Desde cuándo las atenciones de un hombre hacia su prometida se consideran inoportunas?

—¡Pues lo son, se lo aseguro! Y en este caso, tan innecesarias como indeseadas.

—No es eso lo que me aseguró el conde.

Ana se estremeció cuando sintió la presencia de él a su espalda, su aliento erizándole el vello de la nuca y sus dedos acariciando su brazo en lento movimiento ascendente. Con un quite violento se sacudió la caricia, volviéndose al instante para mirar al anciano con dureza y tratar de detener sus avances.

—¡Pues le han informado mal, señor! —siseó entre dientes, fulminándolo con la mirada—. ¡Jamás he manifestado ningún deseo de que me convirtiera usted en el centro de sus atenciones! Y ahora que lo soy, le aseguro que me siento terriblemente mortificada por ellas.

Monterrey chasqueó la lengua y se humedeció los labios para mirarla a través de unos párpados entornados. Lo que estaba pensando en esos momentos solo él y el demonio lo sabrían.

—Es la inexperiencia la que habla por su boca, me temo, por tanto la disculpo, querida. —Ana resopló, sintiéndose impotente—. Pero ha de saber que, en el futuro, no siempre seré tan condescendiente. La paciencia no es una de mis virtudes, señorita de Altamira.

¿Acaso dispone de alguna virtud?

Ana pateó el suelo con su botina y gimió.

—¿Es que no lo entiende, señor? ¿No escucha mis palabras? ¿O acaso no soy lo suficientemente clara?

El anciano suspiró en profundidad evidenciando que, efectivamente, empezaba a perder la paciencia.

—¿Es la diferencia de edad la que le causa reparo? —Y de nuevo trasladó aquellos dedos cortos y regordetes al brazo de Ana para mortificarlo con torpes caricias—. Porque le aseguro que, a la hora de consumar nuestro matrimonio, no tendrá la menor queja de mí...

Ana se apartó de él, tan espantada como si se le hubiera aparecido ante los ojos un espectro desgreñado del averno. Manos en garras, brazos separados ligeramente del cuerpo, piel de gallina y ojos desorbitados, su imagen era la viva estampa de la repulsa y el pavor.

—¡Absténgase de la licencia de tocarme de nuevo o de hablarme en esos términos, señor, o de lo contrario...! —amenazó, enarbolando en alto el dedo acusador.

—No podrá eludir la realidad eternamente, muchacha. Ni esconderse o ampararse detrás de excusas y estúpidos dolores de cabeza —interrumpió sonriendo, todo dientes y malicia—. Nuestro compromiso es solo el primer eslabón para llegar a usted. Y lo he salvado sin dificultad.

Vio que, de nuevo, él amagaba otro avance con su mano suspendida en el aire, por lo que retrocedió un paso para ponerse a salvo.

—Haré lo imposible para que nunca llegue a salvar los tramos restantes, se lo aseguro.

La sonrisa color crema se ensanchó.

—El anuncio ha sido hecho oficial y su padre ha dado palabra.

—¡Pero yo no consiento ni consentiré jamás!

Él meneó la cabeza sin dejar de sonreír. Se sentía como el gato que acorrala a un ratoncito contra una esquina y sabe que el insignificante roedor no tiene la menor oportunidad de escapar.

—Me temo que eso es lo de menos, preciosa. Es usted menor de edad, ¡y una insignificante mujer! Que consienta o deje de consentir no tiene la menor importancia.

Las verdes pupilas centelleaban y pronto resplandecieron a causa de la acumulación de lágrimas no derramadas. Las manos se aflojaron, laxas y desoladas. El corazón dio un vuelco.

—Me pregunto por qué insiste en casarse con alguien que sabe que no podrá sentir por usted más que repulsa e indiferencia.

—¿Es eso lo que siente?

Ana lo miró muy seria, preguntándose si su opinión iba a ser tenida en cuenta por vez primera por aquel hombre. ¿Pudiera ser que el sincerarse acerca de sus sentimientos fuera suficiente para disuadirlo de continuar con aquella infamia? No lo sabía, pero tenía que intentarlo. Por tanto, por toda respuesta, cabeceó con energía.

Jenaro Monterrey alzó la barbilla, dejando al descubierto la bamboleante grasa de su papada, entornó los ojos y continuó sonriendo.

—Pues es una verdadera lástima que sea usted tan terca, señorita condesa. Aunque le aseguro que tanta terquedad dará pronto paso a otras sensaciones bien diferentes.

—Jamás podré sentir por usted nada diferente a lo que siento ahora.

Monterrey exhaló una profunda bocanada de aire y sonrió, claudicando por el momento. No tenía sentido discutir con aquella mocosa que llevaba claramente las de perder. Por más que se rebelara, su destino estaba escrito... a su lado. ¡Dejaría que la joven albergara alguna estúpida posibilidad de liberarse de las ataduras, que se considerara autónoma, porque al fin y al cabo, tales ideas de libertad no eran más que una ridícula utopía!

—No olvide lo que le conté acerca de aquella yegua indomable. Lo recuerda, ¿verdad?

Ana le miró con repulsa, torciendo los labios en una mueca de desagrado y náusea.

—Será para mí un gran placer domarla y bajarle esos humos de potrilla exaltada, condesita. Torres más altas y gallardas han caído, sépalo usted ...

—Habla como si yo fuera... un objeto o un animal de su propiedad.

—Un bello animal, en cualquier caso. Pero sí, asúmalo mi querida señorita condesa, muy pronto será usted de mi propiedad. —E inclinando la cabeza a modo de saludo, sin aflojar su insultante sonrisa de los labios, se dio la vuelta y abandonó la sala, agasajando a la dama con la visión de su silueta oscura y renqueante haciendo mutis bajo el umbral.

Después fue en busca de un lacayo que lo condujera a otra estancia para martirizar un rato al señor conde. Porque sabía que lo hacía, sabía que su sola presencia y el olor del dinero que rezumaba de sus bolsillos, y que la nariz ambiciosa de aquel noble que debiera haber nacido sabueso captaba a la perfección, hacían que el conde se sintiera mortificado cada segundo que pasaba en su compañía. Y aquella tortura, aquella consciencia de dominación y poder, suponía para el empresario un delicioso pasatiempo.

Si en un principio el astuto hidalgo había pretendido manejarlo como a una marioneta, forzándolo a liquidar su deuda a cambio de la perita en dulce que le era ofrecida, ahora las tornas habían cambiado y él se había convertido en el único amo del juego, el que verdaderamente sostenía la sartén por el mango. Y el conde viudo, cada vez más arruinado y desquiciado, era un títere inesperado en sus manos.

Pero aquella tarde, la tortura anhelada por Monterrey no tuvo lugar, puesto que no encontró al conde de Rebolada en el Pazo por más que insistió en comparecer ante él. Don Alejandro Covas había abandonado a media tarde la casa solariega en su mejor carruaje, una forma como otra cualquiera de sentirse arropado y poderoso cuando uno se ve en la obligación de hacer incursiones en terreno enemigo, y con el buche y la sesera perfectamente atemperados de buenas cantidades de alcohol, también una forma socorrida de insuflarse falsos arrojos cuando uno carece de ellos.

Después de haber sido acribillado a amenazas en las últimas semanas por parte de aquellos a los que había prometido pagar y con los que no pudo cumplir debido a la negativa del viejo pescadero a soltar un mísero real más; después de que, en varias ocasiones, lo despertara en mitad de la noche el sonido de piedras estrellándose contra su ventana y quebrando cristales, y encontrara después en el suelo de la habitación cosas tan siniestras como pequeñas alimañas muertas o bostas secas, había decidido que debía tomar cartas en el asunto y calmar los ánimos de aquel nuevo y desmandado grupo de acreedores antes de que las cosas fueran a peor.

Iban a por él, estaba claro, y a juzgar por el contenido de las notas amenazantes y por los actos con los que acompañaban sus cartas, los caballeros estaban profundamente enfadados.

Y el conde sabía que podían ser tan fríos y desalmados como para darle garrote y después limpiarse las manos e ir al teatro con sus señoras como si tal cosa.

Pero ¿qué puede hacer un pobre diablo, por más conde que sea, cuando no tiene dinero y sin embargo debe tanto? Pues lo único que se le ocurría hacer al pobre diablo, lo único que siempre se le había ocurrido, jugar. Jugar en un intento desesperado por recuperar el saldo de sus precarias arcas. Jugar como único remedio posible a su decadencia y, a la vez, como conclusión inevitable de su enfermedad. Jugar, aunque su capacidad para salir airoso de cualquier juego emprendido fuera tan nula que, en vez de ayudarle a salir a flote, le arrastraba cada vez más hacia el fondo, como un atajo de algas que se enredan entre las piernas del náufrago y tiran de él hacia el abismo infinito del fondo del mar.

Y de ese modo regresaba el conde a casa pasado el meridiano de la noche: como el náufrago arrastrado por la marea que, tras horas de penosa zozobra, tan solo ansía tocar la costa para librarse de tanto mareo y poder al fin descansar. Y respirar. O morir en paz.

Había acudido a un casino de tierras del Principado como último recurso a sus quiebros. A un lugar lejos de su tierra gallega, donde nunca había ido a jugar y donde todavía podía ser bien recibido. Al fin y al cabo, era un noble de Galicia: los asturianos deberían recibirlo entre reverencias y algarabías.

Pero nada de eso encontró: ni vítores ni halagos. Entre prostitutas, bebidas y juego, malas palabras y aún peores miradas, había salido del local absolutamente desplumado y con la dignidad por los suelos, puesto que uno de los matones de la puerta le había invitado a abandonar el club sin ninguna ceremonia una vez perdida la última baza.

Se había quedado sin un solo real en su saca, había empeñado los gemelos de plata, el reloj de bolsillo e incluso su gabán nuevo de terciopelo peinado. Saqueado completamente.

Y ni la mención de su título nobiliario, sus protestas o la visión de aquel bigote quijotesco perfectamente engolado ofrecieron garantía suficiente para que aquellos nuevos necios le perdonaran la deuda. Mucho había tenido que insistir para que le dejaran regresar con los zapatos de hebilla plateada en los pies, pues a uno de los jugadores contra los que incurría la deuda se le habían antojado por capricho. Sin embargo, su pipa y su *cravat* de seda parecieron contentar al astur esa noche.

Yacía desmadejado en el asiento del carruaje, con la camisa abierta y desmañada por fuera de la cinturilla del pantalón, el chaleco desabrochado y sucio de manchurrones oscuros, el pelo revuelto y el bigote torcido, roncando, pedorreando y eructando su ebriedad. Estaba tan consumido por el sueño, los vapores del alcohol y la frustración que apenas fue consciente del momento en el que el carruaje se detuvo con un movimiento seco.

La inercia de la parada le empujó directo al suelo, donde acabó despatarrado con tan poca dignidad como el gallo que acaba de salir ileso de una pelea en la que nadie hubiera apostado por él.

Blasfemó en voz alta, injuriando contra el chófer y su ayudante, jurando que una vez llegados al Pazo los pondría de patitas en la calle por su ineptitud. Y tendrían suerte si no les cosía la espalda a latigazos.

Como pudo, se levantó para acercarse a tientas a la ventanilla. La caída le había provocado además un escape inesperado en las partes bajas, por lo que el bolsillero frontal del pantalón aparecía ahora ligeramente más oscuro a causa de los orines. Blasfemó y no dejó un solo santo en pie en toda la corte celestial.

A tientas y tambaleante, y no por la falta de luz, sino por el poder subyugante del alcohol, se puso de rodillas y se encaramó a la ventanilla. Cuando apartó los visillos a un lado, la oscuridad le devoró completamente. Pegó la cara al cristal y torció el rostro en una contorsión esperpéntica, tratando de situarse o de ver algo.

El carruaje se encontraba detenido en un camino amurado por ribazos de tierra a izquierda y derecha, donde solo cabían un carro, el diablo y nada más. Atrapado y encajonado en medio del monte, lejos de casa, lejos de su tierra. Engullido por la oscuridad y la incertidumbre.

Sin saber por qué, o quizás sabiéndolo perfectamente, se le hizo un nudo en el estómago y la garganta se le secó. Se pasó una mano por la cara, esmerándose un poco más en los ojos, para tratar de despejarse.

O el carruaje había sufrido un accidente, en cuyo caso los dos estúpidos que lo conducían iban a sufrir las consecuencias en sus propias carnes, o aquel parón repentino obedecía a una emboscada.

A tientas, se palpó la parte trasera del cinto tratando de encontrar el trabuco que normalmente lo acompañaba en sus salidas nocturnas, pero, por más que tanteó, no fue capaz de dar con él. Pocos segundos después recordó que había tenido que empeñarlo también cuando uno de los jugadores, impaciente, sacó su navaja a relucir para persuadirlo a pagar su deuda.

Su miedo pasó entonces por tres rápidas fases: maldijo, chasqueó le lengua y después rezó para que no se tratara de una emboscada.

En esas estaba cuando sintió bullicio en el exterior: golpes secos en el techo del carruaje y en los laterales, como si alguien quisiera amedrentar a los ocupantes, y también imprecaciones y quejas procedentes de las voces familiares del chófer y el mayoral.

Se arrebujó en su esquina, en el suelo, alzando las rodillas a modo de débil escudo, sintiéndose acorralado como el ratón que se sabe atrapado en la ratonera, sin ser capaz de apartar la mirada febril de la portilla, que en cualquier momento se abriría y dejaría asomar el rostro del demonio que venía a reclamar su alma. Esperó rezando a todos los santos a los que minutos antes había maldecido, aguardando su fin con los nervios a flor de piel y las entrañas convulsionando a causa de las tremendas ganas de defecar que provoca el miedo, consciente de que su vida disponía tan solo de escasos segundos antes de quebrarse como un fino cristal.

No iba a suplicar ni a pedir clemencia. Un par del reino no se rebajaba a tal humillación ante malandrines, aunque le fuera la vida en ello, como era el caso.

La puerta se abrió con brusquedad y el conde no pudo ver más que dos feroces ojos azules que asomaban a un rostro cuidadosamente embozado, y una única pupila negra y enorme que lo enfocaba directamente sin parpadear.

—Buenas noches, señor conde. Lejos de casa he venido a dar con usted.

El conde trató de balbucear, pero la sangre se había helado en sus venas y la lengua permanecía agarrotada y tiesa en la garganta.

—Me encomiendan hacerle llegar saludos de parte de ciertos caballeros a los que usted conoce bien —ladró el desconocido desde lo más profundo de los oscuros pliegues de su ropa—, y un aviso que no admite demora: dichos caballeros se han cansado de esperar. No me mire mal, que nada tengo contra usted, soy un simple mandado necesitado de *perras*.

Una sonrisa siniestra asomó a los labios del desconocido. Sonrisa que el conde, por fortuna, no pudo apreciar pues quedaba oculta tras el emboce. No importó: sus ojos reflejaron perfectamente sus intenciones. Y el conde supo que todo había terminado.

—Salude a Satán de mi parte y de la de ellos.

Y dicho esto, la del ojo negro y siniestro de porfiadora fijeza vomitó una única voluta de humo, acompañada de un estruendo sordo y hueco.

El conde no se movió ni medio centímetro.

En el rictus de la muerte, su boca permaneció entreabierta y de una de las comisuras brotó un fino hilo de sangre; su mirada permaneció estática y ciega, vidriada a causa de la falta de vida; su cabeza, ladeada contra la pared del vehículo, como llamando al sueño eterno.

Una vez desvanecida la humareda que llenó el carruaje, apareció en su pecho un enorme boquete oscuro y humeante, grande como un puño, que le había traspasado por completo y del que brotaba a borbotones una horrorosa cantidad de sangre.

Aunque serena y callada
a tus suspiros me veas,
no indiferente me creas;
es que el alma enamorada
diciendo está embelesada
Alberto, bendito seas.

Si a responderte no acierto
cuando me vienes hablando,
¿piensas que tu voz no advierto?
Pues es que estoy murmurando
con un acento muy blando
bendito seas, Alberto.

Alberto, ¿qué más deseas
de quien tanto vive amando?
Yo te ruego que me creas,
que aunque callada me veas
estoy entre mí cantando
Alberto, bendito seas.

Muda estoy, fáltame vida;
queda el espíritu muerto,
la mente desvanecida;
pero esta voz repetida
forma en el alma concierto:
¡Bendito seas, Alberto! *

Alberto releyó aquellos versos y un cálido sentimiento inundó su corazón. No podía seguir torturándose de ese modo cuando era obvio que Ana estaba siendo sincera y reconocía a viva voz sus sentimientos.

Si en el pasado había obrado mal, era fuerza de obviarlo, teniendo en cuenta el tesón que la joven mostraba en ser creída y escuchada.

Y estaba también la circunstancia ineludible de que él la amaba, por lo que era hora de dejar a un lado su orgullo y ceder a la realidad.

Había estado enojado, cierto, se había sentido herido e indignado, cierto también, pero a esas alturas su amor por Ana, en vez de verse menguado por las adversidades, se había fortalecido hasta tal punto que ya no era tiempo de seguir obviándolo más. Resultaba imperativo romper las defensas que había erigido en torno a sí y lanzarse a por la mujer de su vida. Porque cada día que pasaba separado de ella, encerrado en aquel modesto hostal, dándole vueltas al asunto en su cabeza, era una auténtica tortura.

Tenía que verla y hablar con ella, tenía que mirarla a los ojos y preguntarle si estaba dispuesta a dejarlo todo e irse con él. Si su padre no consentía, se fugarían. Otras parejas lo habían hecho. Nobles, aristócratas e incluso miembros de la realeza. En pocos días podrían estar muy lejos de San Julián y casarse en secreto. Solo se necesitaba un testigo, y estaba seguro de que doña Angustias ejercería como tal

---

* Poesía de Carolina Coronado, poetisa extremeña.

sin poner demasiados reparos. El cariño que mostraba por Ana parecía sincero y las miradas afables con las que consentía sus atenciones hacia la niña, también. Después de eso regresarían convertidos en marido y mujer, y ya nadie podría separarlos.

Sí, pensó decidido, eso era lo que debía hacerse.

18

Apenas despuntaban las primeras luces del alba y el cielo rompía en mil ronchas anaranjadas, los gallos del corral se desgañitaban dando la bienvenida al nuevo día y los pajarillos empezaban a canturrear entre el follaje, cuando el juez de paz de San Julián se personó en el Pazo escoltado por dos carabineros.

Fue recibido por la siempre madrugadora ama de llaves que, después de haber escuchado atentamente lo expuesto por el juez, mano en boca, ojos como platos y aliento en suspenso, hizo pasar al grupo de hombres a la sala, donde les invitó a acomodarse frente a un fuego recién encendido y a unas agradecidas tazas de café, mientras iba a avisar a la señorita condesa.

El juez de paz, un hombre maduro y curtido en las experiencias de la vida, chepudo, de extremidades asombrosamente largas y completamente vestido de negro, como un cuervo enorme y anguloso, se removió un poco en su asiento. Sabía que no era plato de gusto el trago que tenía por delante. Avisar a una hija de la muerte de un padre nunca es agradable, y mucho menos si la muerte es tan violenta como debió de ser la del conde de Rebolada.

Cuando llegó el aviso a su casa, en plena noche, por parte del chófer del Pazo y su acompañante, y él se personó en el vecino Principado escoltado por dos miembros de la autoridad, se encontró con una estampa muy desagradable. De hecho, solamente le salvó el ser un hombre curtido que había visto de todo y más.

El señor conde permanecía acurrucado en una esquina, sentado y con la vista fija en un punto infinito, como un niño castigado en un rincón que se hubiera quedado pasmado mirando los átomos de polvo flotantes.

A pesar de la naturalidad de su pose, delataba su estado la ausencia de color en su piel, el hilillo seco, rojo y costroso que surgía de la comisura de su boca y el enorme boquete abierto en su pecho, negro y descarnado, entremezclado con jirones de ropa, carne y sangre seca. Aquello era una auténtica escabechina. De hecho, no solo el cuerpo del conde aparecía traspasado, sino que la pared del carruaje, a su espalda, también había sufrido las consecuencias del disparo. Era habitual rellenar los trabucos no solo con pólvora, sino también con trozos de hierro y metralla, lo que producía una auténtica masacre.

Esperaba sinceramente que la pobre condesa no se viera en la necesidad de tener que ver el cadáver antes de que lo envolvieran en su mortaja.

En esos momentos, permanecía en el ambulatorio para que el galeno lo analizara; puro trámite, no había más que observar el boquete ennegrecido de su pecho para concluir definitivamente la causa de la muerte: un disparo a bocajarro.

La condesa apareció en la sala apenas una hora después. Su rostro lívido y contraído evidenciaba que había sido puesta al día de la terrible tragedia acaecida sobre la casa solariega. Además, la joven retorcía frenéticamente los dedos frente al talle en un gesto tan nervioso como sistemático, haciendo que los nudillos permanecieran enrojecidos.

Los caballeros se levantaron en el acto e inclinaron la cabeza en un gesto de cortesía. Sintieron una inmediata compasión por ella. Parecía tan joven y dulce para enfrentar la realidad que tenían la obligación de contarle...

Ella flexionó las rodillas en pausada reverencia y se sentó en el butacón enfrentado a la *chaise longue* que ocupaban los hombres. El ambiente era claramente de duelo, y la sobriedad de su vestido gris, así como la lividez de su semblante, lo evidenciaban.

—Señorita de Altamira, siento anunciarle que no traemos buenas noticias para esta casa —principió a hablar con voz solemne el juez de paz—. Como ya le habrán comunicado...

Mientras el caballero exponía su discurso con sobriedad, Ana permanecía tan rígida y envarada que a esas alturas el dolor de espalda la atormentaba muy vivamente. Tampoco sería incapaz de relajar su pose aunque se lo propusiera. Su incomodidad y su disgusto eran más que notables y, realmente, a pesar de todo lo sabido y de todo lo vivido, no sentía la necesidad de disfrazar sus sentimientos.

Aunque en su cabeza resultara complicado de asimilar, estaba desolada, y nadie podía culparla por ello. Fuere como fuere su padre y por más que siempre la hubiera tratado con desprecio, Ana no era como él y poseía una sensibilidad de la que el conde carecía. Aunque la relación paternofilial nunca hubiera sido la debida, la certeza de saber que él era su única familia, sangre de su sangre y el último de su linaje sobre la faz de la tierra, hacía que entre los dos existiera un vínculo inevitable. No se soportaban, jamás se habían llevado bien, y no por causa de Ana, sino por libre elección del conde, pero los lazos de sangre, a falta de los afectivos, estaban ahí. Y ella no era una desalmada capaz de mantener a raya sus sentimientos o regularlos a conveniencia.

Atendió en silencio y con el alma aparentemente en calma toda la exposición del juez de paz que, como hombre sensato y juicioso, se guardó para sí los detalles más escabrosos. Procuró ser sutil, aunque en casos como el que les ocupaba, la sutileza no tenía mucha razón de ser. Le habían asesinado y punto.

Los salteadores de caminos abundaban en esos tiempos, bandoleros, rufianes y ladrones del tres al cuarto y, según se pudo comprobar, al conde le habían sido arrebatadas determinadas pertenencias con las que había salido del Pazo, como el abrigo, el arma y otros objetos de uso personal. Así se lo hizo saber a la muchacha, que recibió tal conclusión llevándose la mano a la boca y ahogando un jadeo.

Las doncellas ya habían procedido a detener relojes y cubrir espejos, y aunque nadie lloraba al conde, porque realmente nadie era capaz de lamentar su ausencia, el ambiente de duelo en la casa era evidente. Se sentía en el excesivo silencio que rodeaba los movimientos del servicio, conduciéndose casi de puntillas por miedo a importunar aquel ambiente de contención, en la actitud lánguida y lívida de la condesa, escuchando con cansada fijación las palabras del juez de paz y, sobre todo, en la presencia de aquel hombre que recordaba por su aspecto a un pájaro de mal agüero, escoltado por sus dos carabineros.

Apenas una hora después de haberse iniciado la reunión, el lacayo anunció una nueva visita: la del abogado de la familia. El hombre ofreció su más sentido pésame a la hija del difunto y, muy en su papel de hombre de leyes alejado de todo atisbo de sentimentalismo o flaqueza emocional, abrió su cartapacio y empezó a exponer los motivos de su presencia en aquella casa, como quien se enfrenta a un trámite habitual y rutinario, como seguramente era para él.

El conde había fallecido sin dejar testamento, y tampoco había nombrado ningún tutor legal para que, en caso de faltar él siendo su hija menor de edad, se hiciera cargo de su tutela. Por tanto, era la autoridad judicial quien debía elegir un tutor que considerara conveniente.

Ana y doña Angustias se miraron. La joven se abrazó a sí misma, estremecida al pensar en las terribles posibilidades que aquello podía suponerle, pero el letrado continuó:

—En casos como este, se busca entre los miembros de la familia: abuelos si los hubiere, segunda esposa del padre, hermanos mayores o tíos. Pero teniendo en cuenta que el fallecido era el único vínculo sanguíneo con la condesa, lo más natural sería nombrar a la persona que, de hecho, ha cuidado de ella durante todo este tiempo, aunque no sea de la familia. —El letrado miró directamente a doña Angustias—. Usted fue su nodriza. Sería importante saber si se ofrece de forma voluntaria para ejercer de tutora legal de la condesa hasta su mayoría de edad o, de lo contrario, la autoridad nombrará uno a conveniencia.

Doña Angustias balbuceó e, incapaz de expresarse con palabras, se limitó a cabecear en asentimiento. Ana dejó escapar un ligero suspiro de alivio. Aquello era lo mejor que podía sucederle, teniendo en cuenta la posibilidad de que las autoridades judiciales escogieran como tutor legal, por ejemplo, a su prometido. En ese caso, podía darse por muerta en vida. Y en ese caso, hubiera deseado estarlo.

—Entonces, y si no hay ningún inconveniente, procederé a redactar los documentos pertinentes a tal efecto. —Guardó el papeleo en su cartapacio y se cuadró ante el grupo, inclinando la cabeza hacia la joven—. Y de nuevo le ofrezco mis sentidas condolencias, señorita de Altamira, imagino el golpe que esto debe suponer para usted.

Ana agradeció el gesto con un breve cabeceo, mientras el ama le rodeaba los hombros en un abrazo cariñoso.

Poco después de haberse retirado el letrado, el juez de paz y sus hombres hicieron lo propio, asegurándole a la joven que harían todo lo posible por encontrar a los asesinos y hacer justicia. No le ocultó la dificultad del caso: por desgracia, el país estaba lleno de gitanos y salteadores de caminos extendiendo sus fechorías por doquier, y a esas horas los asaltantes podían estar muy lejos de allí. En tierras de Castilla, en Portugal, o puede que delante de sus narices. No debía albergar demasiadas esperanzas. Y lo cierto era que Ana no las albergaba. Tan solo deseaba que aquella pesadilla terminara.

A última hora de la tarde, el abogado regresó con todo el papeleo en orden. Ya solo fue necesario que doña Angustias firmara para que la custodia legal de la condesa recayera en su persona.

También a última hora de la tarde llevaron el cadáver del conde, perfectamente envuelto en su mortaja, lo que evitó que Ana se viera en la necesidad de enfrentarse a una última visión que seguramente la habría atormentado de por vida.

El cuerpo del difunto se acomodó en una de las salas de recibir para su posterior velatorio, y aunque a Ana le horrorizaba la imagen de su padre en medio de la estancia dentro de un cajón de pino, intentó imaginárselo dormido y eso ayudó a que pudiera sobrellevarlo. También ayudó permanecer en la sala únicamente el tiempo necesario para recibir a las visitas que se acercaban a ofrecer su último adiós al noble de San Julián. Cuando las visitas se iban, ella se encerraba en su alcoba y evitaba pensar que en la sala inferior permanecía el cuerpo sin vida de su padre.

Sentimientos encontrados la atormentaban. Quería pensar que no sentía nada, que aquello debiera darle más o menos igual teniendo en cuenta la fría relación existente entre los dos. Recordó lo mal que la había tratado en los últimos tiempos, los pocos escrúpulos que mostró al ofrecerla como pagaré y lo desagradable y violento que había sido obligándola a complacer a Monterrey. Quiso obligarse a no sentir.

Pero ella no era un alma brumosa como lo había sido su padre. Ella sentía. Y aunque aquel hombre que yacía en el piso inferior nunca hubiera ejercido como padre, no dejaba de ser un pobre mortal al que habían arrebatado la vida de forma violenta. Y tal certeza la afligía hasta el punto de desgarrarle el alma.

Fue inevitable que sintiera compasión por él y por su pobre alma y, después de la compasión, vino una inevitable tristeza y un sincero dolor.

No fueron muchas las personas que se acercaron a despedir al hidalgo, y los pocos que se dignaron a acercarse al ataúd para susurrar una oración lo hicieron de forma tan desapasionada que Ana llegó a preguntarse si realmente acudían a presentar sus respetos o a asegurarse de que el conde estaba muerto. No le hubiera extrañado que algún crápula indecente hubiera sacado un espejito del bolsillo para colocarlo bajo las hidalgas narices del difunto y así quitarse la duda.

También hubo mucho de cotilleo y murmuración. Llegaron a formarse corrillos que no hacían otra cosa más que deslizar con descaro la vista por la estancia examinando todo el mobiliario, para a continuación cuchichear acerca de la calidad de la madera del suelo, del grosor de los cortinajes o de la acertada, o no, distribución de la estancia. Muchos aprovecharían aquella *jornada de puertas abiertas* para visitar el Pazo y comprobar si las habladurías de que el conde estaba arruinado eran ciertas o no. Lo que resultaba vergonzoso y denigrante, dada la situación, pero inevitable en un ambiente rural, propicio al cotilleo.

Después de la última tanda de visitas, doña Angustias y Ana abandonaron la estancia para estirar un poco las piernas y despejarse paseando por los jardines traseros. El día permanecía brumoso, gris y plomizo, y ambas mujeres se encontraban tan cansadas y conmocionadas por lo acontecido en las últimas horas que nada les resultaba más de agradecer que un instante a solas en apacible intimidad. Aunque no hiciera el calor que se esperaba en un mes de mayo, sino un día sin sol, ornado por la fresca brisa del norte procedente de mar adentro que habitualmente se hace acompañar por una pegajosa neblina.

—Ya ves, nana, cómo al final sí que eres lo más parecido a una madre para mí —comentó Ana haciendo referencia a su situación legal. Ambas caminaban cogidas del brazo, sin prisa, disfrutando de su mutua compañía y de la visión de los jardines en flor—. Siempre te he considerado como tal, has suplido a la perfección la vacante que madre dejó en mi vida años ha; siempre te consideré una segunda madre, mi querida nana... y ahora lo eres de forma legal. Te doy las gracias por ello.

—Estoy orgullosa de serlo, mi niña. Te he querido y te quiero como a una hija. —Deslizó la mano en tierna caricia por el antebrazo de la joven—. Aunque ojalá no tuviera que ejercer de tutora por estos motivos.

—Es una tragedia, ¿verdad? —La mirada de Ana permanecía cosida a algún punto distante delante de ellas—. Asesinado en plena noche y lejos de casa, ¿no resulta muy triste?

—Lo es.

—Triste y solitario. Y es verdad lo que suele decirse: padre murió tal y como vivió —exhaló muy despacio—. ¿Debería sentirme desgarrada, nana?

El ama frunció el ceño, sin acabar de comprender.

—Es decir, me siento triste por su muerte, conmovida por el lamentable final que ha tenido padre, pero no más de lo que pudiera estarlo si el finado hubiera sido cualquier conocido de la familia. No me taches de fría o indiferente, nana, porque en verdad me siento conmocionada, tanto como debería estarlo, creo, pero no albergo esa sensación de pérdida. Me hubiera muerto si en su lugar hubieras sido tú, nana querida; me hubiera puesto mucho más triste si la finada fuese la dulce Silvana o el fiel José. ¿Soy una mala persona? ¿Una mala hija?

—No lo eres, niña. No sientes esa sensación de pérdida o vacío porque en realidad... —hizo una pausa para llevarse la mano de la chiquilla, cerrada en puño, a los labios y besarla con afecto— creo que eras muy consciente de no haberlo tenido nunca. Aunque duela reconocerlo, solo fue tu padre porque así lo decían los lazos de sangre que os unían, pero jamás existió algún lazo afectivo real entre vosotros.

—Es lo que yo siento —concedió ella.

Caminaron un rato en silencio, hasta que Ana volvió a rasgarlo con palabras calmosas.

—Creo que mi madre estaría muy triste. —Inclinó la mirada—. No es un buen final para ningún mortal, me temo, mucho menos para alguien a quien ella amó y en quien depositó su confianza.

Doña Angustias suspiró. No resultaba plato de gusto ensuciar la memoria de los muertos, pero tampoco era justo que el ánimo de la niña se ensombreciera por culpa de la irresponsabilidad del que había sido su padre. Aunque resultaba duro admitirlo, el conde solamente había recogido lo que antes había sembrado. Lo suyo no había sido otra cosa más que una muerte anunciada.

—Tu padre nunca fue un hombre prudente ni juicioso, nunca supo cuidar lo muchísimo que le fue concedido. Pudo tenerlo todo: el amor sincero de una mujer, una gran fortuna, respetabilidad, nobleza y una niña que se moría por quererlo... —Ana inclinó aún más la mirada y cabeceó en asentimiento—. Y todo le vino tan grande que al final no supo qué hacer con ello. Su alma se perdió por el camino a causa de tanta libertad mal traída. Es un final lamentable, pero me temo que él solo se abocó a buscarlo.

Ana levantó la mirada y la fijó en el ama.

—¿Crees que realmente no se ha tratado de un asalto casual, sino de un ajuste de cuentas? ¿Crees que estaremos a salvo? Si mi padre ha contraído tantas deudas como para llevarlo a tal final, ¿podremos nosotras vivir tranquilas?

Doña Angustias meditó un rato en silencio. No quería transmitir a la joven los temores que en verdad la embargaban.

—No te preocupes, cariño. Pondremos todo en manos del abogado y del administrador y haremos lo posible para contactar con los acreedores y saldar las deudas que pesen sobre la familia.

Ana asintió. Era sin duda lo que debía hacerse. Y cuanto antes.

—No necesito mucho para vivir, nana, venderemos lo que sea menester. Fincas, propiedades, la madera de los bosques, cualquier cosa de lo que no se hubiera deshecho padre ya. Podemos desprendernos de algunas reses de la vacada y tampoco necesitamos tantos carruajes. Lo importante es liberarnos de la deuda y permanecer en paz. Limpiar el nombre de la casa de Altamira y continuar adelante, ¿no lo crees así?

Doña Angustias sonrió, porque sin duda su niña estaba actuando con una entereza y una sabiduría encomiables. Sería una buena patrona, y aunque las propiedades del condado se vieran notablemente mermadas a causa de la mala cabeza del conde, estaba convencida de que su hija sería capaz de levantarse donde él se había caído, para devolver el esplendor a la casa solariega. Solo hacían falta tesón, sacrificio, buena mano para la administración, templanza y sabiduría. Y Ana, a pesar de sus dieciocho años, estaba sobrada de todas esas cualidades.

La aparición de uno de los lacayos corriendo sobre el sendero de grava que serpenteaba el jardín las sorprendió a ambas. El muchacho venía falto de aliento y sobrado de rubores, corriendo con pose torcida y andares patizambos, y una vez ante la condesa, se inclinó en deferencia.

—Acaba de llegar una nueva visita —anunció con voz entrecortada—. El señor Jenaro Monterrey, señorita.

Ana resopló en voz alta, hundiéndose bajo el peso que acababa de caer sobre sus hombros.

—¡Oh, santo Dios!

Ya le había extrañado que el conejo dentudo no se dejara ver en todo el día, sobre todo cuando la noticia debía de haber trascendido ya más allá de las fronteras de San Julián. Muy posiblemente incluso la prensa se hubiera hecho eco con una esquela. Solo era cuestión de tiempo que el carroñero acudiera a hacer leña del árbol caído y reclamar lo que era suyo. Y tal certeza la hizo estremecer, sacudiéndola de arriba abajo como si alguien hubiera vertido por su espalda un caldero de agua helada.

—Dígale que estamos aquí, Serapio —mandó el ama con voz firme. Ana se volvió para mirarla espantada. ¿Acaso se había vuelto loca? ¿La falta de sueño o las impresiones de aquel día la habían trastornado?

El lacayo cabeceó y se retiró raudo, y el ama le dirigió a su niña una mirada condescendiente.

—Ya es hora de poner fin a este disparate de una buena vez —anunció. Ana la miró sin acabar de comprender, por lo que el ama continuó hablando—. Te encuentras en una terrible disyuntiva, mi niña: tú detestas a Jenaro Monterrey... y tu tutora legal no le puede ni ver. Algo tendremos que hacer al respecto, ¿no crees?

Alberto observó el ir y venir de monturas atravesando las murallas del Pazo. Era la primera vez que abandonaba el hostal en semanas y, al hacerlo, se había encontrado con la terrible noticia del asesinato del conde de Rebolada.

Al principio no supo si creerlo, pues lo había oído de dos pescaderas que se cruzó de camino a la casa solariega, y bien se sabe que los chismes, al pasar de boca en boca, siempre acaban exagerándose más de lo debido. Pero una defunción, máxime tratándose de un asesinato, era una cosa seria de la que nadie se atrevería a hacer escarnio.

Muerto lejos de la tierra. Con un tiro entre pecho y espalda.

Ahora, contemplando con sus propios ojos la afluencia de gente que entraba y salía del lugar, estaba convencido de que las murmuraciones eran ciertas.

Entonces pensó en Ana y en lo desolada que debía encontrarse. Le había dicho en alguna ocasión que la relación entre su padre y ella había sido casi inexistente, pero él sabía que Ana era una criatura noble y que en su alma era incapaz de albergar sentimientos de naturaleza cruel. No podría decirse lo mismo de él: si hubiera sido su padre el fallecido, no sería capaz de experimentar ninguna clase de desolación. Estaba convencido de ello. Él era terriblemente más práctico que sentimental y, desde luego, su corazón no podía compararse con el corazón dulce y generoso de Ana. No era tan buena persona como ella.

Iba a traspasar el muro que delimitaba la propiedad para ofrecer sus condolencias cuando vio llegar el caballo percherón de Monterrey bajo la figura oronda y desproporcionada del susodicho.

Un ramalazo de rabia e indecisión le detuvo, obligándolo a retroceder para ocultarse. ¿Acaso Jenaro Monterrey tenía más derecho que él a estar allí?

En apariencia, puede que sí, pero ¿acaso no era él el que debería estar consolando en esos momentos a la mujer de su vida? ¿Por qué se veía en la necesidad de esconderse? De nuevo, y por millonésima vez en su vida, odió a su padre con toda el alma.

A su pesar, permaneció oculto entre los pinos, observando cómo el anciano descendía trastabillando de la montura para, una vez en tierra firme, tirar con presunción de las mangas y los extremos del chaleco y traspasar la cancilla con la barbilla en alto y actitud todopoderosa.

Alberto deseó bajarle los humos y quitarle toda esa presunción de encima de algún modo. Entonces pensó en su pobre madre y en todo lo que había tenido que soportar, pensó en lo valiente que había sido, en lo estoico de su aguante y en su fortaleza, en cómo le había sacado adelante sola a pesar de aquel hombre y de todos los obstáculos que erigía en torno a ellos. Pensó en cuántos desplantes habría sufrido la pobre mujer, cuántas infidelidades y cuánta afrenta y desvergüenza. No iba a permitir que Ana pasara por algo así. Definitivamente, aquel matrimonio no podía ser.

Si ella no le aceptaba no sería por su culpa, pero desde luego no permitiría que se casara con el Monterrey equivocado.

A pesar de haber tomado esa resolución, su sentido común decidió que no era buen momento para intervenir. Que por respeto a Ana y al conde fallecido, no debía hacer ninguna escena ni convertirse a sí mismo, ni a la familia Altamira, en pasto para murmuraciones. En esos momentos había demasiada gente en el Pazo, almas deseosas de descubrir todos sus trapos sucios.

Tendría que esperar entre bambalinas a que llegara su turno, tragarse la bilis, las ansias homicidas que le torturaban y aguardar a que la sombra negra y funesta del anciano dejara libre el horizonte.

—Señorita de Altamira, le ofrezco mi más sincero pésame —dijo Monterrey, inclinando la cabeza en reverencia ante la presencia de Ana y de su insufrible escolta, que apreció por el rabillo del ojo una vez se hubo incorporado.

Ana cabeceó con los labios apretados. Mirar a aquel hombre le revolvía las entrañas, especialmente después de haber razonado con el ama y haber llegado a una conclusión.

En ese momento, querría apartarlo de delante de un manotazo, patearlo en las canillas, gritarle al oído que se alejara de su vida de una maldita vez... pero la educación la obligaba, ¡la condenaba!, a ser cordial. Por fortuna, la tortura sería breve esta vez.

—Gracias, señor.

—No me imagino lo mal que debe de estar pasándolo usted —continuó el anciano, carente, por supuesto, de cualquier atisbo de sensibilidad—. Un hombre garrido y jovial como el conde, en la flor de la vida... —chasqueó la lengua—, ¿quién iba a esperar algo así?

Ana frunció el ceño, consciente de que se estaba burlando de la memoria de su padre. Y por más afecto al juego que fuese el conde, por más crápula e irresponsable que se hubiera comportado en el pasado, no era merecedor de semejante tratamiento estando de cuerpo presente. Sobre todo, porque Monterrey no era mejor que él.

—Agradezco sus condolencias, señor Monterrey —cortó, deseosa de poner fin a aquel indeseado encuentro—, y ahora, si me disculpa, confío en que sepa hacerse cargo de las múltiples ocupaciones que esta tragedia nos ha ocasionado.

Flexionó las rodillas a modo de reverencia y dio un paso al frente, dispuesta a dejar atrás al inoportuno visitante y regresar al velorio de su padre, cuando una nueva intervención del anciano la detuvo.

—Me hago cargo. —Dirigió una mirada aviesa al ama, invitándola a retirarse de una conversación en la que no era bien recibida. Pero el ama no se movió ni un ápice; continuó un paso por detrás de la condesa, mirándolo ceñuda. Monterrey torció el gesto—. Lo comprendo y me ofrezco a aliviar su carga, señorita. Estoy a su disposición para cualquier cosa que se le ofrezca. Todo cuanto necesite...

—No será necesario —cortó, impaciente y deseosa de continuar su camino.

Pero el hombre la retuvo, sujetándola por el codo. Ana se vio obligada a detenerse, efectivamente, pero la mirada que dirigió al anciano fue lo bastante cortante y feroz como para que el hombre la liberara de su agarre.

—¡Insisto! —apuntó, esforzándose en sonar dócil y sonriendo con zalamería—. Al fin y al cabo, es mi obligación como su prometido y futuro esposo. Soy de la familia. Puede usted apoyarse en mí.

Aquellas palabras revolvieron las entrañas de la joven. Miró al ama de refilón, que cabeceó hacia ella en un gesto cómplice. Carraspeó, inhaló en profundidad una generosa bocanada y habló así:

—Le reitero que no es necesario, señor, es más, creo que lo más sensato es que en adelante se abstenga de visitarnos.

Monterrey alzó las cejas, jadeó y mostró una sonrisa torcida, fruto de la incredulidad.

—¿Cómo dice?

Le pareció que Ana estaba sorprendentemente serena. Demasiado serena y segura de sí misma, a decir verdad. ¿Se habría tomado una buena dosis de láudano para aliviar el dolor y ahora estaba completamente insensibilizada? Su rostro aparecía lívido y sobrio, sus ojos brillantes de determinación y lucidez, ya no tan esquivos ni huidizos como en el pasado. Tenía que tratarse de los efectos del láudano, o de lo contrario no entendía nada.

—Le libero de las obligaciones que este compromiso conlleva, señor Monterrey, y por ello le pido que no vuelva a pasar por el Pazo. Su presencia no será bien recibida en adelante.

El anciano miró al ama y, de nuevo, a la joven. Por sus expresiones supo que no estaban bromeando.

—Entiendo que este duro golpe la ha trastornado. —El anciano hablaba de forma atropellada, y una fina capa de sudor empezaba a perlar su frente. Su rostro permanecía encarnado como un tomate maduro—. Le concederé tiempo para sobreponerse...

Ana suspiró, agotada ante la porfía del hombre, e inclinó la cabeza, descolgándola entre los hombros, para solicitar apoyo moral a su acompañante. Fue la señal que doña Angustias estimó oportuna para intervenir.

—Creo que la señorita condesa ha sido suficientemente clara, señor.

El anciano se volvió hacia la sirvienta. ¿Cómo se atrevía aquella vieja pachona a inmiscuirse en asuntos de los señores? Torció los labios en un gesto de desagrado, como el que haría ante la contemplación de una boñiga, para ladrar luego en una octava más alto de lo normal:

—¿Quién le ha dado permiso para intervenir, vieja matrona?

Ahora fue Ana la que salió en auxilio de su ama, zanjando el tema de una vez por todas.

—¡Doña Angustias ha sido nombrada por la justicia mi tutora legal, y será la encargada de velar por mi felicidad hasta mi mayoría de edad! Tiene todo el derecho a intervenir ahora y cada vez que lo estime oportuno. —El anciano abrió unos ojos como platos ante la información recibida. Boqueó, pero no fue capaz de pronunciar palabra—. Los deseos de mi tutor serán órdenes para mí —añadió, con un ligero deje de malicia que no dejó de congratularla íntimamente—, como fueron los de mi padre cuando se me obligó a acatarlos. Soy una discípula sumisa y obediente, señor Monterrey.

El anciano se llevó una mano regordeta a la calva para tratar de limpiarse el sudor que ya descendía en gruesos regueros por su cabeza. Toda la piel le resplandecía ante la capa húmeda que revestía su rostro.

—No creo que algo así pueda ser válido... ¡Una simple ama de llaves! —jadeó desesperado—. ¿En qué cabeza cabe?

Ana se cuadró decidida ante él.

—Pero lo es. Así consta ante Dios y ante la justicia. Y debo informarle de que mi tutora legal considera que este compromiso es del todo inapropiado, por lo que se ha decidido que lo más conveniente es anularlo.

—¿Cómo? ¿Quién lo ha decidido? —Levantó una mano para señalarlas indistintamente—. ¿Ustedes dos? ¿Se han vuelto locas? —Boqueó como un pez arrojado fuera del agua, pero no pudo decir nada más hasta después de un rato, una vez se hubo repuesto del síncope. Se llevó la mano al pañuelo que rodeaba su cuello tratando de aflojarlo con desesperación, como si en vez de un complemento de seda se tratara de una anaconda dispuesta a ahogarlo—. ¡No creo que sea ético contradecir la palabra dada por un difunto! ¡Y menos cuando la decisión es tomada por dos insignificantes mujeres! ¡Recurriré, ténganlo por seguro! ¡Tengo mis propios abogados, esto no quedará así!

Ana encajó el estoque con encomiable dignidad.

—Es perfectamente ético si se tiene en cuenta la escasa moralidad de quien ha dado su palabra y del que la ha tomado por buena.

—¡Usted, como hija, debe respetar los deseos del conde! ¡Es su obligación! Y el conde quería que se casara conmigo. ¡Se ha señalado el compromiso a la vista de la sociedad! ¿Será tan imprudente como para romperlo? —Señaló al ama—. ¡Y usted, como simple sirvienta, debiera mantener las narices fuera de lo que no le concierne! ¿Quién se cree que es, maldita vieja?

—¡Pero le concierne! —interrumpió Ana, indignada ante tanta porfía—. ¡Acabo de decirle que mi ama, y ama de llaves del Pazo, es ahora mi tutora legal! —Acto seguido inhaló en profundidad, tratando de serenarse—. Y no es más vieja que usted, caballero, así que contenga su lengua.

—¡Caerá en desgracia, miserable! —amenazó el salazonero—. ¡La sociedad la condenará! ¡Una muchacha insensata que desacredita las decisiones de su difunto padre! ¿Dónde se ha visto tal cosa? ¡Una mula terca que rompe un compromiso semanas después de haberse dado por bueno, y contando con la bendición de su padre! ¡Caerá en desdicha! ¡Se convertirá en una hereje social!

—No lo creo, señor. Y aunque así fuera, no me importaría lo más mínimo —sentenció ella, barbilla en alto—. Todo el mundo comprenderá lo desatinado de la decisión de mi padre y lo juicioso de la mía. Últimamente, el conde parecía haber perdido el buen juicio, y la gota que colmó el vaso fue pretender desposar a su única hija con un anciano soberbio y desagradable.

Jenaro Monterrey encajó el golpe frunciendo los labios e inhalando por su chata nariz, lo que propició que las fosas nasales adquirieran unas dimensiones fabulosas. Cuadró los hombros, frunció el ceño y su rostro se ensombreció. Inclinándose de forma amenazadora hacia delante, avanzó un paso en dirección a la joven, decidido a intimidarla y posiblemente también a golpearla. Pero doña Angustias, en toda su formidable dimensión, se interpuso entre los dos. Y sus formas generosas poco tenían que envidiar a las del empresario.

—Le pediría que se retirara, señor, antes de que me vea obligada a llamar a dos lacayos para que le ayuden a encontrar la salida.

Como invocados por sus palabras, dos mozos altos y fuertes se colocaron detrás de las mujeres, surgiendo de algún lugar entre los macizos en flor y los setos.

El anciano jadeó y resopló como un jabalí recién ensartado. Y realmente acababan de ensartarle en su orgullo y en su vanidad. Completamente airado, desconcertado y ofendido, sabiéndose esta vez perdido y sin el apoyo del único en aquella casa que le respaldaba, alzó el dedo acusador en alto y lo enarboló a modo de espada ejecutora.

—¡Ha de saber, jovencita, que este compromiso del que ahora habla tan a la ligera ha liberado a su padre de una infame deuda de juego! —Ana asimiló la información con toda la dignidad que fue capaz de encontrar dentro de sí—. ¡Si tuviera usted un mínimo de honradez y sentido de la lealtad, aceptaría este compromiso como pago a todo lo que he hecho por su familia!

Ana exhaló muy despacio.

—No estoy al tanto de los tratos entre mi padre y usted, pero le aseguro que no seré moneda de cambio para cerrar sus negocios. Mi corazón no está en venta, señor Monterrey.

—¡Pero me lo debe! ¡Si no acepta desposarse por obediencia a su padre, al menos hágalo por honor, en pago por haber salvado esta casa de su caída!

Ana sintió que más indignación en su interior ya no tenía cabida.

—¡No le debo nada, señor! —exclamó, pateando el suelo con su botina—. ¡Y cualquier deuda moral que esta casa haya contraído con usted queda suficientemente saldada con los malos ratos que me ha hecho pasar! —exhaló y alzó la barbilla con suficiencia—. ¡Considérese resarcido!

El anciano apretó la mandíbula tan fuerte que las muelas sonaron al encajarse.

—No tiene usted vergüenza —escupió—. Después de lo que he hecho por su padre...

Esta vez Ana perdió la paciencia y, arrebolada a causa de la indignación, se expresó a viva voz.

—¡No se proclame mártir de una causa inexistente, señor Monterrey! Usted se ofreció a ayudar porque salía beneficiado con el trato. ¡No venga ahora proclamando sus cualidades de buen samaritano, porque no será capaz de engañar a nadie en el Pazo ni en todo el condado! —Tragó saliva y desvió la mirada al frente, a algún punto lejano y tal vez inexistente, evidenciando su interés por terminar la conversación y apartar de su vida a aquel hombre que nunca debió entrar en ella—. Y ahora, si quiere presentar sus respetos al difunto, es libre de hacerlo. De lo contrario, le pediría que abandonara el Pazo de una buena vez y para siempre. Váyase de buena fe o haré llamar al aguacil.

Jenaro Monterrey replegó los labios en una mueca despótica hasta que las paletas quedaron completamente a la vista. Sudaba y bufaba como un animal herido.

—¿Presentar mis respetos? ¿A ese crápula? —resolló—. ¡Ojalá ese maldito bribón se pudra en el infierno! ¡Y usted detrás de él!

Y, trastabillando a causa de la ira que cegaba su visión, cruzó los jardines blasfemando a viva voz como alma que lleva el diablo, tomándose además la molestia de patear por el camino cuanto macizo, jarrón o adorno floral encontraba a su paso. Causó algún estropicio en un ángel de granito y ojos ciegos que llamaba al silencio con un dedo de piedra sobre los labios, y en una discreta rocalla que tuvo a bien destrozar con sus lustrados zapatos de hebilla plateada. Seguramente para él fuera un modo tan bueno como cualquier otro de aplacar la tormenta que acababa de desatarse en su interior. Ahora debía encontrar el modo de sacarla fuera. Y cualquier opción sería bienvenida.

El sepelio del conde de Rebolada tuvo lugar aquella misma tarde.

Aunque no era habitual que las mujeres acompañaran el cortejo fúnebre, Ana decidió que recorrería detrás del carruaje el pequeño trayecto desde el Pazo hasta el cementerio que descansaba al lado del mar, algo que no había podido hacer de niña en el entierro de su muy querida madre.

Completamente de negro, con un sombrero con velo cubriéndole el rostro, caminaba erguida y en silencio del brazo de su inseparable doña Angustias. Aparte de ellas dos, apenas otras cinco o seis personas acompañaba al conde en su último paseo por el pueblo.

El proceso fue rápido. El sacerdote ofició el servicio con absoluta solemnidad y entre varios paisanos introdujeron el ataúd de Alejandro Covas en el nicho del panteón familiar de los Altamira. Iba a dormir al lado de su esposa. Si en vida no la había soportado, ahora la eternidad le obligaba a permanecer por siempre a su vera.

No hubo plañideras, tampoco lamentos acerca de lo desafortunado de aquella defunción. Apenas un par de coronas florales y algunas oraciones susurradas por el alma del finado.

Una vez terminado el oficio, los escasos asistentes se retiraron, no sin antes ofrecer por última vez su sentido pésame a la condesa. Aunque nadie en San Julián soportaba al conde y nadie sentía verdaderamente su pérdida, aquella joven, la última de su estirpe, les inspiraba mucha lástima.

Una vez a solas, mientras el sepulturero tapiaba el nicho, un chiquillo del pueblo se acercó a la hidalga, gorra en mano, para ofrecerle una rauda reverencia, entregarle una nota y desaparecer después entre las lápidas como el rayo.

La joven desplegó el pequeño rectángulo de papel, que cabía fácilmente en la palma de su mano, y leyó con rapidez las breves líneas:

Ha de saber la bella azucena que siempre podrá contar a su lado con la presencia del pobre y desdichado ruiseñor, aquel que, por cobardía e insensatez, huyó despavorido de su lado, y que hoy comprende que no es nada sin su bella flor.

Alberto.

Ana alzó la mirada con urgencia, casi con desesperación, pero en el camposanto ya no había nadie, tan solo el ama, ella misma y el afanado sepulturero.

El corazón golpeaba en su pecho como un ejército de tamborileros partiendo hacia el campo de batalla, mientras se guardaba la carta en la bocamanga del vestido. En su vientre, un millón de mariposas aleteaban al unísono.

Volvió a pasear la vista por el lugar y esta vez dirigió la mirada más lejos, al altozano que se levantaba extramuros. Recortándose contra el sol que se desangraba lentamente sobre el horizonte, distinguió un perfil conocido, el perfil de un hombre que permanecía de pie, con las piernas ancladas con firmeza al suelo y los brazos arqueados, separados ligeramente del cuerpo. No podía ver su rostro puesto que la luz del ocaso surgía directamente a su espalda, pero distinguió y reconoció el contorno alborotado de su cabello, su pose viril y el aleteo de los faldares de su gabán.

Los latidos de su corazón alcanzaron cotas peligrosas, hasta el punto de que las palpitaciones parecían hacer temblar la tela que cubría el enlutado escote.

—Alberto... —dijo apenas en un susurro.

Y de hecho, solo el cuello de encajes de su gorguera la escuchó. Bajó la vista un segundo, tratando de buscar serenidad en su alma y arrojo en su corazón, pero cuando levantó la mirada de nuevo para dirigirla al altozano, solo encontró las ronchas rojizas con que el sol se desgarraba en sus últimos segundos de vida.

19

Ana paseaba en soledad por los jardines, con el chal caído y enrollado con dejadez a lo largo de los brazos, a modo de innecesario complemento, y la mirada perdida. Ceñuda y lánguida, se sentía incapaz de encontrar nada que la entretuviera, a pesar de toda la vida que se desplegaba a su alrededor. Ni en los carrizos que crecían en las rocallas, ni en los mirlos alejándose con un griterío indignado ante su aparición, ni en el lejano mugido de las vacas, ni en los chillidos desgarrados de las gaviotas sobre la costa. Nada era capaz de distraerla más de un minuto completo.

Deslizó las manos, con los dedos extendidos, sobre el océano de lavanda que erguía orgullosa sus espigas hasta el cielo, y se encaramó al pequeño estanque para apreciar el agua verde y parada, plagada de bulliciosas ranas, pequeños renacuajos, zapateros, líquenes y demás plantas acuáticas. Pero nada de eso la persuadió tampoco, por lo que enseguida se volvió para seguir deambulando sin rumbo por los senderos de grava, sombría y taciturna, analizando con mente agotada los sentimientos que confluían en su interior.

Amaba a Alberto, ¡le amaba con toda el alma!, y ahora que su compromiso con Jenaro Monterrey se había disuelto felizmente, era libre para entregar su corazón. Pero, ¿acaso Alberto lo querría? ¿Estaría dispuesto a aceptar a una joven que anteriormente había estado comprometida con su propio padre? ¿Estaría dispuesto a asumir una situación tan esperpéntica como irregular?

Enlazó las manos frente al talle y las retorció con inquietud, sintiendo que un millón de mariposas sacudían su vientre con el violento impulso de sus alas. Caminó varios pasos hacia delante, se detuvo en seco, todavía más ceñuda y contrariada, meneó la cabeza y desestimó el camino elegido; retrocedió dos o tres pasos, inclinó la cabeza, suspiró... y su turbación permaneció intacta. Su mente y su corazón continuaban igual de atribulados.

Quizás no, quizás el amor que poco tiempo antes le había ofrecido no fuera tan fuerte como para soportar un revés de esa índole.

Suspiró, vaciando todo el aire de los pulmones. No lo culpaba. Todo había sido un auténtico galimatías desde el principio. Una mentira tras otra, sin maldad, sin ánimo de hacer daño, pero mentiras al fin y al cabo.

El sonido producido por la puertaventana acristalada del Pazo, situada en la fachada posterior, al abrirse y luego cerrarse, la sobresaltó.

Se movió hacia un lado, sin aliviar la arruga de su entrecejo, para estirar el cuello por encima de los macizos de verónica en flor y distinguir la silueta del propio Alberto abandonando la casa en su dirección. Caminaba a buen paso, con la determinación pintada en el semblante, sujetando el sombrero en una mano y con el gabán aleteando libremente detrás de sus andares recios. Hermoso, apuesto, viril.

Ana tragó saliva y abrió mucho los ojos. Cerrar la boca, que se había abierto en expresión de asombro, le llevó un poco más de tiempo.

De pronto sintió miedo, incertidumbre y vergüenza. El recuerdo de la nota del camposanto le insufló esperanzas, pero también rememoró su rostro aquella noche en el jardín, su posterior ausencia y la negativa de respuesta a sus cartas, y solo sintió un acuciante deseo de llorar.

En un acto reflejo, se dio la vuelta, se abrazó la cintura y barajó la posibilidad de huir o de esconderse entre los macizos del jardín. Podía hacerlo, si acaso las piernas le respondían, lo cual dudaba seriamente a juzgar por el temblor que se había apoderado de sus rodillas;

podía ocultarse y él se pasaría un buen rato buscándola sin resultado. Entonces desistiría y se marcharía.

Sintió una punzada en el pecho cuando ese pensamiento cruzó por su mente. Se marcharía. Y puede que esta vez sí lo hiciera para siempre.

Por tanto, se volvió para recibirle y asumir la responsabilidad de su desacertada conducta, temblando como un junco al viento, retorciendo los dedos como si fueran de gelatina. Tal vez venía a despedirse. Y era lo menos que ella podía ofrecerle: una despedida digna. Compuso en su rostro una sonrisa forzada y exageradamente amplia a causa de su estado de nervios. Temblaba. No podía dominar su cuerpo a esas alturas y un temblor delator la sacudía entera. ¡Qué complicado resultaba mantenerse firme y tratar de mostrar una emoción, cuando realmente era otra la que la consumía!

Por imposible que pareciera a juzgar por el brío con el que avanzaba, Alberto fue perfectamente capaz de detenerse frente a ella. Un cabeceo a modo de saludo, que ella correspondió con una trémula flexión de rodillas, fue el primer intercambio que tuvo lugar entre la pareja. Después sus miradas se encontraron. Y entonces el mundo dejó de girar y sus corazones bombearon al unísono, eclipsándolo todo.

—Le presento mis condolencias por la reciente defunción de su padre, señorita... —carraspeó— de Altamira.

Alberto se expresaba con voz trémula, y seguramente no a causa del enérgico paseo desde la casa al jardín. Fue incapaz de sostener su mirada mucho más tiempo, por lo que, a pesar de permanecer erguido frente a ella, bajó la vista para centrarse en la puntera de sus botas de montar. Era evidente que también se encontraba nervioso... o incómodo. Tal vez ambas cosas a la vez. Y que aquel nuevo tratamiento era algo a lo que aún no se había acostumbrado. También a ella le costaría asimilar que el apellido que precedía el nombre del querido Alberto fuera el de Monterrey.

—Gracias... —jadeó—. Y gracias también por haberme acompañado en el camposanto, señor...Monterrey.

Sus miradas se cruzaron de nuevo y un ramalazo de sentimiento los sacudió a ambos, aunque los dos se guardaron de dejarlo traslucir.

—Me hubiera gustado hacer mucho más, pero... —Se silenció en el acto.

—¡Pero ha hecho mucho! —insistió ella con vehemencia, sin dejar de retorcer los dedos y contener las lágrimas—. Créame que sus palabras aquel día... y su presencia en el altozano, fueron muy importantes para mí.

Entonces se dio la vuelta con brusquedad para exhalar profundamente y tratar de acompasar los dolorosos latidos de su corazón. También para ocultar su turbación, su vergüenza y su terrible necesidad de romper en llanto. Empezó a caminar muy despacio en sentido opuesto por el sendero de grava en el momento en el que las palabras comenzaron a brotar solas de sus labios.

—No sé qué palabras usar para justificarme. He sido boba, inmadura e irresponsable y actué sin pensar en las consecuencias que podían acarrear mis actos. Ni siquiera me paré a pensar que pudiera haber consecuencias. Mi buena ama me lo advirtió... y no supe hacerle caso. —Se volvió en ese instante para encontrarse con la mirada de Alberto, que la había seguido en silencio, a escasa distancia—. No voy a ofrecerle un discurso, porque en todas las cartas que le envié ya puse mi corazón, mi alma y mis afectos. Hablaron las letras todo cuanto mi boca tuvo que callar, ¡por vergüenza, por inmadurez! Le pedí disculpas... —inclinó la mirada mientras las lágrimas acudían a empañar sus ojos—, ¡y hoy de nuevo se las pido! ¡Se las pediré mil veces si es necesario con tal de que comprenda que estoy siendo sincera y que me arrepiento de mi proceder!

—Aligere la culpa de su corazón, Ana, se lo ruego, porque no he venido a buscar sus disculpas ni a torturarla con mi presencia. —La voz de Alberto sonó suave como el terciopelo.

Ana frunció el ceño, confusa.

—¿Y qué otra cosa podría pretender de mí, aparte de mis disculpas? No soy digna de ofrecerle ni de esperar nada más.

Alberto dio un paso hacia ella y atrapó sus manos trémulas entre las suyas.

—¡Ana, mi querida Ana! Tampoco yo fui sincero cuando me acerqué a usted. No a sabiendas, por supuesto, sino por funestas casualidades del destino. Fui silenciado por una tonta coincidencia y ya nunca más reparé en el hecho de que no me había presentado correctamente. De que ni siquiera le había dicho mi apellido, un apellido del que no dejo de avergonzarme. Después, cuando debí comportarme como un hombre y demostrar la veracidad de mis sentimientos, aquellos de los que tan alegremente hice mención y que luego no supe sostener, solo fui capaz de huir como un cobarde, abrumado por las circunstancias. Circunstancias ante las que la dejé completamente sola. Soy yo el que pide perdón.

Ana negó con la cabeza y el siguió hablando.

—Tal vez, de haber sabido que yo era un Monterrey, me hubiera detestado, así pensaba en todo momento. —La vehemencia de su tono se truncó de golpe para dar paso a una repentina desolación—. Y no la culpo... Podría detestarme en este preciso instante y seguiría sin culparla. Aunque me retracte por mi cobardía, seguiré siendo un Monterrey.

Ana esbozó una amplia sonrisa. Y esta vez en absoluto forzada, sino generosa y radiante como el sol que cada mañana asoma a la ventana. Las lágrimas brillaban en sus ojos.

—Solo podría detestarle si mi corazón no albergara ya otro sentimiento más intenso hacia usted.

Alberto correspondió a su sonrisa, súbitamente esperanzado.

—Entonces... ¿quiere decir que todavía hay esperanza para este pobre infeliz? ¿Acaso es posible que nuestros sentimientos regresen a aquel punto del pasado en el que le abrí mi corazón para ofrecérselo entero? ¿A aquel punto en el que parecía usted dispuesta a corresponder a este pobre corazón?

—Muchas cosas han sucedido desde entonces, como sabe —habló ella, tratando de serenarse—. Un compromiso... —Alberto rechinó los dientes y apartó la mirada.

—Ese compromiso...

—El fallecimiento de mi padre, el cambio de tutor... —Ahora él devolvió a ella su mirada obsidiana—. Doña Angustias ha sido nombrada mi tutora hasta que yo alcance la mayoría de edad, lo que tendrá lugar dentro de cinco años. Atendiendo a mis deseos y a la dirección que tomaron mis sentimientos, mi tutora ha decidido felizmente disolver el compromiso adquirido con el señor Monterrey.

Alberto soltó las manos de la joven para acunar con ellas su delicado rostro, acariciando las mejillas con los pulgares. Su sonrisa, constante desde hacía un rato, estalló en carcajada.

—Entonces, ¿es usted libre?

Ana se humedeció los labios solo para volver su sonrisa más radiante.

—Lo sería si mi corazón no perteneciera desde hace tiempo a otra persona. A usted, querido Alberto.

Alberto exhaló para mirarla con dulzura.

—Mi querida Ana, mi dulce Ana... ¡Lo mismo me da Ana Guzmán que Ana de Altamira! ¡La quise cuando la conocí, y sigo queriéndola hoy con mayor ardor, pasión y corazón! —Afianzó sus manos enmarcando el adorado rostro—. ¡Sé que no es propio, que el duelo está aún muy presente en su corazón! —De nuevo exhaló inquieto, emocionado, alterado... enamorado—. Pero... ¿hará el favor de aceptarme y ser mi esposa?

Ahora las lágrimas descendieron sin mesura por las mejillas de la joven, humedeciendo los dedos que acunaban su rostro.

—¡Sí, y mil veces sí, mi muy querido Alberto!

Y se alzó levemente de puntillas mientras él se inclinaba hacia ella hasta que sus labios se encontraron y sucedió un beso.

Jenaro Monterrey estaba que se lo llevaban los demonios. No podía creer que aquella niñata y su estúpida perra guardiana se hubieran mofado de él. ¡Romper el compromiso! ¡Así, sin más! ¿Con qué derecho aquellas inútiles mujeres habían hecho algo así? ¿Era legal? ¿Podía serlo? Parecía ser que sí, según le había confirmado su propio abogado.

Con la impotencia y la rabia por bandera, descargó su puño contra la mesa. Había perdonado y, por ende, perdido, una cantidad de dinero absolutamente monstruosa a cambio de la posibilidad de gozar de aquella perita en dulce. ¡Y ahora la perita acababa de agriársele sin siquiera haberla catado!

No iba a consentirlo, no iba a permitir que aquellas dos estúpidas, la mocosa malcriada y su perra pachona, se mofaran de él como si de un imberbe se tratara.

Había pretendido en un principio mofarse el padre, y él se lo había impedido, así que no iba a consentir ahora que aquella zorrita envuelta en gasas lo dejara en evidencia delante de todo el pueblo.

Airado, abandonó la casa con una firme determinación: ir al Pazo y reclamar lo que era suyo. Si aquella estúpida seguía manteniendo la porfía de negarse al compromiso, la tomaría allí mismo, la comprometería delante de su gente y le quitaría todo resquicio de altivez para demostrarle que de Jenaro Monterrey no se reía nadie, y menos una ridícula condesita.

Consumido por sus propios deseos, por la rabia más endemoniada, enloquecido por el desaire y la lujuria, mandó ensillar uno de los caballos más rápidos, un corcel brioso y joven. Necesitaba salvar la distancia que le separaba de aquel nido de presuntuosos cuanto antes, necesitaba demostrarle a aquella boba quién era el amo del juego.

Por supuesto, tuvieron que ayudarle a montar varios mozos. Aquel ejemplar canela era mucho más alto y enérgico que el percherón que acostumbraba a montar, y nada más sentir el ingente peso del jinete sobre su lomo, se encabritó y empezó a patear el aire con los cascos delanteros.

Pero los ánimos de Monterrey no estaban para distracciones, y mucho menos para tratar de aplacar a un animal demasiado alzado.

Ya se encargaría de bajarle los humos cuando estuvieran de regreso; unos buenos fustazos, y la bravosidad de la juventud daría paso a la debida sumisión. Por el momento, se contentó con descargar su fusta entre las orejas del animal, que recibió el castigo desorbitando los ojos y relinchando inquieto. Después de hincarle los talones en los costados, abandonó el patio a pleno galope, imprudencia que por poco le tira de la montura y pone fin a su mente trastornada.

Pocos minutos después habían abandonado las callejuelas empedradas del pueblo para recorrer a galope tendido los bosques circunvecinos. El animal se deslizaba con la rapidez de un enviado del diablo y apenas obedecía las directrices de su jinete, entre otras cosas porque éste le exigía a fustazos correr más cuando era imposible, a menos que le salieran alas en los costados. Espumarajeaba por la boca y los ollares, relinchaba y soltaba coces, aun en pleno galope, y a pesar de aquellas claras señales de alerta, el enervado jinete continuaba blasfemando e incordiándolo con sus castigos.

En un momento dado, cuando se vieron en la necesidad de salvar un pequeño regato que cruzaba el camino, el animal se detuvo de golpe y empezó a encabritarse sin control, alzando las patas delanteras y relinchando como un poseso.

Monterrey trató de controlarlo tirando con fuerza de las riendas, pero cuanto más tiraba para reprenderlo, más se alteraba el animal. Fue inevitable. Con un violento y repentino quite, el anciano se soltó y cayó de espaldas sobre una roca que asomaba en el ribazo. Ante tal visión, el caballo huyó asustado lanzando coces y dejando atrás al incordio que le había torturado desde el mismo momento que lo montó.

Jadeante, con el rostro contraído de dolor, Monterrey se llevó una mano al pecho para tratar de acompasar la respiración, que ahora se había convertido en un doloroso estertor. El corazón parecía salirse de su sitio para asomar a través de la boca. Pero no se trataba del corazón, sino de una abundante voluta de sangre que brotó de su garganta, manchando sus dientes de rojo y amenazando con ahogarlo.

Jadeó y trató de que respirar a pesar del líquido denso que lo llenaba todo.

—¡Maldita sea la casa de Altamira! —farfulló, y acto seguido, cuando el dolor que le atravesaba se volvió insoportable, ladeó la cabeza y la inconsciencia se apoderó de sus sentidos.

Poco después, varios labriegos que regresaban a San Julián tras una jornada en el campo encontraron al empresario a un lado del camino, lo reconocieron y lo llevaron a casa en uno de sus carros agrícolas. Fue toda una odisea levantarlo de donde estaba, y no solo por sus generosas dimensiones, sino porque el hombre parecía hecho de frágil cristal. Donde quiera que se le tocaran, le dolía, y cada mínimo movimiento acarreaba una sarta de blasfemias y alaridos espeluznantes.

Una vez en la casa del empresario, y entre varios sirvientes, le recostaron en el lecho. El anciano no dejaba de retorcerse y gemir, llegando incluso a gritar a viva voz en algunos momentos. Fue llamado el doctor del pueblo, que no se demoró más de media hora en personarse en la vivienda. Después de examinarlo durante un buen rato, tratando de sobreponerse a los alaridos del anciano y a sus reproches ante el dolor que le causaba la exploración, determinó que Jenaro Monterrey se había fracturado la columna al caerse del caballo y que varias costillas se habían roto y amenazaban con perforar los pulmones. Era posible que, con ayuda de Dios, se salvara, puesto que el trauma en la columna no llegaba a ser mortal, pero jamás volvería a poseer movilidad en el cuerpo. Lo único que se podía hacer era administrarle láudano de por vida para calmar el dolor, mantenerlo todo lo inmóvil que fuere posible en aquella cama, rezar y tener paciencia. Si no se presentaban hemorragias internas ni posteriores inflamaciones, si las costillas no atravesaban el pulmón y soldaban con normalidad, era probable que sobreviviera al golpe. De todos modos, resultaría prudente avisar a cualquier familiar cercano.

Y así lo hicieron los sirvientes.

Si, tras la muerte del conde, Alberto consideró que Ana era mucho mejor persona que él por ser capaz de sentir compasión hacia alguien que le había causado tanto perjuicio en el pasado, ahora supo que su opinión de sí mismo había sido muy pobre. Él era también una persona noble con un corazón inmenso. Y tuvo certeza de ello cuando le llegó aviso al hostal de que su padre acababa de sufrir un terrible accidente con un caballo.

El primer sentimiento que le sobrevino fue el de la compasión, seguido de inmediato por la nostalgia. Se recordó a sí mismo de niño implorando cariño a un hombre que lo único que sabía hacer era regañarlo por todo y vociferar, en ocasiones incluso delante de invitados. Un hombre que le había levantado la mano en múltiples ocasiones y que le había destrozado cientos de sueños infantiles como quien desbarata un simple castillo de naipes.

Todo lo que él hacía estaba siempre mal, y su padre nunca se había reprimido en hacérselo ver de este modo. Por tanto, después de la compasión y la nostalgia, llegó la desilusión. Y el recuerdo de su madre, una mujer bondadosa que, en su lecho de muerte, le había pedido que tuviera paciencia con él. Con todo, Alberto jamás había respetado esa última petición: su padre era un ser con el que le resultaba imposible ser paciente.

Acompañado por esos recuerdos, con el corazón traspasado de emociones y mil sentimientos muy dispares batallando en su interior, se personó en casa de Monterrey nada más recibió la noticia. Era su deber y su obligación, y él era un hombre que siempre cumplía con sus obligaciones.

Lo encontró tumbado boca arriba en su cama, con la mirada inamovible en los artesones del techo, las sábanas sometidas bajo los brazos y el cuerpo rígido, cubierto por la colcha, que se adaptaba a su generosa silueta.

Cuando le vio entrar, el anciano giró la cabeza en su dirección y se le quedó mirando sin articular palabra. Alberto no supo distinguir lo que vio en su mirada: si era reproche, humillación, desprecio o repulsión. Lo que estaba claro era que no había ni un atisbo de gratitud en sus pupilas, y mucho menos de afecto.

—Padre... —murmuró, sacándose el sombrero y estrujándolo entre las manos. Estaba claro que aquella imagen del viejo ogro imposibilitado era mucho más de lo que su naturaleza podía soportar—. Padre, ¿cómo se encuentra?

Tampoco resultaba agradable para el ogro sentirse mermado ante quienes consideraba sus enemigos. Para confirmarlo, bufó y desvió la mirada al techo.

—¿Cómo crees que me encuentro? —ladró—. ¿No me ves? ¡Estoy aquí tirado como un mueble! ¡Convertido en un inútil!

A pesar del agrio recibimiento, Alberto sujetó el respaldo de una silla y la acercó al lecho para sentarse en ella.

—El médico ha dicho que el láudano será un buen paliativo. Debe tomarlo a cada hora para calmar el dolor —continuó hablando como si nada—. Al principio será doloroso, seguramente padecerá usted grandes tormentos... pero después el dolor amainará y lo llevará mejor. Podrá tener una vida más o menos aceptable.

El hombre volvió hacia él una mirada iracunda.

—¿Y tú qué sabrás? ¿Acaso ahora los *abogaduchos* entienden de medicina? —Frunció los labios en una mueca de desprecio—. No tienes ni idea. Nunca la has tenido.

Alberto inclinó la mirada para fijarla en el ala de su sombrero, que hacía girar a gran velocidad entre los dedos. El doloroso pasado volvía a salir de la fosa donde lo había sepultado dentro de su cabeza. Siempre sucedía en presencia de su padre, por eso procuraba evitar, dentro de lo posible, estar junto a él. Pero ahora ese tiempo había pasado. El reinado de terror de Jenaro Monterrey había tocado a su fin.

—Nunca me ha tenido en consideración. Siempre me ha hecho usted muy infeliz, padre —declaró, con la vista aún anclada en su sombrero—. Yo deseaba quererle, madre deseaba quererle... y nunca nos lo permitió. Apartó de su lado con desdén a cuantos queríamos un poquito de su afecto. Usted solo pensaba en su fábrica y en sus caprichos personales. Yo no importo, he sabido salir adelante sin usted, he sabido asumir su indiferencia y convivir con ella, pero mi pobre madre... la hizo usted sufrir muchísimo. La ha tratado peor que... —un hondo sollozo le silenció—. No sé si alguna vez podré perdonarle por ello. No sé si usted lo merece.

El anciano no respondió. Su pecho ascendía y descendía en agitado vaivén, pero sus labios permanecían apretados.

—¿A eso has venido? ¿A hacerme reproches ahora que sabes que no puedo valerme por mí mismo?

Alberto negó con la cabeza.

—No. No he venido a eso.

—¿A qué, entonces? ¿A burlarte de mí? ¿A regodearte de mi estado?

—Yo no soy como usted, padre. Jamás haría leña del árbol caído. Solo he venido a presentarle mis respetos y a decirle que... —exhaló, alzando la mirada hacia el rostro del anciano, que se contorsionaba de dolor, y tomó fuerzas— que he contratado a dos enfermeras para que velen por usted día y noche. En todo momento estará atendido y sus necesidades quedarán perfectamente cubiertas. No tendrá de qué preocuparse ni temer por su dignidad. Además, tendrá un médico personal a su entera disposición. Todo ello costeado con mi sueldo de infeliz *abogaducho*.

El anciano torció los labios en una mueca de desprecio, evitando mirarle en todo momento.

—¡No necesito de tu caridad, poseo suficiente dinero para mantenerme! ¿Qué te has creído?

—Lo sé, pero es algo que quiero hacer, quizás mi última obligación hacia usted como hijo. —Se palmeó los muslos unos segundos antes de ponerse en pie—. Quería informarle, además, de que, cuando llegué a San Julián, conocí a una joven. —Esta vez el anciano giró el rostro para clavar en él una mirada escéptica y, a la vez, burlona, satírica y malvada.

—¿Tú? ¿Has estado zascandileando con alguna campesina? ¡Y la has dejado preñada! ¡Tan típico de ti caer tan bajo! ¡Nunca has tenido aspiraciones, y ahora te enredas con una vulgar provinciana!

Alberto ignoró tal desprecio, consciente de la satisfacción que le reportaría desvelar la realidad.

—No es algo que hubiera planeado y desde luego no era mi intención buscar a una persona en la que depositar mis afectos. Mucho menos que esa persona fuera capaz de corresponderlos con idéntica intensidad. Pero sucedió, ha sido algo mágico e imparable, como el empuje del mar o la caída del ocaso al final del día.

El anciano hizo una mueca ante el ridículo romanticismo que mostraba aquel muchacho; desde luego, un hombre indigno de ser Monterrey.

—¡Qué falta de gusto referir a tu padre tus escarceos con una pueblerina zafia y vulgar! ¿Es este el respeto que te inspiran mis circunstancias, que vienes a traerme chismes que no me interesan?

Alberto ignoró el apunte y continuó.

—Le he pedido que sea mi esposa y ella me ha concedido el grandísimo honor de aceptar.

—¿Quieres mi bendición? ¡Pues al demonio tú y tu ramera!

Alberto se silenció un minuto para tomar aire y continuar.

—Solo quería, ambos queríamos, que usted la conociera. Ella es la mujer con la que me voy a casar. Es parte de mi alma, mi otra mitad.

Y para secundar sus palabras, se hizo ligeramente a un lado. Los ojos de Monterrey se deslizaron en aquella dirección para encontrarse con la silueta de Ana de Altamira, que aparecía con timidez bajo el umbral. Lo que experimentó a continuación sería muy difícil de describir con palabras, pero, haciendo un esfuerzo y tratando de ser fieles a la verdad, baste decir que su rostro tornó completamente grana, hinchándose de inmediato, haciendo que sus flácidas carnes bailaran ante la rabia que lo embargó. Sus ojos, inyectados en sangre, casi se salieron de sus órbitas; sus fosas nasales se dilataron en pos de una respiración entrecortada, y su boca empezó a farfullar palabras inconexas, salivando y espumando a partes iguales, tal era la furia y el desprecio que gobernaba aquel alma infame.

Alberto se cuadró ante él y cabeceó a modo de despedida.

—Buenos días tenga usted, padre.

Se volvió para tomar a Ana de la mano y juntos abandonaron la estancia.

Epílogo

Alberto y Ana de Altamira se casaron apenas un mes después. En respeto a la situación de duelo de la novia, la boda no tuvo mayor repercusión por deseo expreso de ambos contrayentes, y se celebró en la capilla del Pazo en absoluta intimidad. Tan solo los integrantes del servicio, la muy querida nana y algunos de los amigos más íntimos de Alberto, entre ellos su socio de la capital, fueron testigos de su promesa de amor eterno.

La noche de bodas, mientras Ana se desvestía en su alcoba con ayuda de Silvana, su doncella personal, encontró entre sus cobijas una carta perfectamente doblada. En ella destacaban las palabras que un Alberto enamorado derramaba sobre el papel desde lo más profundo y sincero de su corazón.

Ana, mi dulce Ana, no quiero más paraíso que el que me sea concedido a tu lado. Te amo y te amaré mientras quede un aliento de vida en mi alma.
Tuyo eternamente,

Alberto.

Se llevó el papel al pecho, lo besó después y lo humedeció con sus labios. Porque amaba a Alberto con toda su alma y lo amaría mientras existiera un resquicio de vida en su cuerpo, tal y como expresaba él.

Los nuevos condes de Rebolada convirtieron el Pazo en su hogar. Alberto continuó manteniendo la sociedad en su bufete de la capital, pero asimismo abrió su propio despacho en el pueblo de San Julián y pasó a hacerse cargo de los asuntos legales del Pazo.

Aunque los casos que se le presentaban no iban más allá de simples contiendas entre vecinos por cuestiones de marcos que, *inexplicablemente,* cambiaban su posicionamiento, hurtos en corrales o refriegas en las tabernas, el señor letrado supo encontrar un cierto equilibrio, no exento de divertimento, en el hecho de representar la justicia en aquel lugar.

Ana jugó un papel muy importante en la administración de las propiedades y, asesorada por su esposo, consiguió saldar las deudas contraídas por su padre y sacar adelante la hacienda. Aunque en el proceso tuvo que desprenderse de muchos terrenos, obras de arte, reses y objetos personales, el beneficio que obtuvo después resultó mayor y más satisfactorio. Nada hay comparable a la paz del alma, la cabeza descansada y la plenitud del corazón.

Jenaro Monterrey vivió todavía muchos años más, y ese sin duda fue su mayor castigo. Obligado por su incapacidad, cedió la gerencia de su empresa de salazones y conservas al capataz, que más tarde acabó por comprar todas las acciones y convertirse en único propietario. Además, la presencia de su hijo, que acudía a visitarle una vez cada quince días, le hacía hervir la sangre. Aunque ni siquiera intercambiaban una sola palabra, el hecho de verle feliz y con los ojos radiantes de dicha solo conseguía enfurecerle por dentro. Porque la buena vida que aquel necio se estaba dando, su libre disposición del Pazo y de todas las propiedades vinculadas, y el goce que le ofrecería aquella loba con piel de cordero eran cosas que debería estar disfrutando él, en lugar de pudrirse en una cama.

Lo que desconocía tal vez Monterrey era que Alberto no solo gozaba del respeto y la admiración de todo el condado, y de los privilegios de conde consorte, sino, además, de todos los afectos y glorias que albergaba el corazón de su condesa.

Agradecimientos

A veces, solo a veces, los sueños se hacen realidad; y si para la consecución de dichos sueños han intervenido diversas almas, una se ve en la imperiosa —y gloriosa— obligación de mostrar su gratitud a todas y cada una de ellas.

Gracias, mil veces gracias al maravilloso equipo de Titania editorial, por su profesionalidad, su confianza, por apostar por esta soñadora sin remedio y por manejar con tanta destreza la varita mágica hacedora de sueños. Gracias especialmente a Soledad, y a Esther, mi editora, por su cercanía, su apoyo incondicional, su comprensión y su infinita paciencia. Ambas sois las perfectas hadas madrinas.

A Olalla Pons, por prestarme a *Lucero* y por hablarme de *Pequitas*. Te adoro.

A Kelly Dreams, porque hay lazos que no necesitan ser de sangre para resultar inquebrantables, y tú eres mi hermana. Gracias por mantenerme cuerda.

A mi querida Marta Fernández, gran amiga, mejor persona e increíble apoyo. Por todo, lo sabes, te adoro y te quiero siempre en mi vida. Gracias por acompañarme en la lucha.

A Silvana, Mily y Ana, os quiero y os debo mucho. Gracias por estar a mi lado, auparme cuando me caigo, reñirme cuando me rindo y quererme siempre.

A Eva María Rendón, por ser lectora emotiva, entusiasta y sensible, una amiga cariñosa y una gran persona.

A Patricia Rodríguez, por tantos momentos compartidos de risas y ánimos. Y que sean muchos más.

A Claudia Cardozo, por estar y formar parte de mi vida, ya para siempre.

A Tamara López, por ser mi amuleto en esta aventura.

A mis niñas de ultramar, Patricia Lodigiani, Leticia Aparicio, Anabel Reyes, Sandra Arredondo y Micaela González, por quedarse a mi lado y soñar.

A Miranda Kellaway, por haber reaparecido cuando más te necesitaba. En realidad, por no haberte ido nunca.

A Monserrat Suáñez, por esos mails intercambiados sobre la nobleza española del xix y los derechos legales de las hidalgas menores de edad.

A Diego y a Elizabeth, la piedra angular de mi existencia, mi ás de guía, el faro imperturbable en la tempestad. Por vosotros, todo, sin vosotros, nada.